LE POUVOIR

Née en 1974 en Angleterre, Naomi Alderman est journaliste et romancière. Elle est l'auteure de trois romans très remarqués par la critique : *La Désobéissance*, *Mauvais genre* et *Le Pouvoir*. Véritable phénomène d'édition dans son pays, ce dernier a connu un immense succès et remporté le mythique Baileys Women's Prize en 2017. Il est en cours de production pour une série télévisée. En 2013, Naomi Alderman a été incluse dans la liste *Granta* des vingt meilleurs jeunes écrivains.

Paru au Livre de Poche :

LA DÉSOBÉISSANCE

NAOMI ALDERMAN

Le Pouvoir

TRADUIT DE L'ANGLAIS (GRANDE-BRETAGNE)
PAR CHRISTINE BARBASTE

CALMANN-LÉVY

Titre original :

THE POWER
Première publication : Viking, 2016;
Penguin Books (Penguin Random House, UK), 2017

Illustrations : © Marsh Davies.

© Calmann-Lévy, 2018, pour la traduction française.
ISBN : 978-2-253-10053-9 – 1ʳᵉ publication LGF

Pour Margaret et Graeme,
qui m'ont montré des merveilles.

Le peuple vint trouver Samuel et lui dit : « Donne-nous un Roi qui nous gouvernera et nous guidera. »

Et Samuel leur dit : « Voici ce que fera un Roi s'il règne sur vous, il prendra vos fils, les affectera à sa charrerie et à ses chevaux, et les fera courir devant son char. Il en disposera comme bon lui semble : il en fera des chefs de mille et des chefs de cinquante, il les emploiera à labourer ses terres, à moissonner ses champs, à fabriquer ses armes de guerre et ses chars. Il prendra vos filles pour en faire des parfumeuses, des cuisinières ou des boulangères. Il prendra les parcelles les plus fertiles de vos champs, de vos vignes et de vos oliveraies pour les donner à ses officiers. Et il prendra plus encore : sur le produit de vos semences et de vos vignes, il prélèvera la dîme et la distribuera à ses vassaux préférés et à ses fidèles officiers. Les plus diligents de vos serviteurs et de vos servantes, les plus robustes de vos bœufs et de vos ânes – oui, il les prendra eux aussi et les fera travailler pour lui. Il prélèvera la dîme sur vos troupeaux et vous-mêmes deviendrez ses esclaves. Ce jour-là, croyez-moi, vous réclamerez à cor et à cri d'être délivrés de ce Roi, ce Roi que vous avez appelé de vos vœux, et le Seigneur, ce jour-là, ne vous répondra pas. »

Mais le peuple refusa d'écouter Samuel et dit : « Non. Nous aurons un Roi qui régnera sur nous, nous serons comme

toutes les autres nations. Donne-nous un Roi pour nous guider et nous conduire dans la bataille. »

Samuel entendit les paroles du peuple, et les rapporta au
Seigneur.

Le Seigneur répondit : « Donne-leur un Roi. »

1ᵉʳ livre de Samuel, I, 8

L'Association des hommes écrivains
New Bevand Square

Le 27 octobre

Chère Naomi,

J'ai terminé ce maudit livre. Je te l'envoie, fragments et croquis inclus, dans l'espoir que tu me donneras quelques conseils éclairés, ou qu'à tout le moins, en le lâchant comme un caillou dans un puits, j'entendrai enfin son écho.

Tu me demanderas avant toute chose *de quoi* il s'agit. J'avais promis de ne pas me lancer dans une «énième étude historique aride». Il m'aura fallu écrire quatre livres pour prendre conscience qu'aucun lecteur lambda n'a envie de se frayer un chemin dans un maquis de preuves, et que tout le monde se fiche pas mal des aspects techniques en matière de datation des découvertes archéologiques ou de comparaison des strates. J'ai vu à leurs regards vides comment des auditoires entiers décrochaient sitôt que je tentais d'expliquer mes recherches. Ce que je te livre ici est donc une sorte de texte hybride qui, je l'espère, intéressera davantage le grand public. Ce n'est ni vraiment de l'histoire, ni vraiment un roman, plutôt une «novélisation» de ce que les archéologues s'accordent à reconnaître comme étant l'hypothèse la plus plausible. J'ai inclus quelques planches illustrées relatives à des découvertes archéologiques que j'espère parlantes, mais libre aux lecteurs de les sauter – ce que beaucoup feront, je n'en doute pas.

J'ai des questions pour toi. Ce livre est-il très choquant? Est-il trop difficile d'accepter qu'aussi loin qu'ils remontent dans notre histoire, de tels événements aient pu se produire? Y a-t-il quoi que ce soit que je puisse faire pour conférer à l'ensemble un *aspect* plus crédible? On dit, tu le sais bien, que la «vérité» et l'«apparence de la vérité» sont deux choses opposées.

J'ai inséré des informations extrêmement troublantes concernant Mère Ève... mais nous savons tous comment ce genre de choses fonctionne! Je suis prêt à parier qu'elles ne bouleverseront pas grand monde... De toute façon, tout le monde se revendique athée de nos jours. Et tous les «miracles», pour le coup, deviennent explicables.

Bref, pardon, je me tais, maintenant. Je ne veux surtout pas t'influencer – lis, et dis-moi ce que tu en penses. J'espère que ton propre livre avance bien. Je suis impatient de le lire, quand il sera prêt. Merci infiniment pour ce coup de main. Je te suis sincèrement reconnaissant d'avoir trouvé du temps à m'accorder.

Très affectueusement,

Neil

La Sans Pareille
Lakevik

Très cher Neil,

Waouh! Tu me gâtes! J'ai commencé à le parcourir et je piaffe d'impatience de m'y plonger pour de bon. J'ai vu que, comme tu me l'avais annoncé, tu as inclus quelques scènes où les soldats, les policiers, ou les membres de gangs criminels sont des hommes. Petit coquin! Ce n'est pas à *toi* que je vais apprendre combien j'adore ce genre de choses. Je suis sûre que tu t'en souviens. Me voilà d'ores et déjà tenue en haleine.

Je suis curieuse de voir quel traitement tu as réservé à la prémisse. Pour ne rien te cacher, cette lecture sera une parenthèse bienvenue dans la rédaction de mon propre livre. Selim dit que si ce nouveau roman n'est pas un chef-d'œuvre, il me quitte pour une femme *réellement* capable d'écrire. Il n'a pas idée, je pense, de l'état dans lequel ces remarques désinvoltes me plongent.

Bref, j'ai hâte de le lire! Je sens que je risque d'apprécier ce «monde dirigé par des hommes» dont tu m'as touché deux mots. Il est sûrement plus aimable, plus prévenant et – oserais-je le dire? – plus *sexy* que celui dans lequel nous vivons.

Je t'en dis davantage très vite, mon cher Neil.

Naomi

NEIL ADAM ARMON

Le Pouvoir

Roman historique

La forme du pouvoir est toujours la même, c'est la forme d'un arbre : des racines à la cime, un tronc central d'où naissent des branches d'où renaissent d'autres branches, toujours plus longues, toujours plus fines. La forme du pouvoir est semblable au tracé d'une chose vivante qui se démène pour se projeter vers l'extérieur, pour étendre ses vrilles un peu plus loin, toujours un peu plus loin.

Cette forme est celle des fleuves qui se jettent dans l'océan – de filets d'eau en ruisseaux, de ruisseaux en courants, de courants en torrents, une formidable force se rassemble, bouillonne, et gagne en vigueur pour se déverser dans l'imposante puissance marine.

C'est la forme qu'emprunte la foudre quand elle s'abat sur Terre. L'éclair qui déchire le ciel imprime son tracé sur la chair ou sur la Terre. Ces mêmes motifs caractéristiques apparaissent dans un bloc d'acrylique soumis à un courant électrique. Nous canalisons des impulsions électriques dans des séries ordonnées de circuits et d'interrupteurs, mais l'électricité veut prendre la forme d'une chose vivante, d'une fougère, d'une branche nue. Avec son point d'impact au centre, d'où le courant se propage en une multitude de ramifications.

Cette même forme se développe en nous, c'est celle qu'épousent nos arbres intérieurs constitués de nerfs et de vaisseaux sanguins. Un tronc central, et des branches qui se divisent et se subdivisent. Les signaux qui voyagent du bout de nos doigts jusqu'à notre moelle épinière, pour rejoindre notre cerveau. Nous sommes électriques. Le pouvoir est un courant électrique qui voyage en nous comme il le fait dans la nature. Mes enfants, rien de ce qui s'est passé ici ne va à l'encontre des lois naturelles.

Le pouvoir circule de la même manière entre les êtres humains ; il ne peut en être autrement. Nous fondons des villages, ces villages deviennent des villes, les villes font allégeance aux métropoles, et les métropoles aux États. Les ordres circulent du centre vers les extrémités. Ce qui en résulte revient des extrémités vers le centre. La communication est constante. Les océans ne peuvent survivre sans les filets d'eau, pas plus que les troncs centenaires sans les bourgeons, ou le cerveau sacré sans les terminaisons nerveuses. Ainsi en va-t-il au-dessus comme en dessous. À la périphérie, comme en plein cœur.

En vertu de cela, tout changement de nature et d'utilisation du pouvoir humain ne peut intervenir que de deux façons : soit un ordre, une ordonnance à l'adresse du peuple, émane du palais, décrétant « Il en est ainsi » ; soit, la plus probable, la plus inévitable, c'est que ces milliers de milliers de points lumineux envoient chacun un nouveau message. Quand le peuple change, le palais est incapable de résister.

Comme il est écrit : « *Elle prit alors l'éclair au creux de sa main. Elle lui commanda de frapper.* »

Livre d'Ève, XIII, 17

ENCORE DIX ANS

Roxy

Les hommes, pour commencer, enferment Roxy dans le placard. Mais ils ignorent que ce n'est pas la première fois qu'elle se trouve enfermée là-dedans. Quand elle fait des siennes, c'est justement comme ça que sa mère la punit. Pas longtemps. Juste le temps qu'elle se calme. Et petit à petit, au fil des heures passées dans ce réduit, Roxy a donné du mou au verrou en s'attaquant aux vis de la pointe de l'ongle ou d'un trombone. Si elle l'avait voulu, elle aurait pu faire sauter ce verrou n'importe quand, mais à quoi bon ? Sa mère en aurait mis un autre. Quand Roxy est punie, dans le noir, savoir qu'elle pourrait s'échapper si elle le voulait lui suffit. Savoir, c'est déjà être libre.

Voilà donc pourquoi les hommes la croient sous clé et à l'abri. Sauf qu'elle se débrouille pour sortir du placard. Et qu'elle assiste à toute la scène.

Les hommes sont arrivés à vingt et une heures trente. Roxy était censée se trouver chez ses cousins, ce soir-là ; c'était convenu depuis des semaines. Mais parce qu'elle avait été insolente, parce qu'elle avait reproché à sa mère de ne pas lui avoir acheté les bons collants au Primark, celle-ci avait décrété : « Tu n'y vas pas, tu restes à la maison. » Comme si c'était une punition de ne pas aller chez ces satanés cousins !

Quand les types ouvrent la porte d'un coup de pied et qu'ils la découvrent là, en train de bouder sur le canapé à côté de sa mère, l'un d'eux lâche : « Merde, la gamine est là. » Ils sont deux, un grand avec une face de rat, et un plus petit à la mâchoire carrée. Roxy ne les a jamais vus.

Le plus petit saisit sa mère à la gorge ; le grand pourchasse Roxy à travers la cuisine. Elle a presque franchi la porte de derrière lorsqu'il lui agrippe la cuisse ; à l'instant où elle va s'affaler, le type la ceinture et la soulève. Elle se débat, lance des coups de pied dans le vide, crie : « Lâchez-moi ! », et quand le type veut la bâillonner de sa main, elle le mord si fort qu'elle sent le goût du sang sur sa langue. L'homme éructe un juron mais ne la repose pas. Il la transporte jusque dans le salon, où l'autre type, le petit, a acculé sa mère contre la cheminée. C'est à cet instant précis que Roxy commence à sentir que ça grandit en elle, même si elle ignore ce que c'est. Ce n'est encore qu'une sensation au bout des doigts, un picotement dans les pouces.

Elle se met à hurler. Sa mère n'est pas en reste : « Ne vous avisez pas de toucher un cheveu de ma Roxy ! Vous ne savez pas à qui vous vous attaquez, ça va vous retomber dessus comme les flammes de l'enfer, vous regretterez d'être nés. C'est la fille de Bernie Monke, pour l'amour de Dieu. »

Le court sur pattes rigole. « Ça tombe bien, on a un message pour son papa. »

C'est à ce moment-là que le grand pousse Roxy dans le placard sous l'escalier ; tout se passe si vite qu'elle ne comprend pas ce qui lui arrive avant que tout soit devenu noir autour d'elle et que l'odeur poussiéreuse de l'aspirateur ne lui soulève le cœur. Sa mère hurle de plus belle.

La respiration de Roxy s'accélère. Elle est terrorisée, mais elle doit à tout prix aider sa mère. Du bout de l'ongle, elle s'attaque à l'une des vis du verrou. Une, deux, trois rotations et le tour est joué. Une étincelle jaillit entre la vis et sa main. Électricité statique. Roxy se sent bizarre. Très lucide, comme si elle pouvait voir à travers ses paupières closes. La vis du bas, maintenant – un, deux, trois tours. Sa mère les implore : « S'il vous plaît, non, s'il vous plaît ! À quoi ça rime ? C'est juste une gamine. Une enfant, pour l'amour de Dieu. S'il vous plaît ! »

L'un des hommes rigole et dit à voix basse : « Elle m'a pas semblé si gamine que ça. »

Sa mère pousse un cri strident, pareil à un crissement métallique dans un moteur défectueux.

Roxy essaie de déterminer où, précisément, se trouve chacun des deux hommes. L'un se tient à côté de sa mère. L'autre… Elle entend un bruit sur sa gauche. Voilà son plan : elle va sortir du placard, se jeter sur le grand type en visant l'arrière des genoux, et quand il sera à terre, elle lui piétinera la tête. Cela fait, elles seront à deux contre un. S'ils ont des pistolets, ils ne les ont pas montrés. Ce ne sera pas la première fois que Roxy se bagarre. Les gens racontent tout un tas de choses sur elle. Et sur sa maman. Et son papa.

Un. Deux. Trois. Sa mère hurle à nouveau ; Roxy arrache le verrou et pousse la porte de toutes ses forces.

Elle a de la chance. En s'ouvrant, la porte a percuté le dos du grand type. Il trébuche, perd l'équilibre, bascule vers l'avant et Roxy lui empoigne au vol le pied droit. Quand il s'écrase comme une masse sur le tapis, on entend un craquement, et du sang se met à couler de son nez.

Le petit tient un couteau appuyé contre la gorge de sa mère ; cette lame d'acier recourbée qui scintille, on dirait qu'elle lui sourit et lui fait un clin d'œil. Sa mère écarquille exagérément les yeux. « Cours, Roxy, cours, cours », dit-elle. Ce n'est qu'un murmure à peine audible mais Roxy l'entend aussi distinctement que s'il était à l'intérieur de sa tête.

À l'école, quand le ton monte, Roxy ne se défile jamais. Sinon, ils n'arrêteront jamais de dire : « Ta mère est une traînée et ton père un escroc. Fais gaffe, Roxy va te faucher ton livre. » Il faut les piétiner jusqu'à ce qu'ils demandent grâce. Ne surtout pas partir en courant.

Quelque chose est en train de se passer. Elle entend le sang qui martèle dans ses oreilles. Une sensation de picotement envahit son dos, remonte le long de ses épaules, se propage le long de sa clavicule. Et ces picotements lui disent : *Tu peux le faire.* Ils lui disent : *Tu es forte.*

D'un bond, elle enjambe l'homme à terre, qui gémit et se tâte le visage. Elle va attraper la main de sa mère et filer d'ici. Une fois dehors, dans la rue, elles seront à l'abri. Elles iront trouver son père ; il réglera ça. Ce n'est que l'affaire de quelques pas. Elles peuvent y arriver.

Le nabot décoche un violent coup de pied dans le ventre de sa mère, qui se plie de douleur et tombe à genoux. Puis il menace Roxy en agitant son couteau.

La grande perche, à terre, pousse un grognement : « Tony. N'oublie pas. Pas la petite. »

Son acolyte lui assène un coup en plein visage. Un deuxième. Un troisième.

« Ne prononce pas mon nom », gronde-t-il d'une voix menaçante.

La grande perche se le tient pour dit. Du sang écume sur son visage. Roxy comprend qu'elle est en mauvaise posture, maintenant. « Cours ! Cours ! » lui crie sa mère, mais il y a cette sensation semblable à des fourmis le long de ses bras. Ce sont comme des piqûres de lumière qui irradient depuis sa colonne vertébrale jusque dans la clavicule, depuis sa gorge jusque dans les coudes, les poignets, les coussins des doigts. Elle se sent scintiller, de l'intérieur.

L'homme au couteau va l'attraper de sa main libre. Roxy se prépare à se défendre d'un coup de pied, ou de poing, mais une sorte d'instinct lui dicte une riposte inédite. Elle lui saisit le poignet. Elle imprime une *torsion* à quelque chose dans sa poitrine, comme si elle avait toujours su comment faire ça. L'homme secoue le bras pour essayer de se libérer, mais il est trop tard.

Elle prit l'éclair au creux de sa main. Elle lui commanda de frapper.

Il y a un flash lumineux qui crépite et un bruit qui rappelle celui d'un bec en origami. Roxy hume une odeur à mi-chemin entre une pluie d'orage et les cheveux brûlés. Le goût qui enfle sur sa langue est celui des oranges amères. Le nabot est à terre, maintenant. Il laisse échapper une plainte douloureuse. Son poing se ferme et se rouvre continûment. Une longue cicatrice écarlate court le long de son bras depuis son poignet.

Roxy la distingue même sous les poils blonds : elle est rouge vif, et dessine un motif qui évoque une fougère, avec des frondes et des vrilles, des bourgeons et des tiges. Sa mère fixe cette cicatrice, bouche bée, tandis que ses larmes continuent de couler.

Roxy la tire par le bras, mais elle est en état de choc, presque amorphe et elle répète machinalement : « Cours ! Cours ! » Si Roxy ignore ce qu'elle a fait, elle sait en revanche que, quand on s'attaque à plus fort que soi et que l'adversaire est à terre, on déguerpit sans attendre. Seulement sa mère est trop lente. Roxy n'a pas le temps de l'aider à se relever que le nabot la menace déjà : « On ne va nulle part. »

Il reste sur ses gardes quand il se remet debout et va se placer, en boitillant, entre la porte et elles. L'une de ses mains pend mollement le long de sa jambe, l'autre tient toujours le couteau. Roxy se souvient de ce qu'elle a ressenti, lorsqu'elle a fait ce truc bizarre.

Elle pousse sa mère derrière elle.

« Qu'est-ce que t'as là, petite ? demande l'homme – Tony, elle va retenir ce prénom pour le répéter à son papa. Une batterie ?

— Écartez-vous, ordonne Roxy. Vous voulez y regoûter ? »

Tony recule de deux pas, les yeux rivés sur les bras de Roxy. Il cherche à voir si elle cache quelque chose dans son dos. « Tu l'as laissé tomber, pas vrai, fillette ? »

Oui, Roxy se souvient de cette sensation. La torsion, puis ce truc qui explose.

Elle s'avance d'un pas. Tony ne bouge pas. Un autre pas. Il regarde sa main inerte. Les doigts sont encore

26

parcourus de tressaillements. Il secoue la tête. « Tu n'as rien », dit-il, et il s'avance, couteau pointé vers elle.

Roxy tend la main, effleure le poing qui la menace. Essaie de reproduire cette *torsion*.

Rien ne se passe.

Tony rigole. Puis glisse le couteau entre ses dents, et emprisonne les poignets de Roxy dans une seule main.

Roxy essaie de nouveau. Rien.

Il la force à s'agenouiller.

« S'il vous plaît, implore sa mère, avec une certaine douceur. Je vous en supplie, ne faites pas ça. S'il vous plaît. »

Et puis, quelque chose heurte l'arrière de son crâne, et Roxy perd connaissance.

Quand elle revient à elle, le monde penche. Le foyer de la cheminée est à la même place que d'habitude. Autour, il y a le manteau en bois. Si proche qu'il semble lui entrer dans l'œil ; sa tête est douloureuse, sa bouche écrasée contre le tapis. Elle sent le goût du sang. Elle entend le bruit d'un goutte-à-goutte. Elle ferme les yeux. Les rouvre, et comprend qu'il s'est écoulé plus de quelques minutes. Dehors, dans la rue, tout est silencieux. Dans la maison, il fait froid. Et tout est de guingois. Elle examine son corps à tâtons. Il semblerait qu'elle ait les jambes posées sur une chaise. Et le visage écrasé par terre, sur le tapis contre la cheminée. Elle essaie de se redresser, en vain, alors elle se tortille et parvient à faire retomber ses jambes sur le sol. La chute est douloureuse mais maintenant, au moins, tout son corps est au même niveau.

Les souvenirs lui reviennent dans une succession de flashs. La douleur, puis l'origine de la douleur, puis ce truc bizarre qu'elle a fait. Puis sa mère. Elle se hisse lentement et remarque qu'elle a les mains poisseuses. Et que quelque chose ruisselle. Le tapis est imbibé d'un liquide qui forme une large tache rouge autour de la cheminée. Il y a sa mère, tête pendante par-dessus le bras du canapé. Et il y a un papier posé sur sa poitrine, avec une primevère[1] dessinée au feutre. Roxy a quatorze ans. Elle est l'une des plus jeunes, et l'une des premières.

---

1. *Primrose*, en anglais. La signification de ce dessin apparaîtra plus tard. *(Toutes les notes sont de la traductrice.)*

Tunde

Tunde fait des longueurs dans la piscine dans une débauche d'éclaboussures destinées à attirer l'attention d'Enuma. Elle est en train de feuilleter *Today's Woman*; chaque fois que Tunde regarde dans sa direction, elle s'empresse de se replonger dans son magazine et feint d'être absorbée par l'article sur Toke Makinwa et la diffusion surprise, sur sa chaîne YouTube, de son mariage en plein hiver. Tunde voit bien qu'Enuma l'observe à la dérobée. Et d'après lui, elle voit qu'il le voit. C'est excitant.

Tunde a vingt et un ans, il sort tout juste de cette période de la vie où rien ne semble jamais à la bonne taille, où tout est toujours trop long ou trop court, mal orienté, encombrant. Quoique de quatre ans sa cadette, Enuma est plus femme qu'il n'est homme, elle est réservée mais n'a rien d'une oie blanche. Elle n'est pas trop timide, non plus, à en croire sa démarche ou le bref sourire qui illumine son visage quand elle comprend une blague un instant avant tout le monde. Elle habite Ibadan et est en visite à Lagos; c'est la cousine d'un ami d'un garçon qui est en cours de photojournalisme avec Tunde. Ils sont toute une bande à traîner ensemble, cet été-là. Tunde a repéré Enuma le jour même de son arrivée ; il a remarqué ses sourires à la dérobée et ses blagues dont il n'avait pas compris tout de suite qu'elles en étaient. Et aussi, la courbe de ses hanches, et la façon dont elle remplissait ses tee-shirts. Ça n'a pas été simple, de réussir à se trouver seul avec elle. Mais Tunde était super motivé.

Enuma avait déclaré, peu après son arrivée, qu'elle n'avait jamais aimé la plage : trop de sable, trop de vent. Elle préférait la piscine. Tunde a patienté un, deux, trois jours, puis il a suggéré une virée – on descend tous en voiture à Akodo Beach, on emporte un pique-nique et on passe la journée là-bas. Quand Enuma a répondu qu'elle préférerait ne pas y aller, Tunde a fait mine de ne pas entendre. Et la veille de l'excursion, dans la soirée, il a commencé à se plaindre de maux de ventre. C'est dangereux de nager avec l'estomac barbouillé – l'eau froide pourrait provoquer un choc dans ton organisme. Mieux vaut rester à la maison, Tunde. Oh non, je vais louper la virée à la plage ! Quelle importance, si tu ne peux pas te baigner ? Enuma reste ici ; elle pourra appeler un docteur, au besoin.

« Mais vous allez rester tous les deux seuls à la maison ? » a observé une des filles.

À cet instant, Tunde a souhaité que cette enquiquineuse soit frappée de mutisme. « Mes cousins nous rejoindront plus tard », a-t-il répondu.

Personne n'a demandé de quels cousins il s'agissait. C'était un de ces étés chauds et paresseux où il y avait beaucoup de passage dans la grande maison située à deux pas du Ikoyi Club.

Enuma n'a pas protesté, ce qui n'a pas échappé à Tunde. Elle n'a pas cherché non plus à convaincre leurs amis de renoncer à leur virée plage pour rester à la maison avec eux. Elle n'a rien dit non plus quand Tunde s'est levé, une demi-heure après le départ de la dernière voiture, et qu'il s'est étiré en annonçant qu'il se sentait beaucoup mieux. Elle s'est contentée de le regarder sauter du plongeoir avec son fameux petit sourire.

Tunde exécute un demi-tour sous l'eau. Le mouvement est net, continu, précis, ses pieds brisent à peine la surface de l'eau. Il se demande si Enuma l'a vu, mais elle n'est plus là. Il la cherche des yeux et aperçoit ses jambes musclées et ses pieds nus sortant de la cuisine. Elle a une canette de Coca-Cola à la main.

«Jeune servante! Apportez-moi ce Coca!» lui ordonne-t-il d'un ton faussement seigneurial.

Elle se retourne, sourit, ouvre grands ses yeux clairs, fait mine de regarder à droite, à gauche, puis retourne un doigt contre sa poitrine, comme pour dire: Qui ça? Moi?

Bon sang, comme il la veut. Il ne sait pas précisément comment s'y prendre. Il n'y a eu que deux autres filles avant elle, et aucune des deux n'est devenue une «petite amie». À la fac, ses camarades le chambrent, ils disent qu'il est marié à ses études, parce que c'est un éternel célibataire. Ce n'est pas que ça lui plaise. Disons plutôt qu'il attendait quelqu'un qui le fasse vraiment vibrer. Enuma a quelque chose. Et il veut ce qu'elle a.

Il prend appui sur les dalles mouillées et se hisse sur la pierre d'un mouvement souple et gracieux qui, il le sait, met en valeur ses épaules musclées, son torse et ses clavicules. Il a un bon pressentiment. Ça va marcher.

Elle s'assied sur une chaise longue. Tandis qu'il s'avance vers elle d'un pas assuré, elle glisse un ongle sous la languette de la canette, comme si elle s'apprêtait à l'ouvrir.

«Oh non, non, non, proteste-t-il sans se départir de son sourire. Ces choses-là ne sont pas faites pour toi et tes semblables.»

Elle presse la canette contre son estomac. Ça doit faire froid, là, contre la peau.

«Juste une petite gorgée, pour goûter», proteste-t-elle avec son air de sainte-nitouche.

Elle se mordille la lèvre inférieure.

Elle ne fait pas ça par hasard. C'est forcément de la provocation. Tunde est excité. Ça va arriver.

Il se plante devant elle. «Donne-la-moi.»

D'une main, elle fait rouler la canette le long de son cou, comme pour se rafraîchir. Elle secoue la tête. Et il se jette sur elle.

Une lutte amicale s'engage entre eux. Tunde veille à ne pas y aller trop fort. Il est sûr qu'Enuma prend plaisir autant que lui à ce corps-à-corps. Elle lève la main au-dessus de sa tête pour mettre la canette hors de sa portée. Quand Tunde pousse son bras en arrière, il lui arrache un cri de surprise et un mouvement de recul. Il cherche à lui prendre la canette des mains, en vain, et elle lâche un petit rire doux et discret. Il aime bien son rire.

«Ha ha! s'exclame-t-il. Tenter de soustraire cette boisson à son seigneur et maître… quelle servante espiègle tu fais!»

Elle rit et se tortille de plus belle. Ses seins remontent contre le décolleté en V de son maillot. «Jamais tu ne l'auras! réplique-t-elle. Je la défendrai, dussé-je y laisser la vie!»

Et Tunde se dit : Belle *et* intelligente – que le Seigneur ait pitié de mon âme. Elle continue à rire, et lui aussi. Il pèse maintenant de tout son poids sur elle ; il sent la tiédeur de son corps.

« Tu crois donc pouvoir avoir le dernier mot ? » Il tente une nouvelle fois de lui subtiliser le Coca, mais Enuma parvient à lui échapper. Il la rattrape par la taille.

Elle pose la main sur la sienne.

Il y a un parfum de fleur d'oranger. Un coup de vent précipite quelques poignées de fleurs blanches dans la piscine.

Tunde perçoit une drôle de sensation dans sa main, comme si un insecte le piquait. Il baisse les yeux et s'apprête à le chasser mais, sur sa main, il n'y a rien d'autre que la paume tiède d'Enuma.

La sensation s'intensifie. De simples piqûres d'épingle dans la main et dans l'avant-bras au début, puis un essaim de picotements, et enfin la douleur. Tunde respire trop vite pour pouvoir produire le moindre son de sa gorge. Il ne peut plus bouger le bras gauche. Son cœur tambourine dans ses oreilles. Sa poitrine est oppressée.

Enuma, elle, continue à rire, doucement. Elle se penche vers lui et l'attire plus étroitement contre elle. Plonge son regard dans le sien. Des lumières mordorées brillent dans ses iris, un voile humide luit sur sa lèvre inférieure. Tunde a peur. Il est excité. Il comprend qu'il est à sa merci, quelles que soient ses intentions. Cette pensée le terrifie. Et l'électrise. Il bande à en avoir mal, mais ne saurait dire depuis combien de temps. Il ne sent plus rien dans son bras gauche.

Enuma se penche vers lui, elle a une haleine parfumée au chewing-gum, et elle l'embrasse délicatement sur les lèvres. Puis elle s'écarte, court vers la piscine et plonge d'un mouvement élégant et bien maîtrisé.

Tunde attend que la sensation revienne dans son bras. Enuma fait ses longueurs en silence, sans l'interpeller, sans l'éclabousser. Il se sent excité. Il se sent honteux. Il voudrait lui parler, mais il a peur. Aurait-il tout imaginé? Risque-t-elle de nuire à sa réputation s'il lui demande ce qui s'est passé?

Pour couper court à toute conversation, il part acheter un granité à l'orange à l'échoppe située au coin de la rue. Et quand les autres rentrent de la plage, il accueille avec joie le projet d'aller rendre visite le lendemain à un énième cousin. Il ne souhaite rien tant qu'une distraction, et de la compagnie. Il ne sait pas ce qui s'est passé, et ne sait pas non plus si quelqu'un serait en mesure de l'éclairer. Quand il s'imagine aborder le sujet avec son ami Charles, ou avec Isaac, sa gorge se noue et plus aucun son n'en sort. S'il leur racontait ce qui s'est passé, ils le prendraient pour un fou, ou un faible, ou pire encore un menteur. Il repense à la façon dont elle s'est moquée de lui.

Il se surprend à scruter son visage, à l'affût de signes susceptibles de le mettre sur la voie. C'était quoi, ce truc? L'a-t-elle fait intentionnellement? Avait-elle manigancé de lui faire mal, ou peur, ou bien n'était-ce qu'un accident, indépendant de sa volonté? S'est-elle seulement rendu compte qu'elle le faisait? Et si elle n'y était pour rien – si tout cela n'était que la conséquence d'un dérèglement hormonal, lubrique de son propre corps? Toutes ces interrogations le rongent. Enuma ne laisse rien transparaître. Et le jour de son départ, elle tient la main d'un autre garçon.

Un sentiment de honte lui ronge le corps comme de la rouille. Il tourne et retourne compulsivement le souvenir de cet après-midi dans sa tête. La nuit, au lit : ses lèvres, le renflement de ses seins et le contour de ses tétons sous l'étoffe douce de son maillot, ce sentiment de vulnérabilité absolue qui s'est emparé de lui, la sensation qu'elle pouvait le soumettre si elle le voulait. Cette idée l'excite, et il se caresse. Ce qui l'excite, c'est la réminiscence du corps d'Enuma, de l'odeur de sa peau, semblable au parfum des fleurs d'hibiscus, même s'il ne saurait l'affirmer. À l'heure qu'il est, tout est emmêlé dans son esprit : désir et pouvoir, désir et peur.

Est-ce à force de visionner le film de cet après-midi-là dans sa tête ? D'attendre impatiemment une preuve scientifique, une photographie, un enregistrement vidéo ou sonore ? Est-ce pour cela que son premier réflexe, au supermarché, est d'attraper son téléphone ? Ou est-ce simplement la preuve qu'il a été attentif en cours – le journalisme citoyen ou l'art de flairer un bon sujet ?

Quelques mois après cette journée avec Enuma, Tunde se trouve au Goodies avec son ami Isaac. Ils sont au rayon fruits, à se gorger de ce parfum puissant, écœurant, de goyave trop mûre qui les a attirés depuis l'autre bout du magasin tels les moucherons posés sur les peaux fendillées. Tunde et Isaac se chamaillent à propos des filles, et de ce qu'elles aiment. Tunde s'efforce de garder sa honte enfouie au plus profond de lui, son ami ne doit pas savoir qu'il est en possession d'une connaissance secrète. À ce moment précis, une altercation éclate entre une très jeune fille qui fait ses courses seule, et un homme. Il a dans les trente ans ; elle en a quinze ou seize.

Comme l'homme était en train de badiner avec elle, Tunde a d'abord cru que ces deux-là se connaissaient et il ne comprend sa méprise que lorsque la fille dit : «Fichez-moi la paix.» Nullement démonté, l'homme lui sourit et s'avance même d'un pas : «Une jolie jeune fille a bien droit à un compliment, non ?»

La jolie fille se penche vers l'étal de fruits, baisse les yeux, respire fort. Ses doigts se crispent sur le bord d'un cageot de mangues. L'air se charge d'une étrange sensation qui picote la peau. Tunde sort son téléphone de sa poche et lance la vidéo. Il va se passer ici quelque chose d'identique à ce qui lui est arrivé. Et il veut le posséder, il veut pouvoir le rapporter à la maison et le regarder en boucle. Il espérait qu'un incident de cet ordre se produirait – il y pense depuis cette fameuse journée avec Enuma.

«Allons, ne me tournez pas le dos ! Faites-moi un petit sourire.»

La fille garde les yeux baissés et déglutit avec difficulté.

Les odeurs, dans le supermarché, s'intensifient : en une seule inhalation, Tunde détecte les parfums distincts de pommes, de poivrons et d'oranges douces.

«Je pense qu'elle va l'assommer avec une mangue», chuchote Isaac.

Sur ton ordre, les éclairs partent-ils en te disant : «Nous voici»?

Quand la fille se retourne, Tunde a déjà lancé l'enregistrement. Et quand elle frappe, mis à part ce bref instant où l'image se brouille sur l'écran de son téléphone, il capture toute la scène avec une grande netteté : la fille tend la main vers le bras de l'homme, qui continue à sourire, croyant manifestement que cette fureur n'est qu'une comédie destinée à l'amuser. Si on met la vidéo en pause à cet instant précis, on peut voir la charge sauter. Et distinguer le long du bras de l'homme, du poignet jusqu'au coude, le tracé d'une figure de Lichtenberg qui court en se ramifiant au fur et à mesure que les capillaires éclatent.

Tunde garde son portable braqué sur l'homme quand il s'effondre en suffoquant, comme terrassé par une crise cardiaque, puis il pivote pour filmer la fille en train de s'enfuir. Un brouhaha émerge à l'arrière-plan, des voix appellent à l'aide, crient qu'une fille a empoisonné un homme. Elle lui a planté une aiguille remplie de poison. À moins que, non – il y a un serpent caché dans les fruits, une vipère, c'est ça, une vipère heurtante. Et quelqu'un s'exclame : « *Aje ni girl yen, sha !* Cette fille est une sorcière ! C'est comme ça qu'une sorcière tue un homme. »

Tunde filme à présent le corps étendu à terre. Les talons de l'homme martèlent les dalles en lino. De l'écume rose s'échappe d'entre ses lèvres. Il a les yeux révulsés. Sa tête s'agite frénétiquement d'un côté à l'autre. Tunde pensait que s'il pouvait capturer le phénomène dans l'écran de son téléphone, alors il n'aurait plus peur. Mais en regardant cet homme pleurer, tousser et cracher du mucus rouge, il sent la peur descendre le long de sa moelle épinière. Il comprend alors ce qu'il a pressenti, ce jour-là, au bord de la piscine : Enuma aurait pu le tuer, si elle l'avait voulu. Il continue à filmer l'homme jusqu'à l'arrivée de l'ambulance.

C'est cette vidéo, postée par Tunde sur Internet, qui lance l'idée de la Journée des filles.

Margot

«C'est forcément un canular.

— Fox News assure que non.

— Fox News dirait n'importe quoi pour booster son audimat.

— Certes. Mais il n'empêche.

— C'est quoi, ces lignes qui sortent de ses mains?

— De l'électricité.

— Mais c'est… Je veux dire…

— Ouais.

— Ça vient d'où?

— Du Nigéria, je crois. C'est sorti hier.

— Il y a plein de tarés en liberté dans la nature, Daniel. Des imposteurs. Des charlatans.

— Il y a d'autres vidéos. Depuis que celle-ci est sortie, on en compte quatre ou cinq…

— C'est du pipeau, Daniel. C'est le genre de truc qui fascine les gens. C'est – comment ils appellent ça déjà – un mème. Vous avez entendu parler de Slender Man? Deux gamines ont tenté de tuer un de leurs amis pour lui faire plaisir. C'est épouvantable.

— Margot: quatre ou cinq nouvelles vidéos *par heure*.

— Merde.

— Comme vous dites.

— Bon, qu'attendez-vous de moi ?

— Fermez les écoles.

— Non mais vous imaginez ce que vont dire les parents, si je fais ça ? Ces millions de *parents électeurs,* si je renvoie tous les mômes à la maison aujourd'hui ?

— Vous imaginez le retour de bâton de la part des syndicats d'enseignants si un de leurs membres est blessé ? Handicapé à vie ? Tué ? Imaginez un peu la *responsabilité.*

— *Tué ?*

— Ce n'est pas à exclure. »

Margot contemple ses mains, agrippées au bord du bureau. Elle sera la risée de la ville, si elle accède à la demande de Daniel. Il ne peut s'agir que d'un coup de pub pour une série télé. Et elle, elle sera l'idiote de service, l'édile qui a fermé les écoles de cette agglomération majeure à cause d'une mauvaise *blague.* Mais si elle ne fait rien et qu'il se passe quelque chose… Daniel deviendra aux yeux de tous le gouverneur de ce grand État qui a alerté Mme le maire et tenté en vain de la convaincre de prendre des mesures. Margot le voit déjà, des larmes roulant sur ses joues quand il répondra aux questions des journalistes en direct depuis le perron de la Résidence du gouverneur. Merde.

Daniel consulte son téléphone. « Ils annoncent des fermetures d'établissement en Iowa et dans le Delaware, dit-il.

— Très bien.

— Très bien ? répète-t-il. Ce qui veut dire ?

— Très bien, ça veut dire très bien. On y va, d'accord. Je ferme les écoles. »

S'ensuivent quatre ou cinq jours au cours desquels Margot rentre à peine chez elle. Elle ne se souvient pas d'être partie du bureau, avoir pris la voiture, s'être glissée dans son lit, même si elle a bien dû faire tout ça. Son téléphone sonne sans discontinuer. Elle l'a dans la main quand elle se couche, et il y est toujours quand elle se réveille. C'est Bobby qui garde les filles, ce qui la dispense de devoir penser à elles, et de fait – que Dieu la pardonne – elle n'y pense pas.

Ce foutu truc a éclaté partout dans le monde et personne ne sait de quoi il retourne.

Au début, des visages pétris de certitudes sont apparus à la télévision. Les porte-parole des CDC[1] ont expliqué qu'il s'agissait d'un virus, pas bien méchant, que la plupart des personnes affectées avaient guéri, et que, non, les jeunes filles n'électrocutaient personne avec leurs mains, que ce n'était qu'un *effet d'optique*. Tout le monde sait qu'une telle chose est impossible, pas vrai, ce serait dingue – les présentateurs de journaux télévisés riaient si fort qu'ils en craquelaient leur maquillage. Et histoire de s'amuser un peu, ils ont invité deux experts en biologie marine à parler à l'antenne des anguilles électriques et de leur schéma corporel. Un barbu, une binoclarde et un poisson dans un aquarium – ça vous muscle aussitôt une matinale. «Saviez-vous que l'inventeur de la batterie a trouvé l'inspiration en observant le corps des anguilles électriques ? Non je l'ignorais, Tom, c'est fascinant. J'ai entendu dire qu'elles pouvaient terrasser un cheval. Vous plaisantez ! Je n'aurais

---

1. *Centers for Disease Control*, centres pour le contrôle et la prévention des maladies.

40

jamais imaginé ça. Apparemment, dans un laboratoire japonais, ils ont illuminé leur sapin de Noël avec un aquarium d'anguilles électriques. Bon, on ne peut pas en faire autant avec ces filles, n'est-ce pas ? Non, je ne pense pas, Kristen, je ne pense pas. Encore que, vous n'avez pas l'impression que Noël arrive chaque année de plus en plus tôt ? Et tout de suite, c'est l'heure de votre bulletin météo. »

Margot et son cabinet ont pris l'affaire au sérieux plusieurs jours avant que les médias comprennent que ce n'était pas du cinéma. Ce sont eux qui ont reçu les premiers rapports mentionnant les bagarres dans les cours de récréation. Des bagarres d'un genre inédit, provoquant chez les garçons – surtout chez eux, mais parfois aussi chez les filles – convulsions et suffocation, et occasionnant des cicatrices qui se déploient comme des feuillages le long des bras, des jambes ou de la chair tendre du ventre. L'explication qui s'impose à eux, une fois écartée l'hypothèse de la maladie, est celle d'une arme jusque-là inconnue que ces élèves introduiraient dans les écoles. Mais les jours passent, la première semaine s'achève, et quand la seconde débute, ils savent pertinemment qu'ils font fausse route.

Ils s'accrochent à n'importe quelle théorie farfelue, ne sachant comment démêler le plausible du grotesque. Tard dans la nuit, Margot lit le rapport d'une équipe de chercheurs de New Delhi qui ont été les premiers à découvrir la bande de tissu musculaire nervuré qui court le long de la clavicule des filles, et qu'ils baptisent *organe de l'électricité*, ou *fuseau*, en raison de sa forme ovoïde, et de l'écheveau de fibres courtes, entortillées, qui le constituent. À chaque extrémité de ces os se trouvent

41

des récepteurs qui permettent, théorisent-ils, une forme d'écholocation électrique. Des IRM ont mis en évidence les bourgeons du fuseau sur la clavicule de petites filles âgées de quelques mois. Margot photocopie ce rapport et le diffuse par e-mail dans toutes les écoles de l'État ; durant plusieurs jours, il constitue le seul document scientifique digne de ce nom dans une marée d'interprétations sans queue ni tête. Même Daniel lui en témoigne momentanément de la reconnaissance, avant de se souvenir qu'il la hait.

Un anthropologue israélien affirme que le développement de cet organe chez des êtres humains confirme l'hypothèse du primate aquatique ; si nous n'avons pas de pelage, c'est parce que nous venons, non pas de la jungle, mais des océans, où nous étions autrefois la terreur des abysses, comme l'anguille électrique, ou la raie. Prêcheurs et télévangélistes s'emparent de cette allégation, la pressent, et extraient de ses entrailles gluantes les signes manifestes de la fin prochaine du monde. Sur le plateau d'un talk-show populaire, un scientifique et un homme d'Église en viennent aux mains, l'un exigeant que les filles électriques fassent l'objet d'examens chirurgicaux, l'autre soutenant qu'elles sont un signe avant-coureur de l'Apocalypse et ne doivent en aucun cas être touchées par la main de l'homme. Une controverse s'élève déjà pour déterminer si cet organe est présent, depuis toujours, à l'état latent dans le génome humain et s'il a été réveillé, ou bien s'il s'agit d'une mutation, d'une effroyable difformité.

Juste avant que le sommeil ne la cueille, Margot repense aux fourmis volantes qui, chaque été, envahissaient la cabane au bord du lac. Ça ne durait qu'une seule journée mais, ce jour-là, des nuées de fourmis volantes recouvraient le sol d'un épais tapis, s'accrochaient aux murs, vibraient sur les troncs d'arbres, grouillaient dans les airs, des nuées si denses qu'on craignait d'avaler quelques insectes en respirant. Ces fourmis vivent tout au long de l'année sous terre, entièrement seules. Une fois sorties de l'œuf, elles se nourrissent – de quoi ? De poussière, de graines, allez savoir – et elles attendent, patiemment. Et quand il s'est écoulé précisément le bon nombre de jours, que la température est idéale, tout comme l'humidité de l'air… toutes prennent leur envol en même temps. Pour se retrouver les unes les autres. Impossible pour Margot de partager ce genre de pensées avec qui que ce soit. Les gens se diraient que le stress lui a fait perdre les pédales et Dieu sait qu'ils sont légion à briguer son poste. Mais il n'empêche : allongée dans son lit après une journée passée à gérer les signalements de gamins brûlés ou victimes de malaises cardiaques, de gangs de filles belliqueuses que l'on met sous les verrous pour leur propre protection, elle se demande en boucle : Pourquoi maintenant ? Pourquoi là maintenant ? – et la seule idée qui s'impose obstinément à elle, ce sont ces maudites fourmis, qui attendent patiemment leur heure.

Au bout de trois semaines, Bobby l'appelle pour l'informer que Jocelyn s'est fait prendre en train de se bagarrer.

Ils avaient séparé les garçons des filles dès le cinquième jour, quand ils avaient compris que c'étaient elles les fauteuses de troubles – une décision qui coulait de source. Des parents recommandaient déjà à leurs fils de ne plus sortir seuls, de ne pas trop s'éloigner de la maison. « Quand une chose pareille s'est

43

passée devant vous…, témoigne une femme au visage cendreux à la télé. J'ai vu une fille, au parc, le faire à un garçon, comme ça, sans raison, et il saignait des yeux. Des *yeux*. Aucune maman ayant assisté à une scène pareille ne laisserait ses garçons sans surveillance. »

Les écoles ne pouvant pas rester fermées éternellement, on s'est réorganisé. Des bus de ramassage dédiés conduisent les garçons, en toute sécurité, dans des établissements qui leur sont réservés. Ils ont pris le pli sans protester. Il suffit de regarder quelques vidéos en ligne pour que la peur vous saisisse à la gorge.

Pour les filles, en revanche, cela n'a pas été aussi simple. Les tenir éloignées les unes des autres est impossible. Certaines sont agressives, d'autres méchantes, et maintenant que l'affaire est sur la place publique, certaines rivalisent entre elles pour démontrer leur force et leur savoir-faire. Il y a de nombreuses blessures et pas mal d'accidents ; une fille a rendu aveugle une de ses camarades. Les profs ont peur. Les experts cathodiques disent : « Enfermez-les toutes. Dans des prisons de haute sécurité. » Cela concerne, pour ce que l'on en sait pour l'instant, toutes les filles d'une quinzaine d'années. Ou presque, ce qui ne change rien au problème. On ne peut pas toutes les enfermer, ça n'a aucun sens. Néanmoins, c'est ce que les gens demandent.

Et maintenant, Jocelyn s'est fait prendre en train de se bagarrer. Les médias en ont eu vent avant que Margot n'ait eu le temps de regagner la maison pour parler à sa fille. Quand elle arrive, les camions des chaînes d'infos sont installés devant sa pelouse. « Madame le maire, selon certaines rumeurs, votre fille aurait envoyé un garçon à l'hôpital. Souhaitez-vous faire un commentaire ? »

Non, elle ne souhaitait faire aucun commentaire.

Bobby est sur le canapé du salon avec Maddy. Assise entre les jambes de son père, elle boit son lait devant *Les Super Nanas*. Quand sa mère entre, elle ne bouge pas, elle lève juste les yeux et les reporte aussitôt sur la télé. Dix ans, ça promet. OK. Margot dépose un baiser sur la tête de sa cadette, qui se dévisse le cou pour ne pas lâcher l'écran des yeux. Bobby serre la main de Margot fort dans la sienne.

« Où est Jos ?

— Là-haut.

— Et ?

— Et elle a peur, comme tout le monde.

— Ouais. »

Margot referme sans bruit la porte de la chambre.

Jocelyn est assise sur son lit, jambes étendues. Elle serre monsieur l'Ours contre elle. C'est une enfant, juste une enfant.

« J'aurais dû appeler dès que ça a commencé, lui dit Margot. Je suis désolée. »

Jocelyn est au bord des larmes. Margot s'assied sur le lit, aussi délicatement que possible. « Papa m'a dit que tu n'avais blessé personne, pas gravement du moins. »

Elle marque une pause, mais comme Jos ne répond pas, elle poursuit : « Il y avait… trois autres filles, c'est ça ? Je sais que c'est elles qui ont commencé. Ce garçon n'aurait jamais dû se trouver près de vous. Il a été examiné à l'hôpital. Tu lui as juste fait une peur bleue.

— Je sais. »

Bon. Début de communication verbale. C'était déjà ça.

«C'était… la première fois que tu le faisais?»

Jocelyn lève les yeux au ciel, pince la couette entre ses doigts.

«Ce truc est complètement nouveau pour toi comme pour moi, d'accord? Depuis quand le fais-tu?»

La réponse est un murmure à peine audible: «Six mois.

— Six *mois*?!»

Erreur. Ne jamais exprimer d'incrédulité ni d'affolement. Jocelyn replie les genoux.

«Excuse-moi, reprend Margot. C'est… c'est une surprise, voilà tout.»

Jos fronce les sourcils. «Des tas de filles ont commencé avant moi. C'était… Au début, c'était marrant, comme de l'électricité statique.»

L'électricité statique. C'était quoi déjà, ce jeu? On se brossait les cheveux, et on y collait un ballon? Une activité pour fillettes de six ans qui s'ennuient à un goûter d'anniversaire.

«C'était un truc rigolo, dingue, que les filles faisaient. Il y avait des vidéos qui circulaient sur Internet. Pour apprendre à faire des tours avec.»

C'est pile ce moment de la vie où les secrets que l'on dissimule aux parents sont si importants, si précieux.

«Comment… comment as-tu appris à le faire?

— Je ne sais pas. J'ai juste senti que je pouvais le faire, d'accord? C'est un genre de… *torsion*.

— Pourquoi n'as-tu rien dit? Pourquoi ne m'en as-tu jamais parlé?»

Jos regarde par la fenêtre; au bout la pelouse, derrière la haute clôture, il y a un attroupement d'hommes et de femmes avec des caméras.

«Je ne sais pas.»

Margot se souvient de ses propres tentatives pour parler avec sa mère des garçons, ou de certains trucs qui se passaient pendant les boums – jusqu'où pouvait-on aller sans aller *trop loin* ? Où la main d'un garçon devait-elle s'arrêter ? Elle se souvient de cette impossibilité de communiquer.

«Montre-moi.»

Jos étrécit les paupières. «Je ne peux pas… Je te ferais mal.

— Est-ce que tu t'es entraînée ? Peux-tu le contrôler suffisamment pour être certaine de ne pas me tuer, de ne pas me provoquer de crise cardiaque ?»

Jos inspire profondément. Gonfle les joues. Relâche lentement son souffle. «Oui.»

Margot hoche la tête. Voilà la fillette qu'elle connaît : consciencieuse, sérieuse. Jos est restée fidèle à elle-même.

«Alors montre-moi.

— Je ne le contrôle pas *assez bien* pour ne pas te faire mal, d'accord ?

— Très mal ?»

Jos écarte largement ses doigts et regarde ses paumes. «Le mien va et vient. Parfois il est puissant, parfois c'est un petit courant de rien du tout.»

Margot pince les lèvres. «D'accord.»

Jos avance la main, puis la retire. «Non, je ne veux pas.»

À une époque pas si lointaine, c'était à Margot qu'il incombait de nettoyer et toiletter chaque fissure du corps de cette petite fille. Aujourd'hui, ne pas connaître la force de son propre enfant lui est insupportable. «Plus de secret entre nous. Montre-moi.»

Jos est au bord des larmes. Elle pose l'index et le majeur sur le bras de sa mère. Margot attend de voir Jos *faire* quelque chose, retenir sa respiration, plisser le front, bander les muscles du bras, mais il ne se passe rien. Enfin si, la douleur.

Elle a lu dans les rapports préliminaires du CDC que ce *pouvoir* « affecte en particulier les centres de la douleur du cerveau humain », ce qui signifie que cela ressemble à une électrocution, mais en beaucoup plus intense et douloureux. C'est un influx électrique ciblé qui se propage dans le corps et provoque une réponse des neurorécepteurs de la douleur. Néanmoins, Margot s'était attendue à *voir* quelque chose – la peau qui grésille et se ride, ou bien l'arc du courant électrique, aussi vif qu'une morsure de serpent.

Au lieu de quoi, elle hume un parfum de feuilles humides après l'averse. De verger jonché de pommes en décomposition au pied de l'arbre, comme à la ferme de ses parents.

Puis la douleur apparaît. C'est comme avec la grippe, quand le virus circule à travers les muscles et les articulations, ça commence par une sensation sourde de courbature qui irradie depuis son avant-bras, à l'endroit où Jos la touche. Cette sensation s'accentue. Une force est en train de lui fendre les os, de les tordre, de les courber ; Margot aimerait dire à Jos d'arrêter mais elle ne parvient pas à ouvrir la bouche. La force poursuit son chemin à l'intérieur des os, qui semblent se briser en mille morceaux. Margot ne peut s'empêcher de se représenter une tumeur, une boule compacte et gluante qui jaillit des canaux médullaires, fissure le cubitus et le radius et les fait éclater en fragments pointus. Elle a le cœur au bord des lèvres. Elle veut crier. Mais ce n'est pas fini. La douleur se propage à l'ensemble de son corps, aucune partie n'est épargnée, Margot la sent résonner dans sa tête et le long de sa colonne vertébrale, envahir son dos, s'enrouler autour de sa gorge et s'étirer le long de ses clavicules.

Les clavicules. Il ne s'est écoulé que quelques secondes, pourtant le temps semble s'être dilaté. Seule la douleur peut focaliser une telle attention sur le corps ; raison pour laquelle Margot remarque cet écho dans sa poitrine, ce tintement le long de sa clavicule. Comme un cri de reconnaissance entre semblables.

Cela lui rappelle quelque chose. Un jeu auquel elle jouait quand elle était petite. C'est drôle, non ? Elle n'y avait plus repensé depuis des années. Elle n'en a jamais parlé à personne ; elle savait qu'elle ne devait pas le faire, sans pour autant savoir expliquer pourquoi. Dans ce jeu, elle était une sorcière, et elle pouvait fabriquer une pelote de lumière dans sa paume. Ses frères jouaient aux astronautes avec des pistolets laser obtenus en collectionnant des vignettes sur des boîtes de céréales. Mais pour son petit jeu, auquel elle jouait toujours seule sous les hêtres en lisière de leur propriété, Margot n'avait besoin ni de pistolet en plastique, ni de casque, ni même de sabre laser. Elle se suffisait à elle-même.

Une sensation de picotement envahit sa poitrine, ses bras, ses mains, comme quand un membre engourdi se réveille. La douleur est toujours là, mais ça n'a plus d'importance. Il se passe autre chose. Machinalement, Margot enfonce les mains dans l'édredon en patchwork. Elle sent le parfum des hêtres, comme si elle se retrouvait de nouveau à l'abri sous leur canopée, elle sent le musc du vieux bois et du terreau humide.

Elle envoya son éclair s'étirer jusques aux confins de la Terre.

Quand Margot rouvre les yeux, un motif est apparu autour de chacune de ses mains. Des cercles concentriques, clair et foncé, clair et foncé, qui ont brûlé l'édredon à l'endroit où ses mains s'agrippaient. Et elle sait. Elle a senti cette *torsion* et elle se souvient, peut-être l'a-t-elle toujours su, que c'est quelque chose qui lui a toujours appartenu. Qu'elle n'avait qu'à le cueillir dans le creux de sa main. Et lui ordonner de frapper.

« Oh bon sang, dit-elle. Bon sang. »

Allie

Allie se hisse sur la tombe, recule le buste pour lire le nom – elle prend toujours un instant pour se souvenir d'eux : «Salut, comment ça va là-dessous, Annabeth McDuff, mère aimante qui a trouvé le repos éternel ?» Puis elle s'allume une Marlboro.

La cigarette faisant partie des quatre ou cinq mille plaisirs de ce bas monde que Mrs. Montgomery-Taylor abhorre devant le Seigneur, le tison incandescent, l'inhalation, les volutes de fumée qui s'échappent d'entre ses lèvres suffiraient à clamer haut et fort : Je vous emmerde, Mrs. Montgomery-Taylor, vous, toutes les grenouilles de bénitier et votre foutu Jésus-Christ avec. Elle aurait pu se contenter de l'allumer comme tout le monde avec un briquet, cela aurait suffi à impressionner les garçons et à leur faire miroiter ce qui les attendait, mais Allie se moque bien d'allumer sa cigarette comme tout le monde.

Kyle fait un mouvement du menton : «J'ai entendu dire qu'une bande de mecs a tué une fille au Nebraska, la semaine dernière, pour avoir fait ça.

— Pour avoir fumé une clope ? Dur dur.

— Au bahut, la moitié des élèves savent que tu peux le faire, ajoute Hunter.

« — Et alors ?

— Ton père pourrait se servir de toi, à l'usine. Il économiserait de l'argent sur l'électricité.

— Ce n'est pas mon père. »

Elle refait crépiter les étincelles à l'extrémité de ses doigts. Les garçons l'observent.

Tandis que le soleil se couche, le cimetière prend vie au son des stridulations de criquets et des coassements de grenouilles qui attendent la pluie. L'été a été long et chaud. La terre se languit d'un bon orage.

Mr. Montgomery-Taylor possède une entreprise de production de viande, implantée ici à Jacksonville, il en a une autre à Albany et une troisième à Statesboro. Ils appellent ça une usine de production de viande mais, dans les faits, c'est un abattoir. Mr. Montgomery-Taylor a emmené Allie le visiter, quand elle était plus jeune. Il a eu cette phase où il aimait penser qu'il était un homme bien, éduquant une petite fille dans un monde d'hommes. Allie tire une certaine fierté d'avoir réussi à tout regarder sans jamais ciller, détourner le regard, ni passer précipitamment son chemin. Tout le temps qu'a duré la visite, la main de Mr. Montgomery-Taylor est demeurée sur son épaule comme une paire de tenailles, tandis qu'il lui désignait les enclos où l'on regroupe les porcs avant leur rencontre avec le couteau. Les cochons sont des animaux très intelligents ; s'ils ont peur, le goût de la viande s'en ressent. Il faut faire attention.

Les poulets, eux, ne sont pas intelligents. Allie a pu observer le sort qui leur est réservé quand on les extrait des caisses, tout blancs et duveteux. Des mains les saisissent, les retournent pour dévoiler leur croupion neigeux puis leur emprisonnent les pattes sur le tapis roulant qui va leur plonger la tête dans une cuve d'eau électrifiée. Ils crient, ils se tortillent. Et, l'un après l'autre, ils deviennent tout raides, puis tout mous.

« C'est une gentillesse qu'on leur fait, a dit Mr. Montgomery-Taylor. Ils ne voient rien venir. »

Il a éclaté de rire, et ses employés avec lui.

Allie a remarqué qu'un ou deux poulets avaient relevé la tête. L'eau ne les avait pas estourbis. Ils étaient encore lucides en passant dans la chaîne, encore conscients en entrant dans la cuve d'eau bouillante.

« Efficace, hygiénique et gentil », a insisté Mr. Montgomery-Taylor.

Allie a alors pensé aux discours extatiques de Mrs. Montgomery-Taylor sur l'enfer, aux lames tournoyantes, à l'eau brûlante qui vous dévore le corps, à l'huile bouillante et aux rivières de plomb en fusion.

Elle voulait courir le long de la chaîne, arracher les poulets à leurs fers, les libérer. Elle les a imaginés, ivres de rage et de fureur, se jetant sur Mr. Montgomery-Taylor, prenant leur revanche à coups de bec et d'ergot. Mais la voix lui a dit : L'heure n'est pas venue, ma fille. Ton grand jour n'est pas arrivé. La voix ne l'a encore jamais induite en erreur, pas une seule fois de toute sa vie. Alors Allie a hoché la tête et s'est contentée de remercier : « C'était très intéressant, merci. »

C'est peu de temps après cette visite qu'elle a remarqué ce truc qu'elle pouvait faire avec ses doigts. Il ne s'accompagnait d'aucune sensation d'urgence ; c'était comme le jour où elle avait remarqué que ses cheveux étaient devenus longs. Ça avait dû se faire sur la durée, en douce.

Ils étaient en train de dîner. Allie a voulu prendre sa fourchette et une étincelle a surgi de sa main.

La voix a dit : Refais-le. Tu peux y arriver. Concentre-toi.

Allie a imprimé une petite torsion à quelque chose dans sa poitrine. Et voilà : une autre étincelle. Bravo, ma petite, a dit la voix, mais ne le leur montre pas, ce n'est pas pour eux. Mr. Montgomery-Taylor n'avait rien remarqué, sa femme non plus. Allie a gardé les yeux baissés, le visage impassible. La voix a dit : Ceci est le tout premier des cadeaux que je te réserve, ma fille. Apprends à t'en servir.

Allie s'est entraînée dans sa chambre. Elle a fait sauter une étincelle d'une main dans l'autre. Elle a augmenté puis réduit l'intensité de l'ampoule de sa lampe de chevet, brûlé un petit trou dans un Kleenex, puis elle a persévéré jusqu'à réduire la taille de ce trou à une tête d'épingle. Et même plus petit encore. Ces exercices exigent une attention et une concentration soutenues. Elle est bonne pour ça. Elle n'a jamais entendu parler de quelqu'un d'autre capable d'allumer ses cigarettes avec.

La voix a dit : Un jour viendra où tu pourras l'utiliser, et ce jour-là, tu sauras quoi faire.

En général, Allie laisse les garçons la peloter. Ils croient que c'est pour ça qu'ils sont venus dans ce cimetière. Une main qui remonte le long d'une cuisse, une cigarette qu'on détache des lèvres comme un sucre d'orge et qu'on tient de côté le temps d'un baiser. Kyle se hisse à côté d'Allie, pose une main sur son

ventre, commence à froisser le tissu de son petit haut.
Allie lui fait signe d'arrêter. Il sourit.

«Allez!» proteste-t-il en remontant un pan d'étoffe.

Elle le pique sur le dos de la main. Pas très fort. Juste
assez pour qu'il arrête.

Il retire sa main, regarde Allie puis, d'un air mécon-
tent, Hunter. «Hé, qu'est-ce qui te prend?

— Pas d'humeur», évacue-t-elle avec un haussement
d'épaules.

Hunter vient s'asseoir de l'autre côté. Elle est prise
en sandwich, maintenant, et ils se collent contre elle; le
renflement sous les pantalons laisse peu de doute sur ce
qu'ils ont derrière la tête.

«Ouais mais bon, tu nous as amenés ici et nous, on
est d'humeur», dit Hunter.

Il pose un bras en travers de son ventre, son pouce
effleure un sein, sa main large et musclée l'enveloppe.
«Allez, insiste-t-il, on va s'amuser un peu, juste tous les
trois.»

Il se penche vers elle pour un baiser, lèvres déjà
entrouvertes.

Elle l'aime bien, Hunter. Il fait un mètre quatre-
vingt-quinze; il a des épaules athlétiques. Ils se sont
bien amusés, ensemble. Mais ce n'est pas pour ça
qu'Allie est là. Elle a un pressentiment concernant
cette journée.

Elle l'atteint sous l'aisselle. Une de ses piqûres
d'épingle pile dans le muscle, aussi propre et précise
que si elle entaillait la chair au scalpel. Elle augmente
l'intensité, comme pour faire briller l'ampoule plus
fort, encore plus fort. Comme si la lame était une
flamme.

«Putain!» se récrie Hunter en s'écartant d'un bond. Il a glissé sa main sous son aisselle gauche pour la masser. Son bras est tout tremblant.

Kyle voit rouge, maintenant, et il tire Allie vers lui sans ménagement.

«Pourquoi tu nous as fait faire tout ce chemin jusqu'ici, si tu…»

Et elle l'atteint à la gorge, au ras de la mâchoire. On dirait qu'une lame lui tranche le larynx. La bouche s'ouvre, comme si les muscles avaient lâché. Des râles de suffocation s'en échappent. Il respire encore, mais ne peut plus parler.

«Va te faire foutre! éructe Hunter en battant en retraite. Et tu rentreras à pied!»

Kyle ramasse son sac, une main toujours plaquée sur sa gorge. «Va fair fou!» s'étrangle-t-il tandis qu'ils regagnent leur voiture.

Elle s'attarde là longtemps après la tombée de la nuit, allongée sur la tombe d'Annabeth MacDuff, mère aimante qui a trouvé le repos éternel, à allumer des cigarettes à la chaîne avec l'étincelle au bout de ses doigts et à les fumer jusqu'au filtre. Les bruits de la nuit montent autour d'elle, et elle songe: Viens me chercher.

Elle dit à la voix: Salut, maman, c'est pour aujourd'hui, pas vrai?

Et la voix répond: Tout à fait, ma fille. Tu es prête?

Allie dit: Vas-y.

Pour rentrer dans la maison, elle escalade le palissage. Elle noue ensemble les lacets de ses chaussures, les suspend autour de son cou, et crochète ses doigts et ses orteils aux croisillons. Un jour, plus jeune, alors qu'elle grimpait à un arbre – un, deux, trois et hop elle était tout en haut –, Mrs. Montgomery-Taylor l'avait vue et avait dit : « Non mais regardez-moi ça, un vrai petit singe. » Le ton laissait entendre qu'elle s'en doutait depuis longtemps. Qu'elle n'attendait que d'en avoir la preuve.

Allie tend la main vers la fenêtre de sa chambre. Elle l'a laissée à peine entrouverte, elle relève le montant et se débarrasse de ses chaussures en les jetant à l'intérieur. Elle se hisse sur ses bras et bascule le corps par-dessus le cadre. Elle consulte sa montre ; même pas en retard pour le dîner, personne ne pourra lui faire de reproches. Elle lâche une sorte de petit rire rauque. Et quand un autre rire lui répond, elle s'aperçoit qu'elle n'est pas seule dans la chambre. Elle sait qui l'attend, évidemment.

Mr. Montgomery-Taylor se déplie du fauteuil comme une des machines au bras télescopique de sa ligne de production. Allie inspire vivement mais avant qu'elle ne puisse prononcer le moindre mot, il la gifle d'un revers de main, sur la bouche, très fort. C'est comme un coup de raquette au country club. Avec en guise de bruit de balle sur le tamis le claquement sec de sa mâchoire.

La rage de cet homme est tout en contrôle, silencieuse. Moins il en dit, plus il est furieux. Il est ivre, Allie le sent à son haleine. Il marmonne : « Je t'ai vue. Je t'ai vue, au cimetière, avec ces garçons. Sale. Petite. Traînée. » Chaque mot est ponctué d'un coup de poing, d'une gifle ou d'un coup de pied. Allie ne se roule pas en boule. Elle ne le supplie pas d'arrêter. Elle sait que ça ne servirait qu'à rallonger l'épreuve. D'une main, il lui écarte de force les genoux. De l'autre, il déboucle sa ceinture. Il va lui montrer quel genre de sale petite traînée elle est. Comme s'il ne le lui avait pas déjà suffisamment montré par le passé.

Mrs. Montgomery-Taylor est au rez-de-chaussée, elle écoute de la polka à la radio en sirotant du sherry, sans se presser mais sans relâche, à petites lampées. Peu lui importe de savoir ce que son mari fabrique là-haut, le soir ; au moins, il n'est pas en train de courir la gueuse dans le quartier, et cette fille n'a que ce qu'elle mérite. Si en cet instant quelque fouineur du *Sun-Times*, s'intéressant pour une raison ou une autre aux menus faits et gestes de ce foyer, lui avait tendu un micro et demandé : Mrs. Montgomery-Taylor, à quoi est occupé selon vous votre mari, en ce moment ? Que fait-il à cette jeune métisse de seize ans que vous avez accueillie sous votre toit par pure charité chrétienne, pour qu'elle braille autant et fasse autant d'histoires ? Si on le lui avait demandé – mais, franchement, qui irait le faire ? – elle aurait répondu : Eh bien quoi ? Il lui donne une fessée, et c'est tout ce qu'elle mérite. Et si jamais le journaliste avait insisté : Quel rapport avec le fait qu'il court les filles ? Pouvez-vous préciser votre pensée ? Mrs. Montgomery-Taylor aurait fait une petite grimace, comme si elle avait détecté une odeur un peu déplaisante, avant de retrouver le sourire pour répondre avec assurance : Vous savez comment sont les hommes.

C'est, il y a des années de cela, quand Allie était aplatie sur le dos, le cou écrasé dans une position inconfortable contre la tête de lit et la gorge emprisonnée dans cette main, comme en ce moment, que la voix lui avait parlé pour la première fois, distinctement et directement à l'intérieur de sa tête. À bien y repenser, Allie l'entendait déjà confusément depuis longtemps. Avant même d'arriver chez les Montgomery-Taylor, quand elle passait de maison en maison et de mains en mains, une petite voix était là, dans le lointain, pour lui dire quand être prudente, ou pour l'avertir d'un danger.

La voix avait dit : Tu es forte, tu survivras à ça.

Maman ? avait demandé Allie tandis que la main la garrottait de plus belle.

Et la voix avait répondu : Pourquoi pas.

Il ne s'est rien passé de spécial, aujourd'hui. Simplement, à chaque jour qui passe, on grandit un peu, chaque jour apporte sa pierre, jamais la même, et de cet amoncellement émerge soudain une possibilité qui n'existait pas auparavant. C'est ainsi qu'une jeune fille devient une femme. Pas à pas, jusqu'à atteindre l'âge adulte. Au moment où Mr. Montgomery-Taylor se jette sur elle, Allie sait qu'elle pourrait le faire, qu'elle en a la force. Peut-être l'avait-elle déjà depuis des semaines, des mois, mais elle a la certitude aujourd'hui de pouvoir le faire sans risquer de rater son coup ou de s'exposer à des représailles. Rien ne semble plus facile, c'est comme de tendre la main pour actionner un interrupteur et éteindre la lumière. Pourquoi diable a-t-elle attendu autant avant de décider d'éteindre cette vieille ampoule ?

Elle demande à la voix : C'est maintenant, n'est-ce pas ?

Et la voix répond : Tu le sais.

Un parfum de pluie a pénétré dans la chambre. Mr. Montgomery-Taylor relève la tête, il se dit qu'il pleut enfin, que la terre desséchée va pouvoir se gorger de cette eau. Il songe brièvement qu'elle risque de rentrer par la fenêtre ouverte, mais n'interrompt pas pour autant ce qu'il est en train de faire, tant il se réjouit de cette averse.

Allie pose les mains sur les tempes de Mr. Montgomery-Taylor. Elle sent les paumes de sa mère autour de ses doigts. Elle est bien contente qu'il regarde ailleurs, par la fenêtre, qu'il cherche à apercevoir ces gouttes d'eau qui n'existent pas.

Elle ouvrit un couloir à l'éclair et traça un chemin à l'orage.

Un flash de lumière blanche jaillit. Allie voit une lueur argentée danser sur le front de Mr. Montgomery-Taylor, autour de sa bouche et de ses dents. Un spasme le secoue et l'éjecte d'elle. Son corps est saisi de convulsions, ses mâchoires claquent ; il fait une attaque. Quand il dégringole du lit et s'écroule par terre de tout son poids, Allie craint que le fracas n'ait alerté son épouse, mais non, le volume de la radio est trop fort, et Allie n'entend ni bruits de pas dans l'escalier, ni voix qui appelle du rez-de-chaussée. Elle remonte sa culotte et son jean, puis se penche au-dessus de lui. Une écume rouge s'est formée sur ses lèvres. La colonne vertébrale est arquée en arrière, et il tient ses mains comme des serres. On dirait qu'il respire encore. Si j'appelais à l'aide maintenant, peut-être qu'il s'en tirerait, songe-t-elle. Du coup, elle convoque la poignée d'éclairs qu'il lui reste en réserve et la dirige vers son cœur ; les convulsions cessent aussitôt.

Elle rassemble quelques affaires. L'argent qu'elle a planqué dans un recoin, sous l'appui de fenêtre

– à peine quelques dollars mais qui suffiront dans l'immédiat. Un transistor à piles qui a appartenu à Mrs. Montgomery-Taylor quand elle était petite, et que celle-ci lui a donné dans un de ces accès de gentillesse qui servent à voiler, à entacher, même, la pureté de la souffrance. Allie abandonne son téléphone car elle a entendu dire qu'on pouvait les tracer. Elle jette un coup d'œil au petit Christ en ivoire empalé sur sa croix d'acajou, sur le mur au-dessus de son lit.

Prends-le, dit la voix.

Je me suis bien débrouillée ? demande Allie. Tu es fière de moi ?

Oui, fière, si fière, ma fille. Et ce n'est qu'un début. Tu feras des merveilles dans le monde.

Allie fourre le petit crucifix dans son sac de sport. Elle a toujours su qu'elle ne devait pas parler de la voix à qui que ce soit, jamais, à aucun prix. Garder un secret, ça la connaît.

Avant d'enjamber la fenêtre, Allie jette un dernier regard à Mr. Montgomery-Taylor. Il semblerait qu'il n'ait rien vu venir, lui non plus, mais elle espère se tromper. Elle aurait tellement aimé pouvoir le précipiter vivant dans la cuve d'eau bouillante.

Elle songe, en se laissant tomber du palissage et en traversant la pelouse à l'arrière de la maison, qu'elle aurait peut-être dû essayer de faucher un couteau dans la cuisine, avant de partir. Puis elle se souvient – ce qui ne manque pas de la faire rire – que, mis à part pour couper son dîner, elle n'a pas vraiment besoin d'un couteau – pas le moins du monde même.

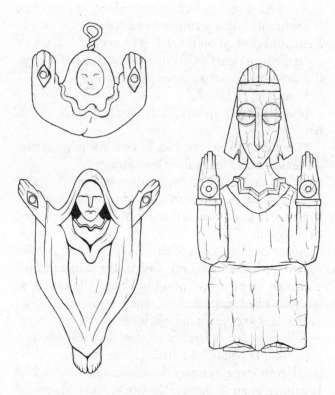

Trois représentations de la Sainte Mère, datant d'environ cinq cents ans. Découvertes lors de fouilles au Soudan du Sud.

ENCORE NEUF ANS

Allie

Quatre-vingt-deux jours durant, elle marche et se cache, elle se cache et marche. Elle monte dans une voiture quand elle le peut, mais pour l'essentiel, elle marche.

Au début, ce n'est pas bien sorcier de trouver un conducteur disposé à prendre une auto-stoppeuse de seize ans qui quadrille l'État pour couvrir ses traces. Mais à mesure qu'elle remonte vers le nord et que l'été cède le pas à l'automne, de moins en moins d'automobilistes répondent à son pouce tendu. Et nombreux sont ceux qui, pris de panique, font une embardée pour l'éviter. Elle voit même une femme se signer au moment où son mari la dépasse sans s'arrêter.

Allie s'est acheté, dès les premiers jours, un sac de couchage dans un dépôt-vente. Il sent mauvais, mais elle l'aère chaque matin, et il n'a pas encore beaucoup plu. Elle prend plaisir à ce périple, même si la plupart du temps elle a le ventre vide, et mal aux pieds. Certains matins, en se réveillant aux premières lueurs de l'aube et en voyant le contour des arbres se découper à contre-jour et le chemin redessiné par le soleil du petit matin, en sentant la lumière scintiller dans ses poumons, elle était contente d'être là. Trois jours durant, un renard gris lui a emboîté le pas, en marchant à quelques mètres d'elle, sans jamais venir à son contact mais sans jamais trop s'éloigner non plus – sauf une fois pour attraper un rat, puis il était revenu cheminer à ses côtés, le corps mou du rongeur bringuebalant dans sa gueule et du sang sur le museau.

Allie avait demandé à la voix : Ce renard est-il un signe ? Et la voix avait répondu : Oh oui. Poursuis ton bonhomme de chemin, petite.

Allie n'a pas lu les journaux et n'a pas écouté non plus son transistor. Elle l'ignore, mais elle a complètement loupé la Journée des filles. Elle ne sait pas que c'est ça qui lui a sauvé la vie.

À Jacksonville, quand à l'heure du coucher Mrs. Montgomery-Taylor avait regagné l'étage, elle s'attendait à trouver son mari en train de lire le journal dans son bureau et l'effrontée dûment châtiée pour ses méfaits. Dans la chambre de la fille, elle découvrit un tout autre spectacle. Allie avait laissé Mr. Montgomery-Taylor en l'état, le pantalon sur les chevilles, le membre encore en partie tumescent ; une écume ensanglantée avait formé une tache sur le tapis blanc cassé. Mrs. Montgomery-Taylor s'assit sur le lit en désordre, et resta là une bonne demi-heure à regarder Clyde Montgomery-Taylor. Passé un court hoquet de surprise, sa respiration était lente et paisible. «Ce que le Seigneur donne, dit-elle à la chambre vide, le Seigneur le reprend. » Elle reculotta Clyde, changea les draps et refit le lit en s'appliquant à contourner le corps de son époux. Elle songea à l'asseoir dans son fauteuil, à son bureau, et à lessiver le tapis, mais bien qu'elle déplorât de le voir dans cette posture indigne, elle doutait d'avoir la force de le transporter. En outre, l'histoire était plus crédible s'il s'était trouvé dans la chambre de la fille, à lui faire le catéchisme.

Elle appela la police et quand, à minuit, les hommes se présentèrent, compatissants, elle leur expliqua ce qui s'était passé. Pour avoir donné un toit au loup et porté assistance au chien enragé. Elle avait des photos d'Allie. Cela aurait dû suffire à lui mettre la main au collet rapidement si, ce même soir, ce poste de police, mais aussi celui d'Albany, et celui de Statesboro, ainsi que tous les autres partout dans le pays n'avaient été assaillis d'appels téléphoniques qui, comme sous l'effet d'une contagion, les illuminaient l'un après l'autre comme autant de relais d'un vaste réseau électrique en perpétuelle expansion.

Dans une ville côtière dont elle n'a jamais entendu parler, Allie trouve un bon coin où dormir dans le bois broussailleux en lisière des habitations ; un talus abrité, avec un endroit où se blottir au sec et au chaud à l'endroit où la pierre s'incurve comme une lèvre. Elle y reste trois jours parce que la voix lui a dit : Il y a quelque chose pour toi, ici, ma petite. Cherche.

Allie est en permanence fatiguée et affamée, au point qu'elle a fini par intégrer cette sensation de vertige omniprésente, pas si désagréable au final. Quand elle sent ces trépidations dans les muscles, que son dernier repas remonte à un certain temps, Allie entend la voix plus distinctement. Par le passé, elle a été tentée d'arrêter de s'alimenter, notamment parce qu'elle est certaine que la voix, avec ses grommellements étouffés et amusés, n'est autre que celle de sa propre mère.

Allie ne se souvient pas vraiment de sa mère, même si elle sait qu'elle en avait une, évidemment. Le monde, elle l'a découvert dans un grand éclair aveuglant un jour quand elle avait entre trois et quatre ans. Elle se trouvait dans un centre commercial avec quelqu'un, puisqu'elle avait un ballon dans une main et un cornet de glace dans l'autre, et ce quelqu'un – pas sa mère, elle en est certaine, elle l'aurait su – lui a dit : « Désormais, tu dois appeler cette dame tante Rose, elle sera gentille avec toi. »

C'est à cet instant qu'Allie a entendu la voix pour la première fois. Quand elle a levé les yeux vers le visage de tante Rose, la voix a dit : « Gentille ? C'est ça oui, à d'autres. »

À compter de ce jour, jamais la voix ne l'a induite en erreur. Tante Rose s'est révélée être une vieille peau de vache qui l'affublait de noms d'oiseaux sitôt qu'elle s'était envoyé un petit verre dans le gosier, ce qu'elle faisait religieusement tous les jours ou presque. La voix avait été là pour guider Allie ; elle lui avait indiqué comment choisir le bon professeur, à l'école, et comment lui raconter l'histoire sans qu'il mette sa parole en doute.

Mais la dame qui avait succédé à tante Rose était pire qu'elle, et Mrs. Montgomery-Taylor pire encore. Néanmoins, tout au long de ces années, la voix l'avait protégée de maux bien plus importants. Allie a toujours dix doigts et dix orteils, même s'il s'en est parfois fallu de peu, et à présent la voix lui dit : Reste ici. Attends que ça arrive.

Chaque jour, Allie se rend en ville, elle visite tous les endroits où elle peut se mettre au chaud et au sec, et d'où on ne la chasse pas. La bibliothèque. L'église.

Les salles surchauffées du petit musée dédié à la guerre d'Indépendance. Et, le troisième jour, elle se débrouille pour entrer sans payer à l'aquarium.

C'est la morte-saison. Personne ne surveille attentivement l'entrée de cet établissement modeste, avec ses cinq salles en enfilade situées à l'extrémité d'une rangée de commerces. «Les Merveilles des Profondeurs !» promet la pancarte posée devant la porte en bois. Allie attend que le gardien parte se chercher un soda en laissant un panonceau «De retour dans 20 minutes», et le tour est joué, elle file dans la première salle. Parce qu'il y fait chaud, c'est vrai. Mais aussi parce que la voix lui a dit de regarder partout. De retourner toutes les pierres, sans en négliger aucune.

Et elle le sent dès qu'elle pénètre dans la salle remplie d'aquariums illuminés où patrouillent une centaine d'espèces de poissons colorés. Il y a quelque chose pour elle, ici, elle le sent dans sa poitrine, dans sa clavicule, et jusque dans ses doigts. Une autre fille, qui peut faire ce même truc qu'elle. Non, non – il ne s'agit pas d'une fille. Allie continue à chercher, à tâtonner avec cet autre sens, celui qui lui donne des fourmillements. Elle a vu deux trois choses à ce sujet sur Internet ; des filles disaient être en mesure de sentir si une autre femme, dans la pièce, s'apprêtait à décharger son électricité. Mais Allie les bat toutes à plate couture : depuis que le pouvoir lui est venu, depuis le tout début, elle peut dire avec certitude si quelqu'un autour d'elle l'a aussi. Et, ici, il se passe quelque chose.

Ce quelque chose, elle le découvre dans l'avant-dernier aquarium. Il est moins éclairé que les autres. Ici, pas de poissons multicolores et festonnés, pas de spécimens qui se confondent avec les algues ou le sable, mais de longues créatures sinueuses à la peau sombre qui remuent paresseusement sur le plancher de l'aquarium. À côté se trouve un compteur, dont l'aiguille pointe vers le zéro.

Allie n'a jamais vu ces poissons, elle ne connaît même pas leur nom. Elle pose une main sur la paroi de verre.

Une des anguilles remue, se retourne. Allie entend un grésillement et l'aiguille du voltmètre fait un bond.

Allie n'a nul besoin de connaître l'utilité de ce boîtier pour savoir ce qui vient de se passer. Ce poisson vient d'envoyer une décharge électrique.

Un panneau est apposé sur le mur à côté de l'aquarium. Allie est tellement excitée par ce qui vient de se produire qu'il lui faut le lire trois fois et se contrôler pour éviter que sa respiration ne s'emballe. Ces poissons sont des anguilles électriques. Elles peuvent faire des trucs incroyables. Elles administrent des chocs à leur proie sous l'eau ; ouais, c'est ça. Allie fait jaillir un petit arc électrique entre son pouce et son index. Dans l'aquarium, les anguilles s'agitent.

Elles peuvent également «télécommander» les muscles de leur proie en interférant avec les signaux électriques émis par son cerveau. Et faire en sorte que celle-ci s'engouffre directement dans leur bouche, par exemple.

Allie médite cette information un long moment. Elle repose la main sur la paroi de l'aquarium. Et regarde les anguilles.

C'est un pouvoir incroyable, effectivement. Qui exigerait de ta part du contrôle – mais ça, tu as toujours su le faire, ma fille. Ainsi qu'une grande habileté – mais ça, ça s'apprend.

Allie dit dans son cœur : Mère, où dois-je aller ?

Et la voix répond : Quitte ces lieux et va là où je t'indiquerai d'aller.

La voix a toujours eu ce côté un peu biblique.

Ce soir-là, Allie veut s'installer pour dormir mais la voix dit : Non, reprends la route. Continue à marcher.

Allie n'est pas dans son assiette, son estomac crie famine, la tête lui tourne, et elle est perturbée par ces pensées qui la ramènent vers Mr. Montgomery-Taylor, comme si sa langue pendante était encore en train de lui lécher l'oreille. Elle regrette de ne pas avoir de chien.

La voix dit : Tu es bientôt arrivée, petite, sois sans inquiétude.

Et dans le noir, Allie voit émerger une lumière, qui illumine un panneau. Elle lit : « Couvent des Sœurs de la Miséricorde. Repas chauds pour les sans-abri et lits pour les nécessiteux. »

La voix dit : Tu vois, qu'est-ce que je t'avais dit ?

Tout ce qu'Allie sait, c'est qu'une fois franchi le seuil du couvent, trois femmes la prennent à bras-le-corps en l'appelant « mon enfant » et « mon petit » et qu'elles jubilent en découvrant le crucifix dans son sac car il est la preuve de ce qu'elles avaient espéré lire sur son visage. Les sœurs font asseoir Allie, à peine consciente, sur un lit moelleux et douillet, elles lui apportent à manger et, ce soir-là, aucune d'entre elles ne lui demande qui elle est, ni d'où elle vient.

En ces mois-là, on ne prête guère attention à une adolescente métisse sans toit ni famille venue s'échouer à la porte d'un couvent du littoral oriental. D'autant qu'Allie n'est pas un cas isolé, la marée rejette d'autres filles sur ce rivage, et elle n'est pas non plus la plus paumée. Les sœurs se réjouissent que les chambres vides trouvent une utilité – elles vivent dans une bâtisse bien trop vaste pour elles seules, construite près d'un siècle plus tôt, à une époque où le Seigneur appelait encore les femmes par poignées entières à Son union éternelle.

Trois mois plus tard, les sœurs ont installé des lits superposés, punaisé un programme de cours et de séances de catéchisme, et elles confient des corvées aux résidentes en échange de repas, d'édredons et d'un toit sur la tête. En cette période où la circulation des personnes a des airs de raz-de-marée, ces us et coutumes d'autrefois l'emportent sur toute autre considération. On jette des filles à la rue – les nonnes seront là pour les recueillir.

Allie aime bien entendre l'histoire de ces autres pensionnaires. Elle devient pour certaines une confidente, et même une bonne copine ; ainsi, elle peut réécrire sa propre histoire à la lumière des leurs. Il y a Savannah, qui a frappé le fils de son beau-père en plein visage et avec une telle force que, assure-t-elle : « Il s'est couvert de toiles d'araignée, il en avait sur la bouche, sur le nez et même sur les yeux. » Savannah raconte cet épisode avec candeur, en mastiquant allègrement son chewing-gum. Allie plante sa fourchette dans la carne bouillie que les nonnes servent à dîner trois fois par semaine, et demande : « Que vas-tu faire, maintenant ? » Savannah répond : « Trouver un docteur qui va découper ce machin et m'en débarrasser direct. » C'est une piste. Mais pas la seule. Les parents de certaines de ces filles, convaincus qu'elles étaient possédées par un démon, s'en sont remis à Dieu. Quelques-unes se bagarraient avec d'autres filles ; certaines continuent d'ailleurs de le faire ici. Il y en a une qui a fait le truc à un garçon parce qu'il le lui avait *demandé* : cette histoire-là suscite un vif intérêt. Se pourrait-il que les garçons aiment ça ? Qu'ils le désirent ? Quelques filles ont déniché des forums Internet qui laissent entendre que ce serait le cas.

Il y a aussi Victoria, qui a montré à sa mère comment faire le truc. Sa mère qui – précise-t-elle avec autant de détachement que si elle parlait de la météo – n'a plus une seule dent à force de se faire cogner par son beau-père. Victoria a éveillé son pouvoir en lui effleurant la main puis elle lui a montré comment s'en servir, et sa mère l'a jetée à la rue en la traitant de sorcière. Toutes hochent la tête, et quelqu'un tend à Victoria le bol de jus de viande.

En des temps moins chaotiques, la police, les services sociaux ou les membres de bonne volonté des conseils d'administration scolaires auraient pu s'inquiéter de ce que devenaient ces filles. Face à l'ampleur du phénomène, les autorités se contentent d'être reconnaissantes envers tous ceux et celles disposés à leur donner un coup de main.

L'une des filles demande à Allie ce qui lui est arrivé, elle sait qu'elle ne peut pas leur donner son vrai nom. Elle prétend se prénommer Ève et la voix dit : Très bon choix – la première femme. Excellent choix.

L'histoire d'Ève est bête comme chou, trop peu captivante pour marquer les esprits : Ève est originaire d'Augusta, ses parents l'ont envoyée passer quinze jours dans de la famille et, quand elle est revenue, ils avaient déménagé, elle ignore où. Ève a deux jeunes frères ; selon elle, et bien qu'elle n'ait jamais blessé qui que ce soit, ses parents avaient peur pour eux. Les filles hochent la tête et passent à quelqu'un d'autre.

Ce qui importe, ce n'est pas ce que j'ai fait, se dit Allie, mais ce que je vais faire.

La voix corrige : Ce qu'Ève va faire.

Et Allie acquiesce : Oui, ce qu'Ève va faire.

Elle se plaît bien, au couvent. Les sœurs, pour la plupart, se montrent gentilles, et Allie apprécie la compagnie féminine. Elle n'a pas trouvé celle des hommes particulièrement recommandable. Elle doit s'acquitter comme les autres de corvées domestiques mais, cela fait, il y a l'océan pour nager, la plage pour marcher, des balançoires dans l'arrière-cour et les chants dans la chapelle – une activité paisible qui fait taire toutes les voix dans sa tête. Dans ces moments de silence, Allie se surprend à penser : Peut-être que je pourrais rester ici pour toujours. Habiter dans la maison de Dieu tous les jours de ma vie est mon seul et unique souhait.

Sœur Maria Ignacia attire tout particulièrement son attention. Elle a la peau sombre, comme Allie, et des yeux marron empreints de douceur. Sœur Maria Ignacia leur conte des épisodes de l'enfance de Jésus et leur dit que sa mère, Marie, par la bonté qu'elle a toujours témoignée à son fils, lui a appris à aimer tout ce qui vit.

« Vous voyez, dit-elle aux filles qui se sont rassemblées avant vêpres pour l'écouter, c'est une femme qui a enseigné à Notre-Seigneur comment aimer. Et Marie est proche de tous les enfants. Elle est proche de vous maintenant, c'est elle qui vous a conduites devant notre porte. »

Un soir, après le départ des autres, Allie pose la tête sur les genoux de Sœur Maria Ignacia et lui demande : « Puis-je vivre ici pour le restant de ma vie ? »

Sœur Maria Ignacia lui caresse les cheveux et répond : « Oh, il te faudrait entrer dans les ordres, pour rester ici. Et tu pourrais attendre d'autres choses de ta vie. Un mari, des enfants, un travail. »

C'est toujours la même chose, songe Allie. Personne ne veut jamais de toi pour toujours. Les gens te disent qu'ils t'aiment, ça ne mange pas de pain, mais ils ne veulent jamais que tu restes.

Et la voix dit, très doucement : Ma fille, si tu veux rester, je peux arranger ça pour toi.

Es-tu Marie, la Mère ? demande Allie.

Si ça peut te faire plaisir, ma chère, répond la voix.

Mais j'ai raison, pas vrai ? Personne ne veut jamais me garder, insiste Allie.

Si tu veux rester, dit la voix, tu devras faire tien cet endroit. Réfléchis à la manière d'y parvenir. N'aie crainte, tu trouveras une solution.

Les filles se bagarrent gentiment ; ça leur permet de tester leur pouvoir. Dans l'eau comme sur terre, elles s'administrent des décharges sans conséquence. Allie profite de ces moments pour s'entraîner, elle aussi, quoique plus discrètement. Se souvenant de ce qu'elle a lu au sujet des anguilles électriques, elle ne veut pas que ses camarades sachent ce qu'elle a en tête. Elle réussit, après beaucoup de travail et de persévérance, à envoyer une minuscule décharge qui fait tressauter le bras ou la jambe de l'une ou l'autre des filles.

«Ouh là ! se récrie Savannah tandis qu'une de ses épaules tressaille. Je viens de sentir quelqu'un marcher sur ma tombe.

— Mm..., j'ai mal à la tête, se plaint Victoria alors qu'Allie lui titille le cerveau. Je peux pas... j'arrive plus à penser.

— Merde ! enrage Abigail quand ses genoux se dérobent pendant la baignade. L'eau m'a donné une crampe.»

Ces petites expériences n'exigent pas de mobiliser des trésors d'énergie, et elles restent inoffensives. Personne ne sait que c'est Allie, dont on ne voit que la tête dépasser au ras de l'eau, les yeux grands ouverts et le regard impassible, qui est à la manœuvre, comme les anguilles de l'aquarium.

Au bout de quelques mois, certaines filles commencent à dire qu'elles vont quitter le couvent et poursuivre leur route. L'idée a traversé l'esprit d'Allie – ou d'Ève, ainsi qu'elle essaie de se considérer désormais – qu'elle n'est peut-être pas la seule à avoir des secrets, à se cacher ici en attendant que les choses se tassent.

Une des filles, surnommée Gordy parce qu'elle a pour patronyme Gordon, propose à Allie de venir avec elle : «On va à Baltimore, ma mère a de la famille là-bas, ils nous aideront à nous installer, annonce-t-elle avant d'ajouter avec un haussement d'épaules désinvolte : Je me verrais bien faire la route en ta compagnie.»

Ève s'est fait les amies qu'Allie a toujours eu du mal à se faire. Ève est bienveillante, discrète et attentive, là où Allie est cassante, compliquée.

Allie ne peut pas retourner d'où elle vient, mais il n'y aura pas non plus de grande battue organisée pour la retrouver. Physiquement, elle a changé, de toute façon, son visage s'est allongé, affiné, et elle a grandi. Elle est à ce stade de la vie où les enfants commencent à revêtir leurs traits d'adultes. Elle pourrait reprendre la route, mettre le cap au nord vers Baltimore, ou gagner quelque autre trou paumé et bosser comme serveuse. D'ici trois ans, plus personne à Jacksonville ne la reconnaîtra avec certitude. Ou alors, elle pourrait rester ici. Lorsque Gordy lui dit : « Pars avec moi », Allie comprend qu'elle veut rester. Ici, elle est plus heureuse qu'elle ne l'a jamais été.

Elle écoute aux portes, ou bien dissimulée derrière l'angle d'un mur. C'est une habitude qui ne date pas d'hier. Un enfant vulnérable doit apprendre à se méfier des adultes beaucoup plus qu'un enfant protégé et chéri.

C'est ainsi qu'elle surprend une conversation très animée entre les nonnes, et découvre qu'elle pourrait se voir priver de toute opportunité de rester.

La voix qu'Allie entend à travers la porte du petit salon des couventines est celle de Sœur Veronica, avec son visage de granit.

« L'avez-vous vu ? demande-t-elle. L'avez-vous vu à l'œuvre ?

— Nous l'avons toutes vu, grommelle la mère abbesse.

— Alors comment pouvez-vous douter de ce dont il s'agit ?

— Ce ne sont que des histoires à dormir debout, balaye Sœur Maria Ignacia. Des jeux d'enfants. »

La voix de Sœur Veronica est si puissante qu'elle ébranle légèrement la porte et Allie recule d'un pas :

«Les Saintes Écritures sont-elles *des histoires à dormir debout* ? Notre-Seigneur était-il un menteur ? Êtes-vous en train de me dire qu'il n'a jamais existé de démons, et que quand Il les a bannis d'entre les hommes, Il jouait à un *jeu* ?

— Personne ne dit cela, Veronica. Personne ne met en doute les Saintes Écritures.

— Ne l'avez-vous pas vu, aux informations ? N'avez-vous pas vu ce que font ces filles ? Elles possèdent un pouvoir que les mortels ne sont pas censés posséder. D'où vient-il, ce pouvoir ? Nous connaissons toutes la réponse. Le Seigneur nous l'a dit.»

Le silence tombe sur la pièce.

«J'ai entendu dire qu'il serait une conséquence de la pollution, intervient Sœur Maria Ignacia à mi-voix. Il y avait un article intéressant, dans le journal. La pollution atmosphérique provoquerait certaines mutations dans le…

— C'est le diable ! Le diable qui rôde pour déceler l'innocent et le coupable, et donner des pouvoirs aux damnés, comme il l'a toujours fait.

— Non, proteste Sœur Maria Ignacia. J'ai vu le bien dans leur visage. Ce sont des *enfants*, il est de notre devoir de les protéger.

— Vous verriez le bien dans le visage de Satan lui-même, s'il se présentait à votre porte avec une histoire larmoyante et le ventre creux.

— Et en quoi serait-ce un tort ? Si Satan avait besoin d'être nourri ?»

Sœur Veronica lâche un rire de hyène.

«Les bonnes intentions ! L'enfer en est pavé.»

La mère abbesse élève la voix au-dessus de la mêlée : «Nous avons déjà sollicité l'aide du conseil diocésain. Leurs prières nous accompagnent. Et en attendant, comme nous l'a enseigné le Seigneur, "Laissez les petits enfants et ne les empêchez pas de venir à moi", ajoute-t-elle avec philosophie.

— Songez que des jeunes filles le réveillent chez leurs aînées ! C'est le diable qui est à l'œuvre, c'est lui qui le passe de main en main comme Ève a donné la pomme à Adam.

— Nous ne pouvons pas jeter des enfants à la rue !

— Le diable les accueillera en son sein.

— À moins qu'elles ne meurent de faim», dit Sœur Maria Ignacia.

Allie s'accorde un long temps de réflexion. Elle pourrait se remettre en route, tourner la page. Mais elle se plaît bien ici.

La voix dit : Tu l'as entendue. Ève a tendu la pomme à Adam.

Peut-être qu'elle a eu raison, songe Allie. Peut-être était-ce ce dont le monde avait besoin. D'une petite nouveauté, pour le secouer.

La voix dit : Bien vu, petite.

Allie songe : Es-tu Dieu ?

Qui ça ? dit la voix.

Je sais que tu me parles quand j'en ai besoin. Et que tu m'as montré le chemin de mon âme. Indique-moi quoi faire maintenant. Je suis tout ouïe.

La voix dit : Si le monde n'avait pas besoin d'être un peu secoué, pourquoi ce pouvoir se serait-il manifesté maintenant ?

Dieu annonce au monde qu'un nouvel ordre doit advenir, songe Allie. Que l'ancien est désormais caduc. Les siècles antérieurs sont consommés. De même que Jésus a annoncé au peuple d'Israël que les désirs de Dieu avaient changé, le temps des Saintes Écritures est révolu, et une nouvelle doctrine doit se faire jour.

La voix dit : Un prophète est indispensable dans le pays.

Mais qui ? se demande Allie.

La voix dit : Lance-toi, ma chérie, juste pour voir si l'habit est à ta taille. N'oublie pas, si tu dois rester ici, il te faudra devenir maîtresse des lieux afin d'en être inexpugnable. La seule façon pour toi d'être à l'abri, mon poussin, c'est que cet endroit t'appartienne.

Roxy

Roxy a déjà vu son père cogner sur des types. Elle l'a vu leur balancer son poing dans la figure avec toutes ses bagues aux doigts, par surprise, pile quand il feignait de tourner les talons. Une fois, elle l'a vu boxer un bonhomme jusqu'à ce qu'il ait le nez en sang et s'écroule par terre mais, même là, Bernie a continué à lui bourrer le ventre de coups de pied, puis il a tiré un mouchoir de sa poche arrière, il s'est essuyé les mains, il a baissé les yeux sur le visage en bouillie et il a dit : « Moi, on me fait pas chier. Compris ? »

Roxy a toujours rêvé de pouvoir faire pareil.

Pour elle, le corps de son père est un château fort. Un abri, et une arme. Quand Bernie passe le bras autour de ses épaules, Roxy est partagée entre terreur et réconfort. Pour échapper à ses poings, elle a déjà grimpé des escaliers quatre à quatre en hurlant. Et elle a vu quelles dérouillées il a infligées à ceux qui menaçaient sa fille.

Oui – le pouvoir de faire mal, c'est la seule chose qui vaille.

« Tu sais ce qui s'est passé, pas vrai, ma chérie ? demande Bernie.

— Ce salopard de Primrose », crache Ricky.

Ricky est l'aîné des demi-frères de Roxy.

« Ma chérie, tuer ta maman, c'était une déclaration de guerre, dit Bernie. Et ça nous a pris longtemps pour être certains de pouvoir le coincer. Mais ça y est : on en est sûrs. Et on est prêts. »

Son regard fait le tour de la pièce, passe de Ricky à Terry, son cadet, de Terry à Darrell, le benjamin. Les trois fils que Bernie a eus avec sa femme, puis vient Roxy, sa petite dernière. Roxy sait très bien pourquoi elle habite chez sa mamie depuis un an, et non pas avec eux. Mi-chèvre, mi-chou, voilà ce qu'elle est. Pas assez légitime pour être invitée au repas du dimanche, mais assez quand même pour qu'on ne laisse pas passer un affront pareil. Un affront pareil, ça les concerne tous.

« On devrait le tuer », assène Roxy.

Terry éclate de rire.

Son père lui décoche un regard et son rire s'étrangle dans sa gorge. Personne n'a envie de chercher des crosses à Bernie Monke. Pas même son propre fils. « Elle a raison, dit Bernie. Tu as raison, Roxy. On devrait sans doute le tuer. Mais il est puissant et il a beaucoup d'amis, alors il faut y aller lentement mais sûrement. Si on se lance, on ne peut pas se louper, on doit tous les décaniller d'un coup. »

Ils la convainquent de leur montrer ce qu'elle sait faire. Elle se retient un peu, ils écopent chacun à son tour d'un bras paralysé. Quand elle effleure celui de Darrell, ce dernier éructe un juron et Roxy se sent un peu navrée. Darrell est le seul qui ait toujours été gentil avec elle. Quand il accompagnait Bernie chez sa mère, après l'école, il lui apportait toujours une souris en chocolat de la confiserie.

La démonstration terminée, Bernie frictionne son gros bras et demande : « C'est tout ce que tu peux faire ? »

Alors, elle leur montre. Elle a vu des trucs sur Internet.

Ils la suivent dans le jardin, où Barbara, l'épouse de Bernie, a rempli une de ces mares d'ornement de gros poissons orange qui tournent en rond quand ils ne se tournent pas autour.

Il fait froid. Les pieds de Roxy écrasent l'herbe craquante de givre.

Elle s'agenouille et trempe le bout des doigts dans la mare.

Il y a une odeur, soudain, semblable à celle d'un fruit bien mûr, gorgé de sucre, succulent, l'odeur du cœur de l'été. Et une étincelle qui luit dans l'eau sombre. Et puis un son à mi-chemin entre un sifflement et un craquement.

Et, l'un après l'autre, les poissons remontent à la surface, le ventre à l'air.

« Putain de merde ! s'exclame Terry.

— Bordel de Dieu ! s'étrangle Ricky.

— Maman ne va pas être contente », observe Darrell.

Barbara Monke n'est jamais venue voir Roxy, ni après la mort de sa mère, ni après les obsèques, jamais. Aussi Roxy ne boude pas son plaisir en songeant à la tête qu'elle fera quand elle découvrira ses poissons raides morts.

« Votre mère, j'en fais mon affaire, tranche Bernie. On peut exploiter ça, ma petite Rox. »

Bernie va trouver deux ou trois de ses sbires qui ont des filles approximativement du même âge que Roxy, il les persuade de montrer elles aussi ce dont elles sont capables. Elles jouent à se bagarrer. En s'entraînant l'une contre l'autre, ou en se mettant à deux contre une. Bernie les observe faire des étincelles et clignoter dans le jardin. Partout sur la planète, tout le monde devient fou à cause de ce machin mais, en toutes circonstances, il y aura toujours une poignée de petits malins pour se demander : « Quel avantage je peux en tirer ? »

À l'issue des duels amicaux et des séances de travaux pratiques, il ne fait aucun doute que Roxy a de l'électricité à revendre. Elle en a bien plus que n'importe quelle autre fille qu'ils dénichent pour s'entraîner avec elle. À la faveur de ces séances, elle apprend quelques bricoles relatives au rayon et à la portée, découvre comment faire décrire un arc à une étincelle, et s'aperçoit que ça fonctionne encore mieux sur la peau mouillée. Elle se sent fière d'être si forte. Elle se donne à fond.

C'est pour cela que, le moment venu, quand Bernie a tout arrangé et qu'ils savent précisément où trouver Primrose, Roxy les accompagne, elle aussi.

Avant de se mettre en route, Ricky l'attire dans les toilettes. « Tu es une grande fille maintenant, pas vrai, Rox ? »

Elle hoche la tête. Elle a une petite idée de ce qui va suivre – enfin, plus ou moins.

Ricky sort un sachet en plastique de sa poche et fait tomber un peu de poudre blanche sur le rebord du lavabo.

« T'en as déjà vu, pas vrai ?
— Ouais.
— T'en as déjà pris ? »

Elle fait non de la tête.

«Bon, d'accord.»

Il lui montre comment procéder, avec un billet de cinquante qu'il sort de son portefeuille et roule en tube, et quand ils ont terminé, Ricky lui dit qu'elle peut garder le billet, un petit avantage en nature. Après coup, elle se sent très lucide et en possession de tous ses moyens, elle n'a pas oublié ce qui est arrivé à sa mère, non, sa colère est toujours là, intacte, blanche, électrique, mais la tristesse, elle, s'est envolée. Comme si tout ça n'était qu'une lointaine histoire dont elle a entendu parler. Et c'est agréable. Elle est puissante ; elle tient cette journée entre ses doigts. Elle étire un arc crépitant d'étincelles entre ses paumes – le plus long qu'elle soit parvenue à réaliser à ce jour.

«Waouh, mollo ! se récrie Ricky. Pas ici, d'accord ?»

Elle referme ses mains et le laisse scintiller autour de ses phalanges. Ça lui donne envie de rire d'avoir autant de pouvoir et qu'il soit aussi facile de le laisser s'échapper.

Ricky transvase un peu de poudre blanche dans un sachet neuf, qu'il glisse dans la poche de son jean. «Juste au cas où. N'en prends que si tu as peur, d'accord ? Et, par pitié, *pas* dans la voiture.»

Elle n'a pas besoin de ça. Le monde lui appartient, de toute façon.

Les quelques heures qui suivent ressemblent à des clichés en rafales. Comme quand elle prend des photos avec son téléphone. Roxy cligne des paupières – *clic*, une série de photos. Cligne encore – *clic*, une autre. Elle regarde sa montre et il est quatorze heures ;

la regarde un instant plus tard, et c'est la demie. Elle voudrait se faire du mouron qu'elle n'y arriverait pas. C'est agréable.

Ils ont répété le plan avec elle. Primrose ne sera accompagné que de deux de ses gars. C'est Weinstein, son pote, qui l'a donné. Il l'a attiré dans cet entrepôt en prétextant qu'il avait besoin de le voir. Bernie et l'un de ses fils seront en embuscade derrière une pile de cartons, avec leurs pistolets. Les deux autres resteront dehors pour baisser le volet roulant et piéger Primrose et ses gars à l'intérieur. Le plan, c'est de les prendre par surprise, et de vider les chargeurs ; ce sera une affaire rondement menée, ils seront rentrés pour le thé. Primrose n'aura même pas le temps de comprendre ce qui lui arrive. Et, franchement, si Roxy les accompagne, c'est parce qu'elle mérite d'assister au spectacle, après ce qu'elle a enduré. Et aussi parce que Bernie a toujours été du genre ceinture et bretelles – c'est même à ça qu'il doit sa longévité. Donc, Roxy est cachée au milieu de cartons sur la mezzanine de l'entrepôt, d'où elle a une vue imprenable sur le rez-de-chaussée à travers le grillage de protection. Juste au cas où. Elle est en train d'épier ce qui se passe en bas lorsque Primrose arrive. Le volet s'enroule. *Clic.* Se déroule… et en moins de temps qu'il n'en faut pour le dire, tout part à vau-l'eau. Quand Bernie et les garçons lui crient de s'écarter du passage, Weinstein fait ce curieux haussement d'épaules, comme pour dire *Pas de bol, vieux, tant pis pour ta pomm*e, mais il se met tout de même à couvert tandis que Bernie et ses fils avancent. C'est là que Primrose commence à sourire et que ses gars débarquent. Beaucoup plus nombreux que ne l'avait annoncé Weinstein. Quelqu'un a menti. *Clic*, fait le volet roulant.

Primrose est un grand bonhomme, maigre, le teint pâle. Il est venu avec au moins vingt de ses gars, qui se sont éparpillés autour de l'entrée du bâtiment et sont en train de faire feu en s'abritant derrière des portillons d'acier. Ils sont tout simplement en surnombre par rapport à Bernie et ses hommes. Trois d'entre eux ont acculé Terry derrière une caisse en bois. Terry le baraqué, qui sous son immense front blanc grêlé de cicatrices d'acné n'a pas inventé l'eau tiède, et qui risque un œil de derrière l'angle de la caisse. Il ne devrait pas faire ça, essaie de lui crier Roxy qui l'observe de là-haut, mais aucun son ne sort de sa gorge.

Primrose ajuste son tir en prenant tout son temps, sourire aux lèvres, et l'instant d'après, il y a un trou rouge au milieu du visage de Terry, qui bascule en avant comme un arbre abattu. Roxy regarde ses mains. De longs arcs électriques passent de l'une à l'autre, bien qu'elle ne se souvienne pas de leur avoir demandé quoi que ce soit. Elle devrait intervenir, mais elle a peur. Elle n'a que quinze ans. Elle sort le petit sachet de la poche de son jean et sniffe un petit rab de poudre. Elle voit l'énergie affluer le long de ses bras et de ses mains. Elle entend comme une voix lui chuchoter à l'oreille : Tu étais faite pour ça.

La mezzanine sur laquelle elle se trouve est une passerelle métallique dont la structure est reliée à ces portillons d'acier derrière lesquels s'abritent les hommes de Primrose. Et ils sont nombreux, en bas, à toucher ces plaques d'acier ou à s'y adosser. Roxy voit immédiatement le parti qu'elle peut en tirer et c'est tellement excitant qu'elle a un mal fou à demeurer immobile. L'un de ses genoux commence à tressauter. Ce sont eux, les hommes qui ont tué sa mère, et ils sont là, à sa merci. Elle attend que l'un d'eux pose les doigts sur le rail, qu'un autre appuie la tête contre un portillon et qu'un troisième se suspende à une poignée pour faire feu au ras du sol. Un des tirs atteint Bernie dans le flanc. Roxy pince les lèvres et expire lentement. Tu savais que tu en viendrais à ça, songe-t-elle, et elle électrise le rail. Les trois sales types s'écroulent en arquant le dos et en poussant des hurlements, en proie à des convulsions qui leur font claquer des dents et leur révulsent les yeux. Bien fait. Vous l'avez cherché.

Et là, ils la repèrent. Arrêt sur image.

Il n'en reste plus beaucoup, maintenant. Ils sont à armes égales, peut-être même que Bernie a repris le dessus – Primrose n'en mène plus très large ; ça se lit sur son visage. Des pas ébranlent bruyamment l'escalier métallique de la mezzanine, et deux types essaient d'attraper Roxy. L'un d'eux se penche vers elle, instinctivement, parce que c'est un geste d'intimidation qui terroriserait n'importe quel adolescent. Roxy n'a plus qu'à avancer deux doigts contre la tempe du type et laisser la décharge lui traverser le front avant qu'il ne s'écroule en pleurant des larmes de sang. Son acolyte plonge pour la ceinturer – ils sont bouchés, ou quoi ? –, elle l'attrape au poignet. Grâce à ces deux-là, Roxy vient d'apprendre qu'elle n'a pas besoin de se fouler pour repousser un agresseur, et ça la comble d'aise, jusqu'à ce qu'elle jette un œil en bas et voie Primrose se diriger vers la porte qui mène dans la ruelle, à l'arrière du pâté de maisons.

Il va s'en tirer. Bernie est à terre, en train de gémir, et Terry se vide de son sang. Il est mort de chez mort, comme sa maman, elle le sait, et Primrose, lui, essaie de sauver sa peau. Non, non, non, n'y compte pas, sale petite merde, songe Roxy. N'y compte pas.

Elle dévale l'escalier puis, discrètement, file le train à Primrose qui s'enfonce dans l'entrepôt, longe un couloir, traverse un bureau en open space désert. Quand elle le voit bifurquer sur sa gauche, elle accélère le pas. S'il parvient à rejoindre sa voiture, c'est fichu, et il reviendra leur régler leur compte sans attendre. Il ne fera pas de quartier, n'épargnera personne. Roxy repense à ses hommes qui ont étranglé sa maman. C'est lui, qui a ordonné ça. C'est lui, le responsable. Ses jambes redoublent de puissance et de vitesse.

Il s'engage dans un autre couloir, pénètre dans une pièce, où se trouve une porte donnant sur l'escalier de secours. Roxy entend le déclic de la poignée. Merde, merde, merde, se dit-elle, mais quand elle passe la tête à l'angle du mur, elle découvre avec soulagement que Primrose est toujours là. La porte est verrouillée – dommage… Il s'est saisi d'une poubelle en métal, qu'il cogne contre la vitre pour briser le verre, et c'est là que Roxy plonge vers lui, exactement comme elle l'a appris pendant les entraînements, main tendue vers son mollet. Elle lui empoigne la cheville et envoie une décharge dans la chair tendre et dénudée.

Il s'affaisse sans un cri, comme si ses genoux se dérobaient sous lui, tandis que ses bras s'acharnent à vouloir fracasser la vitre même si la poubelle cogne maintenant contre le mur. Et pendant qu'il glisse à terre, Roxy lui attrape le poignet, et lui administre une nouvelle décharge.

Elle peut dire, au hurlement qu'il pousse cette fois-ci, que personne ne lui a jamais fait ça. Ce hurlement n'exprime pas la douleur, mais la surprise, l'effroi. Quand elle voit la traînée écarlate qui remonte le long de son bras, identique à celle qui était apparue sur celui de l'assassin de sa mère, ce souvenir décuple son pouvoir. Primrose hurle comme si des araignées grouillaient sous sa peau et lui mordaient la chair de l'intérieur.

Elle en profite pour souffler un peu.

«Pitié, dit-il en la regardant, pitié.» Ses yeux dansent en tous sens, il peine à faire le point. «Je te connais. Tu es la petite de Monke. La fille de Christina, non?»

Prononcer le nom de sa mère, comment ose-t-il? Roxy le frappe à la gorge. Il hurle, éructe un chapelet de jurons puis se met à bavasser : «Je suis sincèrement désolé de ce qui t'est arrivé mais c'était une histoire entre ton père et moi je peux t'aider tu peux venir travailler pour moi une petite fille aussi brillante aussi forte je n'ai jamais rien ressenti de pareil Bernie ne veut pas de toi dans ses pattes crois-moi viens travailler pour moi dis-moi ce que tu veux je peux te l'obtenir.

— Vous avez tué ma mère.

— Ton père avait descendu trois de mes gars ce mois-là.

— Vous avez envoyé vos hommes et ils ont tué ma maman.»

Primrose ne dit plus rien. Et il ne bouge plus non plus, à tel point que c'en est suspect. Roxy s'attend à ce qu'il se remette à hurler d'une seconde à l'autre et se jette sur elle. Mais non, il sourit, et hausse les épaules.

«En ce cas, je ne peux rien pour toi, ma belle. Mais tu n'étais pas censée voir ça. Newland avait dit que tu ne serais pas à la maison.»

Elle entend des pas dans l'escalier. Des paires de bottes. Ce pourrait être les hommes de son père, comme ceux de Primrose. Il se pourrait qu'elle doive courir, au risque de prendre une balle d'une seconde à l'autre.

«Oui, mais j'étais là, dit-elle.

— S'il te plaît, dit Primrose. S'il te plaît.»

Et une fois de plus le souvenir revient en force, rendu clair et net par les cristaux qui explosent dans son cerveau : Roxy est de retour dans la maison de sa mère et elle l'entend murmurer cette même supplique. Elle pense à son père, voit ses bagues et ses articulations s'écarter d'une bouche ruisselante de sang. Oui, c'est la seule chose qui vaille. Elle pose une main sur la tempe de Primrose. Et le tue.

Tunde

Il poste la vidéo en ligne et le lendemain, il reçoit un coup de fil. C'est CNN, lui dit-on. Tunde pense qu'on se paie sa tête. C'est bien le genre de blague idiote dont serait capable son ami Charles. Une fois, il l'a appelé en se faisant passer pour l'ambassadeur de France, en imitant un accent hautain pendant dix minutes avant de craquer.

«Nous voulons la vidéo dans son intégralité, annonce la voix à l'autre bout du fil. Votre prix sera le nôtre.

— Quoi?

— Vous êtes bien Tunde? BourdillonBoy97?

— Ouais?

— Ici CNN. Nous voulons vous acheter le reste de la vidéo sur l'incident au supermarché, celle que vous avez postée sur Internet. Et toutes les autres que vous pourriez avoir en votre possession.»

Le reste? se dit Tunde. Quel reste? Et puis ça lui revient.

«Il y a seulement… il ne manque qu'une minute ou deux à la fin. D'autres personnes sont entrées dans le champ. Je ne pensais pas que c'était…

— On brouillera les visages. Combien en demandez-vous?»

Tunde a encore les traces de l'oreiller sur le visage et il a mal à la tête. Il lance la première somme qui lui passe par l'esprit. Cinq mille dollars américains.

Et vu l'empressement avec lequel ils acceptent, il sait qu'il aurait dû demander le double.

Ce week-end-là, il rôde dans les rues et dans les boîtes de nuit à la recherche d'images. Il tombe sur deux femmes qui s'affrontent sur la plage, à minuit ; les arcs électriques illuminent les regards avides du public tandis qu'elles grognent et cherchent à atteindre l'adversaire à la gorge, au visage. Tunde capture des images en clair-obscur de leurs traits déformés par la rage. La caméra lui donne une sensation de puissance ; c'est comme être là sans y être vraiment. Amusez-vous autant que vous voudrez, songe-t-il, c'est de mes images que naîtra le récit. C'est moi qui vais raconter l'histoire.

Il tombe aussi sur un couple en train de faire l'amour dans une ruelle. La fille enjôle le garçon d'une main crépitante posée au creux de ses reins. Le garçon tourne la tête et repère la caméra de Tunde braquée sur lui ; il se fige et sa partenaire lui décoche une étincelle en plein visage. « Ne t'occupe pas de lui, lui intime-t-elle. Regarde-moi. » Quand ils approchent du but, la fille sourit, illumine l'échine du garçon, et lance à Tunde : « Hé, tu en veux un peu, toi aussi ? » Tunde remarque alors qu'une autre femme, un peu plus loin dans la ruelle, observe la scène ; il prend ses jambes à son cou, poursuivi par des rires. Une fois à l'abri, il rit, lui aussi, et il visionne la séquence. C'est sexy. Il aimerait bien qu'on lui fasse ça. Enfin, peut-être.

CNN se porte également acquéreur de ces séquences. Ils paient rubis sur l'ongle. En contemplant la somme rondelette sur son compte en banque, Tunde songe : Ça y est, je suis devenu journaliste. J'ai déniché un bon sujet, et on me rémunère pour ça. Ses parents lui demandent : « Quand retournes-tu en cours ?

— J'ai pris un semestre sabbatique, leur explique-t-il. Pour acquérir de l'expérience sur le terrain. »

Ceci est sa vie, et elle est en train de commencer ; il le sent.

Il apprend très tôt à ne pas utiliser son téléphone portable pour filmer ses séquences. À trois reprises au cours des premières semaines, une femme l'a effleuré et il était bon à jeter. Il achète un stock de caméscopes numériques bas de gamme et tombés du camion au marché Alaba mais il n'est pas dupe, ce ne sont pas les séquences qu'il est susceptible de tourner à Lagos qui vont lui rapporter gros – or il sait qu'il y a de l'argent à se faire. Il visite des forums où les internautes discutent de ce qui se passe au Pakistan, en Somalie, en Russie, et il sent l'excitation le gagner. Nous y voilà. Elle est là-bas, sa guerre. Sa révolution. Il le tient, son *grand sujet*. Il est là, à portée de main, tel un fruit mûr sur une branche, que n'importe qui peut cueillir. Quand Charles et Joseph l'appellent pour lui proposer de les accompagner à une fête le vendredi soir, il leur rit au nez. « J'ai des plans autrement plus ambitieux, les mecs. » Et il achète un billet d'avion.

Il atterrit à Riyad le soir de la première grande émeute. C'est là sa chance ; s'il était arrivé trois semaines auparavant, il aurait vite pu se trouver à court d'argent ou d'enthousiasme. Et il aurait tourné les mêmes séquences que n'importe qui : des femmes portant le masque traditionnel qui s'entraînent à s'envoyer des étincelles en gloussant timidement. Plus vraisemblablement, il n'aurait rien tourné du tout – ces séquences avaient été pour la plupart l'œuvre de femmes. En tant qu'homme, pour pouvoir filmer ici, il lui fallait précisément arriver le soir où elles déferlaient en masse dans les rues de la ville.

C'est la mort de deux adolescentes d'une douzaine d'années qui a mis le feu aux poudres. Un oncle les avait surprises en train de pratiquer leur magie noire ; parce qu'il était un homme pieux, il avait fait venir ses amis, les deux filles s'étaient débattues pour échapper à leur châtiment et, sans qu'on sache trop comment, l'une et l'autre avaient fini battues à mort. Au vu et au su de tout le voisinage. Et – allez savoir pourquoi l'embrasement se produisit le jeudi, quand le mardi des événements similaires étaient peut-être passés sous le radar – les voisines avaient riposté. Une douzaine de femmes, bientôt rejointes par une centaine d'autres. Rapidement devenues un millier. La police avait battu en retraite. Les femmes vociféraient ; certaines brandissaient des pancartes. Elles avaient compris leur force, tout à coup.

Lorsque Tunde arrive à l'aéroport, les agents de sécurité lui annoncent qu'il court un danger à franchir les portes du terminal, que les visiteurs étrangers seraient mieux avisés de rentrer chez eux par le premier vol. Il lui faut soudoyer successivement trois agents pour pouvoir sortir en toute discrétion. Il paie un chauffeur de taxi deux fois le prix de la course pour se faire conduire sur la place où les femmes sont en train de se rassembler dans un concert de cris. Cela a beau se passer en plein jour, l'homme est terrorisé.

« Le mieux à faire, c'est de rentrer chez soi », dit-il à Tunde quand celui-ci saute du taxi, et Tunde ne sait pas trop à qui des deux s'adresse ce conseil.

À trois rues de là, Tunde aperçoit la queue d'un cortège. Il a le pressentiment qu'il va se passer quelque chose ici même, aujourd'hui, de l'ordre du jamais vu. Il n'a pas peur, il est bien trop excité pour ça : quoi qu'il se produise, c'est lui qui le filmera.

Il emboîte le pas aux femmes, en tenant son caméscope collé à sa hanche pour éviter de trop attirer l'attention. Mais même ainsi, deux femmes le remarquent. Elles l'apostrophent, d'abord en arabe, puis en anglais :

« Journaliste ? CNN ? BBC ?

— Oui, répond-il. CNN. »

Elles éclatent de rire et Tunde prend peur, mais cette peur se dissipe comme un voile nuageux sitôt qu'elles s'exclament en se regardant : « CNN ! CNN ! » D'autres femmes accourent, pouces levés, en adressant des sourires à l'objectif de son caméscope.

L'une d'elles, qui maîtrise l'anglais un peu mieux que les autres, le prévient : « Tu peux pas marcher avec nous, CNN. Aujourd'hui, il y aura pas d'homme avec nous.

— Oh, mais… je suis inoffensif, répond Tunde en lui décochant son large sourire enjôleur. Vous n'auriez pas besoin de me faire de mal. »

Les femmes ne veulent rien entendre. « Non, non, pas d'homme.

— Comment puis-je vous convaincre de me faire confiance ? insiste Tunde. Regardez, voilà mon badge CNN. Et je ne suis pas armé. » Il ouvre sa veste, la retire lentement et la brandit pour leur montrer l'intérieur, l'extérieur.

Les femmes l'observent. Celle qui parle anglais un peu mieux que les autres dit : « Ça prouve rien.

— Comment vous appelez-vous ? demande Tunde. Vous connaissez déjà mon nom. Je suis désavantagé.

— Nour, répond-elle. Cela signifie "lumière". Nous sommes celles qui apportent la lumière. Et si tu avais un pistolet dans un étui, dans ton dos ? Ou un taser attaché au mollet ? »

Il soutient son regard et hausse un sourcil. Elle a de grands yeux sombres et rieurs. Elle se paye sa tête.

« Vous plaisantez ? » lance-t-il.

Elle secoue la tête, sourire aux lèvres.

Il déboutonne sa chemise, lentement. La laisse tomber derrière son dos. Autour de lui, il voit des étincelles fuser çà et là entre les doigts, mais il n'a pas peur.

« Pas l'ombre d'un pistolet scotché dans mon dos.

— Je vois ça, répond-elle. Mollet ? »

Il y a peut-être trente femmes qui observent la scène, à présent. Et n'importe laquelle d'entre elles pourrait l'électrocuter et le tuer net. Mais au point où il en est…

Il déboutonne son jean, le laisse dégringoler sur ses chevilles. Un petit hoquet collectif secoue son public. Tunde pivote lentement sur lui-même.

« Pas l'ombre d'un taser attaché à mon mollet. »

Nour sourit. Humecte sa lèvre supérieure.

« Alors tu devrais nous suivre, CNN. Rhabille-toi, et marche. »

Tunde s'empresse d'obéir et leur emboîte le pas. Nour lui prend la main.

« Dans notre pays, un homme et une femme n'ont pas le droit de se tenir la main dans la rue. Dans notre pays, une femme n'a pas le droit de conduire. Les femmes savent pas y faire, avec les voitures. »

Elle serre sa main un peu plus fort et, de la même manière qu'on sent l'air se charger d'électricité avant que n'éclate l'orage, Tunde sent des crépitations parcourir les épaules de la jeune femme ; celle-ci, cependant, ne cherche pas à lui faire de mal – aucun courant, si infime soit-il, ne migre inopinément dans son corps. Nour lui fait traverser l'artère déserte qui mène à un centre commercial. Devant l'entrée, se trouvent des dizaines de voitures garées dans des allées marquées de drapeaux rouges, verts, ou bleus.

Depuis les étages supérieurs du centre commercial, des badauds observent ce qui passe à l'extérieur. Les jeunes femmes qui entourent Tunde les désignent en rigolant et en faisant danser des étincelles entre leurs doigts. Les hommes tressaillent. Les femmes se repaissent de la scène, de leurs grands yeux avides.

En riant, Nour tire Tunde à bonne distance de l'avant d'une jeep noire garée pile devant l'entrée.

« Tu filmes, là ? lui demande-t-elle avec un sourire immense et plein d'assurance.

— Oui.

— Ils nous interdisent de conduire, ici, dit-elle. Mais regarde bien ce qu'on peut faire à une voiture. »

Elle pose une paume à plat sur le capot de la jeep. On entend un déclic, et le capot s'ouvre d'un coup.

Nour se tourne vers Tunde avec un grand sourire malicieux. Elle avance la main au ras du moteur, juste à côté de la batterie.

Le moteur démarre. Monte en régime, tourne de plus en plus vite, fait de plus en plus de bruit, il s'emballe, il gronde, il crisse, comme si la machine se débattait pour se soustraire à l'emprise de cette femme. Nour est hilare. Le bruit gagne encore en puissance, c'est le râle d'un engin à l'agonie. Et puis, soudain, on entend une énorme explosion, un formidable flash de lumière blanche jaillit du véhicule, et il commence à fondre, à se déformer, à se répandre sur l'asphalte dans un ruissellement d'essence et de métal en fusion. Nour grimace et attrape la main de Tunde. « Cours ! » lui crie-t-elle, et il s'exécute, ils retraversent le parking en prenant leurs jambes à leur cou mais, en même temps, Nour lui dit : « Regarde, filme ça, filme ça », et pile au moment où Tunde se retourne, le métal chauffé à blanc entre en contact avec le réservoir d'essence, et la jeep explose.

La déflagration est si puissante et le souffle de chaleur si intense que, l'espace de quelques instants, l'écran de son caméscope devient tout blanc, puis tout noir. Quand l'image réapparaît, Tunde voit un groupe de jeunes femmes qui progresse vers lui, avec, en toile de fond, un rideau de flammes. La zébrure d'un éclair scintille dans leurs mains et elles passent de voiture en voiture pour allumer les moteurs, qui s'emballent et se mettent à fondre à leur tour. Certaines d'entre elles n'ont même pas besoin de les toucher, elles se contentent de décharger à travers le capot l'électricité emmagasinée dans leur corps ; toutes sont hilares.

Tunde élargit son cadre pour intégrer les spectateurs à l'arrière-plan, derrière les baies vitrées du centre commercial, et filmer leurs réactions : on voit des hommes qui cherchent à éloigner de force leur femme des vitres ;

et des femmes qui les éconduisent d'un mouvement d'épaule, sans un regard, sans un mot, et qui, paumes écrasées contre les vitres, dévorent le spectacle des yeux. Tunde comprend alors que ce truc va prendre comme une traînée de poudre, embraser la planète tout entière et changer le monde. Plus rien ne sera jamais comme avant et cela le comble d'une telle joie qu'il se met à crier avec les femmes au milieu des flammes.

Dans une rue du quartier Manfuha, à l'ouest de la ville, une vieille Éthiopienne émerge d'un bâtiment en construction soutenu par des échafaudages, et s'avance à leur rencontre, mains levées au ciel, en criant dans une langue que personne alentour ne comprend. Son dos est tellement voûté que sa colonne vertébrale forme une bosse qui dépasse d'entre ses omoplates. Nour prend sa main entre les siennes ; la vieille dame la regarde faire, tel un patient attentif aux soins que lui prodigue le docteur. Nour pose deux doigts dans la paume de la vieille femme, elle lui montre comment utiliser ce pouvoir qu'elle a sans doute en elle depuis toujours, et dont elle a sûrement attendu toute sa vie qu'il se manifeste. C'est ainsi que ça marche. Les plus jeunes peuvent l'activer chez leurs aînées ; à compter de ce jour, toutes les femmes l'auront.

Quand la douce force réveille les réseaux de nerfs et de ligaments, la vieille dame fond en larmes. Sur les images de Tunde, on distingue nettement à son expression le moment où elle sent le pouvoir s'éveiller en elle. Cette femme est sans doute octogénaire et n'a plus beaucoup d'énergie en réserve. L'étincelle qui fuse du bout de ses doigts est minuscule. Elle persévère, cependant, elle s'acharne, tandis que les larmes ruissellent le long de ses joues. Puis elle brandit ses paumes et se met à crier de joie. Les autres femmes l'imitent et la rue entière, la ville entière résonnent soudain de cet avertissement joyeux ; ce doit être le cas partout dans le pays, se dit Tunde. Il est le seul homme, ici, et le seul journaliste en train de filmer. Cette révolution, c'est comme un miracle personnel destiné à faire de lui le vecteur du renversement du monde.

Toute la nuit, il suit le cortège et filme tout ce qu'il voit. À l'étage d'une maison au nord de la ville, ils aperçoivent une femme derrière des barreaux de fenêtre. Elle jette un morceau de papier dans la rue – et tandis que le message passe de main en main, Tunde sent une vague soulever la foule. Les femmes défoncent la porte de la maison et il les suit jusqu'à ce qu'elles débusquent l'homme qui retient cette malheureuse en cage recroquevillé dans un placard de la cuisine. Elles ne prennent même pas la peine de lui donner une leçon ; elles entraînent la femme avec elles dans la rue, où le rassemblement n'a de cesse qu'il ne grossisse. Sur le campus de l'université, devant le département des Sciences de la Santé, un homme court au-devant d'eux en faisant feu avec un fusil et en les accusant, en arabe et en anglais, de crime à l'égard de leurs supérieurs. Il blesse trois femmes à la jambe ou au bras, et c'est toutes les autres qui déferlent sur lui avec la puissance d'un raz de marée. Tunde distingue un bruit qui évoque le grésillement des œufs dans la poêle à frire. Quand il parvient à s'approcher suffisamment pour voir de quoi il retourne, l'homme ne bouge plus, et l'entrelacs de marques sur son visage et son cou est si large et si dense qu'il est pratiquement impossible de discerner ses traits.

Enfin, à l'approche de l'aube, au milieu de cette foule de femmes qui ne montrent aucun signe de fatigue, Nour prend Tunde par la main et le conduit jusqu'à un appartement, une chambre, un lit. L'appartement est celui d'un ami, dit-elle, un étudiant. Ils sont six, à habiter là. Mais la moitié de la ville a pris la fuite, à l'heure qu'il est, et la place est déserte. L'électricité ne marche plus. Nour fait jaillir une étincelle dans sa main pour guider Tunde jusqu'à la chambre, et là, en un éclair de temps et de lumière, elle lui enlève sa veste et fait passer sa chemise par-dessus sa tête. Elle regarde son corps comme elle l'a fait un peu plus tôt : ouvertement, et avec avidité. Elle l'embrasse.

« C'est la première fois », lui dit-elle, il lui répond que c'est la première fois pour lui aussi, et il n'en éprouve aucune honte.

Elle pose une paume à plat sur son torse. « Je suis une femme libre », déclare-t-elle.

Il le sent, qui picote sa peau. C'est euphorisant. Tandis que les rues résonnent encore de cris et de crépitements parfois ponctués d'une détonation d'arme à feu, leurs corps se communiquent leur chaleur dans cette chambre aux murs tapissés de posters de chanteuses pop et de stars de cinéma. Elle déboutonne son jean, le lui retire ; dans tous ses gestes, elle fait très attention. Tunde sent le fuseau qui commence à fredonner. Il a peur, il est excité ; tout s'enchevêtre, comme dans ses fantasmes.

« Tu es un homme bon, lui dit-elle. Tu es beau. »

Du dos de la main, elle effleure les poils de son torse. Elle lâche un tout petit crépitement, à peine une piqûre, qui luit faiblement en frôlant sa toison clairsemée. C'est agréable. Tunde prend conscience de chacune des lignes qui dessinent son enveloppe charnelle, comme si jusque-là il n'avait été que pur esprit.

Il veut être en elle ; son corps, déjà, lui dicte la marche à suivre, comment lui prendre les bras et l'allonger sur le lit, comment accomplir chacune des étapes suivantes. Mais son corps est aussi la proie d'impulsions contradictoires : la peur rivalise avec la tentation, la douleur physique avec le désir. Et Tunde reste bras ballants, écartelé, ne sachant plus s'il veut, ou ne veut pas. Il laisse Nour dicter le tempo.

Il est lent, ce tempo, et c'est bon. Elle lui montre quoi faire avec sa bouche, avec ses doigts. Le soleil s'est levé sur un nouveau jour à Riyad quand elle le chevauche, toute transpirante, en criant. Et quand dans l'extase elle abdique tout contrôle et laisse échapper une décharge qui s'enfonce dans sa fesse et lui traverse le pelvis, c'est à peine s'il sent la douleur, tant le ravissement des sens est immense.

Plus tard cet après-midi-là, on envoie des soldats en hélicoptère et d'autres dans les rues, tous armés de fusils, et qui tirent tous à balles réelles. Tunde est présent pour filmer la riposte des femmes. Elles sont tellement nombreuses, et tellement en colère. Plusieurs d'entre elles perdent la vie mais cela ne fait qu'exacerber la détermination des autres, et quel soldat peut faire feu sans discontinuer et décimer une rangée de femmes après l'autre ? Les femmes ont le pouvoir de faire fondre le métal, d'amalgamer les percuteurs avec le conduit des canons, de faire frire les systèmes électroniques des véhicules. Et elles ne s'en privent pas. «En cette aube c'était un bonheur que de vivre, dit Tunde dans son commentaire en voix off, parce qu'il est plongé dans des lectures ayant trait à la révolution. Mais être jeune était le ciel même[1]. »

Douze jours plus tard, le gouvernement est tombé. Le roi est mort, assassiné. Des rumeurs, jamais étayées, circulent quant à l'identité de l'auteur des faits : un membre de la famille, croient savoir certains ; non, c'était un tueur à gages israélien, affirment d'autres, et d'autres encore murmurent que le coupable n'est autre qu'une domestique du palais qui, des années durant, a servi loyalement la famille mais qui, en sentant son pouvoir s'éveiller au bout de ses doigts, n'a pas pu le retenir.

À ce moment-là, Tunde se trouve de nouveau dans un avion. Les événements qui se sont déroulés en Arabie saoudite ont fait le tour de la planète et sont maintenant en train de se reproduire partout à la fois.

1. William Wordsworth, *Le Prélude*, Livre XIe, traduction de Louis Cazamian, Aubier.

Margot

« C'est un problème.

— Ça, nous le savons tous.

— Réfléchissez, Margot. Je veux dire, réfléchissez-y vraiment.

— Qu'est-ce que je fais, à votre avis ?

— Nous n'avons aucun moyen de savoir si *quiconque* dans cette pièce pourrait le faire.

— Nous savons que vous, vous ne le pouvez pas, Daniel. »

La remarque suscite des rires autour de la table. Dans une salle remplie de gens angoissés, un bon éclat de rire est libérateur. Et plus envahissant que justifié. Les vingt-trois personnes attablées en salle de réunion mettent un petit moment à retrouver leur sérieux. Daniel est contrarié. Il pense que la remarque de Margot était une pique à son endroit. Il a toujours eu l'art de tendre le bâton pour se faire battre.

« À l'évidence, dit-il. À l'évidence. Reste que nous ne disposons d'aucun moyen de le savoir. Pour les gamines, c'est réglé – disons qu'on fait ce qu'on peut, les concernant. Bon sang, avez-vous vu les chiffres relatifs aux fugueuses ? »

Ils ont tous vu les chiffres relatifs aux fugueuses.

«Je ne parle pas des jeunes, poursuit Daniel. Elles, c'est sous contrôle, pour l'essentiel. Je parle des femmes adultes. Les adolescentes peuvent réveiller ce truc chez des femmes plus âgées. Et elles peuvent se le transmettre. Des femmes adultes peuvent maintenant le faire, Margot, vous avez vu ça.

— C'est très rare.

— Nous *pensons* que c'est très rare. Là où je veux en venir, c'est qu'en réalité on n'en sait fichtre rien. Vous pourriez être en mesure de le faire, Stacey. Ou vous, Marisha. Ou même *vous*, Margot – qui nous dit que ce n'est pas le cas ?»

Il éclate de rire, et ce coup de griffe lui aussi suscite quelques frémissements de nervosité autour de la table.

«C'est sûr, Daniel, je pourrais vous foudroyer, là tout de suite, raille Margot. Votre cabinet s'approprie une question que vous aviez promis de laisser à la municipalité et vient piétiner mes plates-bandes dans les médias ?» Elle écarte largement les doigts d'une main et fait un geste. «Pffft !

— Je ne trouve pas ça drôle, Margot.»

Mais autour de la table, tout le monde rit déjà.

«Nous allons faire passer ce test, tranche Daniel. Et l'étendre à l'ensemble des fonctionnaires, à l'échelle de l'État. Y compris aux membres du cabinet du maire, Margot. Cette décision ne souffre aucune discussion. Il nous faut des certitudes. Nous ne pouvons pas prendre le risque que des membres d'une administration puissent faire ça. Autant les laisser se balader avec une arme chargée.»

Cela fait un an. Les télévisions ont montré des images d'émeutes dans des contrées du monde lointaines et instables, où des femmes ont pris possession de villes entières. Daniel a raison. Le cœur du problème, ce n'est pas que des filles de quinze ans puissent le faire : ça, on peut encore le juguler. Le souci, c'est que ces gamines puissent réveiller le pouvoir chez des femmes plus âgées. Cela soulève des questions. Depuis quand est-ce possible ? Et comment se fait-il qu'on ne l'apprenne que maintenant ?

Les matinales télévisées invitent sur les plateaux des experts en biologie humaine et art rupestre. Dites-nous, Professeur, sur ce bas-relief découvert au Honduras, vieux de plus de six mille ans, ne voit-on pas une femme avec un éclair qui lui sort des mains ? Eh bien, certes, ces bas-reliefs représentent souvent des comportements relevant du mythe ou de la symbolique, mais effectivement, cela pourrait aussi être d'ordre historique, cela pourrait représenter des scènes de la vie quotidienne. Ce n'est pas impossible. Saviez-vous que dans les textes les plus anciens, le dieu des Israélites avait une sœur, Anath, une adolescente ? Saviez-vous qu'elle était une guerrière ? Elle était invincible, elle parlait avec la foudre ; les textes disent qu'elle a tué son propre père et pris sa place. Mais également qu'elle aimait faire des bains de pieds avec le sang de ses ennemis. Les présentateurs gloussent, mal à l'aise. Drôle de rituel beauté, n'est-ce pas, Kristen ? Je ne vous le fais pas dire, Tom. Mais dites-nous, Professeur, cette déesse destructrice… Ces peuples ancestraux savaient-ils, selon vous, quelque chose que nous ignorons ? Il est difficile de se prononcer, naturellement. Mais serait-il possible que cette faculté remonte à des milliers d'années ? Qu'entendez-vous par là ? Que des femmes, par le passé, aient été en mesure de le faire elles aussi, et que nous l'ayons oublié ? Euh… ça semble peu probable, qu'on puisse oublier une chose pareille, non ? Certes, mais vous savez, Kristen, si un pouvoir tel que celui-ci a déjà existé, peut-être l'a-t-on éradiqué délibérément. Rassurez-moi, Kristen, vous me le diriez, si vous pouviez faire un truc pareil ? Eh bien, vous savez quoi, Tom ? Peut-être pas. Peut-être que je préférerais garder ça pour moi. Les deux présentateurs échangent un regard. Le message est d'ordre subliminal. Et tout de suite, c'est l'heure de votre bulletin météo.

La ligne officielle dictée par le cabinet du maire et distribuée à l'ensemble des établissements scolaires de cette importante agglomération se résume en un mot : *abstinence*. Abstenez-vous de le faire, point barre. Ça finira par passer. On boucle les filles d'un côté, les garçons de l'autre. D'ici un an ou deux, on aura découvert un vaccin à même de traiter le problème à la racine et on retrouvera tous une vie normale. Faire usage de leur pouvoir perturbe les filles autant que cela incommode leurs victimes.

Telle est la ligne officielle.

Un soir très tard, Margot gare sa voiture dans un coin de la ville qu'elle sait dépourvu de caméras de surveillance, en descend, va poser sa paume sur un réverbère, et donne tout ce qu'elle a. Elle a besoin de savoir ce qu'elle a sous le capot, rien de plus. Elle veut *sentir* l'effet que ça fait. Et ce qu'elle sent, c'est que ce truc est parfaitement naturel, comme l'était sa première expérience sexuelle, comme si son corps lui disait : C'est bon, j'ai pigé.

Tous les réverbères de la rue s'éteignent : *pop, pop, pop*. Margot éclate d'un rire qui déchire le silence. Elle serait démise de ses fonctions, si quelqu'un avait vent de ce qu'elle vient de faire, mais comme elle le serait de toute façon si on apprenait qu'elle est en mesure de le faire tout court, ça ne changerait pas grand-chose. Elle remet le contact et file avant que les alarmes ne se déclenchent. Quelle aurait été sa réaction, si quelqu'un l'avait prise sur le fait ? se demande-t-elle, bien qu'elle connaisse déjà la réponse. Elle sait qu'il lui reste largement de quoi estourbir un homme, peut-être plus ; elle sent le pouvoir qui circule et clapote le long de sa clavicule, de ses bras. Cette pensée lui arrache un nouvel éclat de rire. Elle s'aperçoit qu'elle fait ça plus souvent maintenant : rire. Elle se sent habitée d'une sorte de sérénité, comme si en elle, c'était l'été d'un bout à l'autre de l'année.

Pour Jos, c'est une autre chanson. Et personne ne sait pourquoi. Personne n'a poussé suffisamment loin les recherches pour ne serait-ce que tenter d'avancer une explication. Le courant de Jos est sujet à des fluctuations. Certains jours, il est si puissant qu'elle fait disjoncter le compteur de la maison simplement en actionnant un interrupteur. D'autres jours, elle n'a rien dans les doigts, pas même de quoi se défendre si une fille cherche la bagarre. Des termes insultants ont fait leur apparition pour désigner celles qui ne peuvent pas ou ne veulent pas se défendre. On les qualifie de *chiffe molle* ou de *batterie à plat*. Dans le meilleur des cas. Il y a aussi *gogole*. *Cafouillarde*. *Caponne*. *Pschitt*. Dans ce dernier cas, il semblerait qu'il s'agisse d'une onomatopée désignant le bruit que produit une femme lorsqu'elle essaie de faire jaillir une étincelle en vain. Pour un maximum d'effet, il faut un groupe de filles qui murmurent en chœur et avec l'air de ne pas y toucher «*pschitt*» lorsqu'on les croise. L'âge tendre reste cruel. Jos s'isole de plus en plus, puisque ses copines ont trouvé de nouvelles amies avec lesquelles elles ont «davantage en commun».

Margot suggère que Jocelyn vienne passer le week-end chez elle, seule : Bobby gardera Maddy. Ce sera sympa pour les filles d'avoir l'exclusivité de l'un de leurs parents. Maddy veut aller en ville en bus pour voir les dinosaures – elle n'a plus l'occasion de prendre le bus ; pour elle, c'est désormais une joie plus grande qu'une visite au musée. Margot a été accaparée par le boulot. J'emmènerai Jos faire une manucure-pédicure, dit-elle. Ça nous fera du bien à toutes les deux, un petit break.

Elles prennent leur petit déjeuner dans la cuisine, devant la baie vitrée. Jos est en train de se resservir de la compote de prunes qu'elle nappe de yogourt. «Tu ne peux toujours pas en parler à qui que ce soit, dit Margot.

— Ouais, je sais.

— Si jamais tu en parlais *à qui que ce soit*, je pourrais perdre mon poste.

— Maman, *je sais*. Je n'ai rien dit à papa, je n'ai rien dit à Maddy. Je n'ai rien dit à personne. Et je ne le ferai pas.

— Excuse-moi.»

Jocelyn sourit. «Ça va.»

Margot se souvient subitement de combien, à l'âge de Jos, elle aurait aimé partager un secret avec sa mère. Sans rire – même les rituels peu reluisants des serviettes hygiéniques ou des rasoirs pour les jambes qu'il fallait planquer en douce devenaient vaguement plaisants, voire même glamour.

L'après-midi, elles s'entraînent ensemble dans le garage, elles se défient et se font quelques frayeurs. Le pouvoir de Jos se renforce et devient plus maîtrisable à mesure qu'elle s'exerce. Margot sent à quel point il reste cependant vacillant, et combien Jos est meurtrie quand le courant jaillit mais que l'étincelle fait long feu. Il doit bien exister un moyen de lui apprendre à mieux le contrôler. Il y a forcément des filles, dans les écoles qui dépendent de son administration, qui ont été confrontées au même problème et qui pourraient lui donner quelques conseils.

Et en donner à Margot par la même occasion : tout ce qui lui importe de savoir, c'est si elle peut le contrôler. Au bureau, les tests vont commencer.

« Entrez, madame le maire. Asseyez-vous. »

La pièce est exiguë, dotée d'une seule fenêtre, riqui-qui et perchée près du plafond, qui ne laisse entrer qu'une étroite bande de lumière grisâtre. C'est là qu'officie l'infirmière lors de l'annuelle campagne de vaccination contre la grippe ; là aussi qu'on vient passer les entretiens d'évaluation. Il y a une table et trois chaises. Derrière la table se tient une femme arborant à son revers un badge antivol bleu vif. Sur la table trône un appareil qui, avec ses deux compteurs à aiguille, son oculaire et ses objectifs, pourrait être un microscope ou un dispositif d'analyses sanguines.

« Nous tenons à ce que vous sachiez, madame le maire, que l'ensemble des personnels de la mairie doit se soumettre à ce test, annonce la femme. Vous n'avez pas fait l'objet d'un traitement particulier.

— Même les hommes ? demande Margot en haussant un sourcil.

— Bon, non, pas les hommes. »

La réponse laisse Margot songeuse.

« D'accord. Et... ce test consiste en quoi, exactement ? »

La femme se fend d'un sourire pincé.

« Madame le maire, vous avez signé les papiers. Vous savez en quoi il consiste. »

Margot sent sa gorge se serrer. Elle pose une main sur la hanche. « Non, en fait, je veux que vous me l'expliquiez. Pour mémoire. »

La femme récite : « Nous procédons à un test obligatoire à l'échelle de l'État pour établir la présence éventuelle d'un fuseau générateur de décharges électrostatiques. Nous vous informons qu'en vertu d'une ordonnance émanant du gouverneur Daniel Dandon, poursuit-elle en lisant un bristol posé à côté de la machine, votre maintien à un poste au sein de la fonction publique de cet État dépend de votre soumission à ce test. Un résultat positif à ce test n'aura pas nécessairement d'incidence sur votre avenir professionnel. Il se peut qu'une femme testée positive ait ignoré jusque-là être en capacité de faire usage de son pouvoir. Une psychologue est à votre disposition si les résultats de ce test sont source d'angoisse pour vous, ou encore pour vous aider à considérer vos options s'ils devaient compromettre votre position actuelle. »

« *Compromettre ma position actuelle ?* Qu'est-ce que ça veut dire, au juste ? »

La femme pince les lèvres.

«Certains postes impliquant un contact avec des enfants ou avec le public ont été décrétés inadéquats par le cabinet du gouverneur.»

C'est comme si Margot voyait Daniel Dandon, gouverneur de ce grand État, debout derrière la chaise de la femme en train de rire.

«*Les enfants et le public*? Il me reste quoi?»

La femme sourit. «Si vous n'avez encore jamais produit de décharge électrostatique. il n'y a pas d'inquiétude à avoir, tout va bien se passer.

— Ça ne se passe pas bien pour tout le monde.»

La femme actionne l'interrupteur de la machine, qui se met à bourdonner.

«Je suis prête, madame le maire.

— Que se passe-t-il si je refuse?»

La femme soupire. «Si vous refusez, je serai obligée de le signaler, et le gouverneur remontera l'information au département d'État.»

Margot prend place sur la chaise. Ils ne pourront pas voir si je l'ai déjà utilisé ou pas, songe-t-elle. Personne n'est au courant. Ce ne sera pas un mensonge. Merde, se dit-elle. Puis elle déglutit.

«D'accord, dit-elle. Mais j'aimerais qu'il soit mentionné que je proteste en bonne et due forme de subir un test intrusif sous la contrainte.

— Pas de souci. Je mettrai ça par écrit.»

Et en filigrane derrière le discret rictus de cette femme, c'est une fois de plus le visage hilare de Daniel que Margot a l'impression de voir. En tendant son bras pour qu'on y place les électrodes, elle se dit que, même si le verdict devait lui coûter son mandat et ses ambitions politiques, elle aurait au moins la satisfaction de ne plus être obligée de contempler sa tronche d'abruti.

On applique les coussinets adhésifs des électrodes sur ses poignets, ses épaules, sa clavicule. Ils cherchent à détecter une activité électrique, explique la technicienne d'une voix basse et monocorde. «Vous ne devriez ressentir aucun inconfort, madame. Au pire, une légère sensation de piqûre.»

Au pire, ce sera la fin de ma carrière, songe Margot, sans dire un mot.

Le principe est très simple. Ils vont stimuler sa fonction nerveuse autonome avec une série d'impulsions électriques de faible intensité. Cela marche sur les nouveau-nés de sexe féminin lors des tests désormais pratiqués de façon systématique dans les maternités – même si le résultat est sans surprise puisque toutes les filles qui naissent aujourd'hui possèdent un fuseau, toutes sans exception. Administrez-leur un courant quasi imperceptible dans ce muscle, il répondra automatiquement en envoyant une décharge. Margot sent que le sien est prêt à démarrer au quart de tour – la faute aux nerfs, à l'adrénaline.

Pense à tomber des nues, se rappelle-t-elle, pense à prendre l'air épouvanté, et honteux, et abasourdi par cette découverte.

L'appareil se met en route et commence à bourdonner discrètement. Margot a potassé son fonctionnement. La première impulsion sera imperceptible, et bien trop faible pour que ses sens ne l'enregistrent. Seul le fuseau des petites filles nouveau-nées répond presque systématiquement à ce niveau-là, ou au suivant. L'appareil compte dix paliers d'intensité du stimulus électrique allant croissant. À un moment donné le fuseau de Margot, parce qu'il commence à vieillir et qu'il manque de pratique, répondra, comme à l'appel de son semblable. Et là, ils sauront. Elle inspire, expire. Attend.

Au début, elle ne sent rien – rien d'autre qu'une tension qui s'installe progressivement dans sa poitrine et le long de sa colonne vertébrale. L'appareil entame son cycle, il passe sans heurt d'un palier à l'autre, et Margot ne sent rien au premier, ni au deuxième, ni même au troisième. La molette se positionne sur le palier suivant. Margot a la sensation que, maintenant, ce pourrait être agréable de se décharger. Un peu comme quand, au réveil, on sent qu'on aimerait ouvrir les yeux. Elle résiste. Ce n'est pas difficile.

Elle inspire, expire. La technicienne lui sourit, note quelque chose dans une des cases de sa feuille. Un quatrième 0 dans la quatrième case. Bon, on est presque à mi-chemin. Naturellement, viendra le moment où ce ne sera plus tenable. Margot l'a lu dans des publications consacrées à ce test. Elle décoche un petit sourire contrit à la femme.

«Tout va bien? Vous êtes à l'aise? s'enquiert celle-ci.

— Je le serais davantage avec un verre de scotch.»

Un déclic, et la molette se positionne sur le palier suivant. Là, ça se corse. Margot sent la piqûre du côté droit de sa clavicule et dans sa paume. Allons, réponds, s'impatiente cette piqûre. Elle ressent comme une pression qui lui cloue le bras. C'est inconfortable. Ce serait si facile de se débarrasser de ce poids qui l'oppresse, de s'en libérer. On ne doit pas la voir transpirer ni lutter.

Margot repense à sa réaction, le jour où Bobby lui a annoncé qu'il avait une liaison. Elle se souvient de son corps devenu tout à la fois brûlant et glacé, de sa gorge qui s'est serrée. Elle se souvient que Bobby lui a lancé : « Tu ne vas donc rien dire ? Tu n'as rien à dire ? » La mère de Margot engueulait son mari quand il oubliait de donner un tour de clé le matin en partant, ou qu'il abandonnait ses pantoufles au milieu du tapis du salon. Margot n'a jamais été ce genre de bonne femme, elle n'a jamais voulu être comme ça. Quand elle était petite, elle allait marcher à l'ombre fraîche des ifs et, un pas après l'autre, elle positionnait le pied avec une extrême attention en affectant de croire qu'au moindre pas de travers, les racines jailliraient de terre pour s'enrouler autour de ses chevilles. Elle a toujours su comment garder le silence.

La molette continue sa course. Il y a maintenant une rangée de huit zéros sur la feuille de la technicienne. Margot avait craint de ne jamais savoir quel effet ça faisait de récolter un zéro, elle avait eu peur que l'affaire ne soit pliée avant même d'avoir commencé, peur de ne pas avoir le choix. Elle inspire, expire. C'est dur à présent, très dur, mais la difficulté lui est familière. Son corps lui réclame quelque chose, et elle le lui refuse. Peu importent les fourmillements, les démangeaisons, les contractions dans sa poitrine, dans ses muscles abdominaux, son pelvis, et autour de ses fesses. C'est comme se retenir d'uriner quand votre vessie vous le réclame. Ou bloquer sa respiration quelques secondes de plus qu'on ne s'en croit capable. Rien d'étonnant que les bébés n'y arrivent pas. Ce qui est étonnant, en revanche, c'est que leur test ait pu confondre ne serait-ce qu'une seule femme adulte. Margot sent qu'elle veut décharger et elle ne le fait pas. Point.

Un nouveau clic et l'appareil se cale sur le dixième palier. Ce n'est pas impossible – bien loin de là. Margot attend. Le fredonnement s'interrompt. Les ventilateurs bourdonnent encore un instant, puis se taisent. Le stylo se détache de la feuille. Dix zéros.

Margot s'efforce de prendre l'air déçu. «Ça n'a rien donné, pas vrai ?»

La technicienne hausse les épaules et commence à lui retirer les électrodes. Margot enroule un pied derrière sa cheville. «J'ai toujours pensé que je ne l'avais pas.» Elle force sa voix à se fêler, juste un peu, sur les derniers mots.

Daniel verra ce rapport, c'est lui qui le validera. Apte à la fonction publique, écrit noir sur blanc.

Margot décrispe ses épaules et lâche un petit rire de hyène.

Il n'y a plus de raison pour que ce programme chargé de pratiquer le test à l'échelle de la métropole échappe à sa responsabilité. Non, plus la moindre raison. C'est elle qui a validé le budget de l'opération ainsi que les campagnes d'information visant à expliquer que cette technologie n'a d'autres buts que de veiller à la sécurité de nos fils et de nos filles. C'est même son nom qui apparaît sur les documents administratifs affirmant que ce dispositif de test permettra de sauver des vies. En signant les formulaires, elle s'en convainc elle-même. N'importe quelle femme incapable de se retenir sous cette pression somme toute légère constitue un danger pour elle-même, et oui, un danger pour la société.

D'étranges mouvements voient le jour dans le monde, mais également ici, aux E.-U. d'A. Il suffit de regarder sur Internet : des garçons qui se travestissent en fille pour paraître plus puissants ; des filles qui se travestissent en garçon pour se débarrasser de la symbolique de ce pouvoir, ou pour mieux sauter à la gorge des crédules, tels des loups déguisés en agneaux. La Westboro Baptist Church voit un soudain afflux d'illuminés rejoindre ses rangs, tous persuadés que le jour du Jugement dernier arrive.

Le travail qu'ils font ici – s'échiner à ce que tout reste *normal*, que les gens se sentent en sécurité, continuent à aller travailler et, le week-end, à dépenser leur argent dans des loisirs – est important.

« J'essaie, j'essaie vraiment, en toutes circonstances, de trouver quelque commentaire positif, assure Daniel. Mais là, je… votre équipe ne m'a pas donné un seul élément utilisable », conclut-il en lâchant les pages, qui s'éparpillent sur la table.

Arnold, son adjoint au budget, opine sans piper mot, en se tenant le menton dans la main – un geste curieux et peu naturel.

« Je sais que ce n'est pas de votre faute, reprend Daniel. Vous êtes en sous-effectif, vous manquez de moyens – nous savons tous que vous essayez de faire au mieux dans des circonstances difficiles – mais ça, c'est tout bonnement inexploitable. »

Margot a lu le rapport rédigé par son cabinet. Oui, c'est culotté : il prône une stratégie de transparence radicale quant à l'état actuel de la protection, des traitements, ou un potentiel retour à la normale.

(Ce dernier est inexistant.) Daniel continue sur sa lancée et liste un problème après l'autre, sans jamais dire «Je ne suis pas assez courageux pour faire ça», bien que chacune de ses objections sonne comme un aveu.

Margot garde ses paumes collées bien à plat sous le plateau de la table. Daniel parle, parle, et elle sent le fourmillement s'accentuer. Elle respire très lentement et très régulièrement ; elle sait qu'elle peut contrôler ce truc, et c'est le contrôle qui lui procure du plaisir, au début. Elle imagine en détail ce qu'elle ferait ; elle n'a guère de mal à s'en faire une idée, en écoutant Daniel débiter son laïus. Elle a en elle amplement de quoi l'empoigner à la gorge et le supprimer d'une seule décharge. Et il lui en resterait largement assez pour foudroyer Arnold à la tempe et l'envoyer au tapis. Ce serait facile. Cela n'exigerait guère d'efforts. Elle pourrait même agir assez vite pour qu'il n'y ait pas de cri. Elle pourrait les buter tous les deux, ici même, dans la salle de réunion 5b.

Margot est perdue dans ses pensées, loin, très loin de cette salle et de cette bouche en perpétuel mouvement en face d'elle qui lui évoque un poisson rouge. Elle se trouve dans un royaume élevé et imposant, un lieu où les poumons s'emplissent de cristaux de glace et où tout est limpide. Ce qui est train de se passer autour de cette table n'a guère d'importance. Elle pourrait les tuer. La voilà, la vérité. Elle laisse son pouvoir lui chatouiller les doigts, roussir le vernis de la table. Elle sent son odeur chimique qui soulève un peu le cœur. Peu importe ce qu'ils racontent, elle pourrait les supprimer en moins de deux, avant même qu'ils aient eu le temps de soulever leurs fesses de leurs fauteuils confortablement rembourrés.

Elle sait qu'elle ne doit pas le faire, qu'elle ne le fera jamais, mais là encore, peu importe. Tout ce qui compte, c'est qu'elle le pourrait si elle le voulait. Le pouvoir de nuire, de faire mal, est une forme de richesse.

Elle coupe subitement la parole à Daniel. « Ne me faites pas perdre mon temps avec ça, Daniel », assène-t-elle, d'un ton sec.

Il n'est pas son supérieur. Il ne peut pas la virer. À l'entendre, on croirait que c'est ce qu'il pense.

« Vous et moi savons que personne encore n'a de réponse. Si vous avez une idée lumineuse, on vous écoute. Sinon… »

Elle laisse sa phrase en suspens. Daniel ouvre la bouche comme s'il s'apprêtait à riposter, puis la referme. Sous la table, Margot sent le vernis ramollir sous ses doigts, friser et tomber en flocons sur la moquette épaisse.

« C'est bien ce que je pensais, reprend-elle. Alors unissons nos efforts pour une fois, d'accord, l'ami ? Se jeter réciproquement aux lions serait absurde. »

En cet instant, Margot pense à son avenir. Un jour, Daniel, tu me serviras l'essence. J'ai de grands projets.

« Ouais, ouais, c'est vrai », fait-il.

Et Margot songe : Voilà comment un homme parle. Et voilà pourquoi.

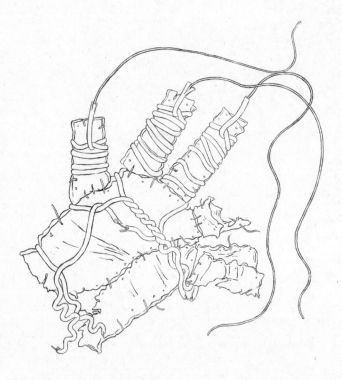

Arme rudimentaire datant d'environ un millier d'années.
Les fils ont pour fonction de conduire le courant. Peut avoir été
utilisé dans le cadre de batailles, ou pour administrer un châti-
ment. Découvert dans un cimetière de l'ancien Westchester.

ENCORE HUIT ANS

Allie

Nul besoin de miracles à foison. Ni pour le Vatican, ni pour une bande de filles à fleur de peau craignant pour leur vie, parquées ensemble des mois durant comme dans une basse-cour. Non, il n'est pas besoin de miracles à foison. Deux suffisent amplement. Trois, c'est déjà l'abondance.

Il y a cette fille, Luanne. Une rousse à la peau diaphane, avec des taches de rousseur sur les joues. Elle n'a que quatorze ans. Elle est arrivée trois mois plus tôt, et c'est une très bonne amie de Gordy. Au dortoir, elles dorment dans le même lit. Pour se tenir chaud. «Il fait affreusement froid, la nuit», explique Gordy, et Luanne sourit, et les autres filles rigolent en se poussant du coude.

Luanne ne va pas bien, c'était déjà le cas avant que son pouvoir se manifeste, et aucun docteur ne peut l'aider. Quand elle est excitée, qu'elle a peur ou qu'elle rit trop, ses yeux se révulsent, elle s'écroule comme une masse et elle se contorsionne dans tous les sens, comme si elle cherchait à se briser le dos. «Il faut passer un bras autour de ses épaules et la tenir contre soi jusqu'à ce qu'elle se réveille, explique Gordy. Elle le fera d'elle-même, il faut juste attendre.» Ces épisodes d'inconscience durent souvent une heure, sinon plus. Que ce soit au réfectoire à minuit, ou dans les jardins à six heures du matin, Gordy est toujours là, un bras passé autour des épaules de Luanne, à attendre que son amie revienne à elle.

Allie a un pressentiment, concernant Luanne.

Elle demande : C'est elle ?

La voix répond : Oui, je crois.

Une nuit, il y a un orage. Il commence loin au large. Les filles le contemplent avec les sœurs depuis la terrasse à l'arrière du couvent. Les nuages ont pris une teinte bleu-violet, la lumière est ouatée, la foudre frappe une, deux, trois fois à la surface de l'océan.

Le spectacle de l'orage, ça provoque de drôles de démangeaisons dans le fuseau. Toutes les filles les sentent. Et Savannah ne peut se retenir davantage. Au bout de quelques minutes, elle libère un arc qui s'enfonce dans les planches du ponton.

« Arrête ça, aboie Sœur Veronica. Arrête ça immédiatement.

— Veronica, elle n'a rien abîmé », intervient Sœur Maria Ignacia.

Savannah glousse, lâche une autre petite décharge. Elle pourrait sans doute se contenir, si elle le voulait, mais un orage, c'est excitant, ça donne envie de participer.

« Tu seras privée de repas demain, Savannah, reprend Sœur Veronica. Si tu n'es pas capable du moindre effort pour te contrôler, notre charité ne s'étend pas jusqu'à toi. » Elle a déjà fait expulser une fille qui ne cessait de se bagarrer dans l'enceinte du couvent. Les autres sœurs lui ont cédé cette prérogative : Sœur Veronica

126

peut choisir celles chez qui elle détecte les agissements du diable.

Mais «privée de repas demain», la sentence est rude. Le samedi soir, c'est pain de viande.

Luanne tire sur la manche de Sœur Veronica. «S'il vous plaît, elle ne l'a pas fait exprès, plaide-t-elle.

— Ne me touche pas, petite.»

Sœur Veronica éloigne son bras et repousse avec brusquerie la jeune fille.

Or, à cause de l'orage, Luanne est déjà tout chose. Et là, d'un coup, sa tête part en arrière, puis roule sur le côté – un signe que toutes ses camarades connaissent bien. Sa bouche s'ouvre et se ferme sans qu'aucun son en sorte. Puis elle tombe à la renverse et s'écrase de tout son poids sur le ponton. Gordy se précipite, mais Sœur Veronica lui bloque le passage avec sa canne.

«Laisse-la.

— Mais, ma sœur…

— Nous avons suffisamment cédé aux caprices de cette fille. Elle n'aurait jamais dû accueillir la chose dans son corps et, puisqu'elle l'a fait, il lui faudra en assumer les conséquences.»

Sur le ponton, Luanne est en pleine crise, l'arrière de sa tête tambourine violemment sur les planches. On aperçoit du sang dans les bulles de salive qui s'échappent d'entre ses lèvres.

La voix dit : Vas-y, tu sais quoi faire.

Allie dit : «Sœur Veronica, puis-je essayer de lui faire cesser son tapage?»

Sœur Veronica bat des paupières et dévisage Ève, la fille discrète et travailleuse pour laquelle Allie se fait passer depuis son arrivée.

Elle hausse les épaules. «Si tu penses pouvoir mettre un terme à ce cirque, Ève, je t'en prie.»

Allie s'agenouille à côté de Luanne. Les autres filles la dévisagent comme si elle était une traîtresse. Elles savent pertinemment que Luanne n'y peut rien – alors pourquoi Ève prétend-elle pouvoir intervenir?

Allie sent l'électricité qui circule dans le corps de Luanne: dans sa colonne vertébrale, son cou, sa tête. Elle perçoit les signaux qui montent et descendent, qui bégaient, confus et désynchronisés, qui tentent de se remettre en ordre de marche. Allie voit, aussi claire-ment que si elle les avait sous les yeux, qu'il y a une obstruction *ici* et *ici*, et un contretemps *là*, juste au creux de la nuque. Il ne suffirait que d'un minuscule réglage, d'une piqûre d'épingle capable de dispenser une infime décharge comme elle seule sait le faire, pile *là*, pour tout remettre d'aplomb.

Allie soulève la tête de Luanne et la cale dans sa paume; elle appuie son auriculaire à la base de son crâne, puis elle convoque à l'extrémité de son doigt une fine vrille de courant qu'elle envoie en toute dis-crétion.

Luanne rouvre les yeux. Les convulsions s'inter-rompent immédiatement.

Elle cligne des paupières.

«Que s'est-il passé?» demande-t-elle.

Toutes savent que ça ne se passe jamais ainsi, que Luanne aurait dû demeurer inconsciente pendant une heure au bas mot, et confuse pendant facilement une semaine.

«Ève t'a guérie, dit Abigail. Elle t'a touchée, et tu as guéri.»

Ce fut là le premier signe et chacune d'en conclure : Elle, le Ciel l'a à la bonne.

On lui amène d'autres filles en mal de guérison. Parfois, une simple imposition des mains lui permet de se faire une idée quant à l'origine de la douleur. Parfois, il s'agit juste d'une peccadille – un mal de tête, un muscle froissé, un étourdissement. Allie, la pauvre fille de Jacksonville, s'est suffisamment entraînée pour qu'Ève, la jeune femme placide et réservée, puisse trouver, uniquement en posant ses mains sur un corps, l'endroit où enfoncer une légère pique de courant pour que tout rentre dans l'ordre, du moins pour un temps. Les guérisons sont réelles, bien qu'elles n'empêchent pas les rechutes. Allie ne peut pas apprendre à un corps à mieux faire son boulot, en revanche elle peut corriger momentanément ses errements.

Aussi commencent-elles à croire en elle. À croire qu'elle a quelque chose. Les filles, en tous les cas, à défaut des nonnes.

Un soir, dans le dortoir après l'extinction des feux, Savannah demande à voix basse : « Est-ce que c'est Dieu, Ève ? C'est Dieu, qui te parle ? C'est Dieu, qui est en toi ? »

Les autres filles sont tout ouïe, même si elles font semblant de dormir.

« Qu'en penses-tu ? répond Ève.

— Je pense que tu as en toi le pouvoir de guérir. Comme on l'a lu dans les Écritures. »

Des chuchotements parcourent le dortoir, mais personne ne la contredit.

Le lendemain soir, tandis qu'elles se préparent à aller au lit, Ève dit à une dizaine d'autres filles : « Accompagnez-moi demain à l'aube sur la plage.

— Pour quoi faire ? demandent-elles.

— J'ai entendu une voix dire : "Demain à l'aube, descends à la plage." »

Et la voix dit : Bien joué, petite, tu as dit ce qu'il fallait.

À l'heure où les filles descendent vers le rivage en chemise de nuit, des nuages s'effilochent dans un ciel pâle et grisé comme un galet, et le murmure de l'océan est aussi lénifiant que ceux d'une mère qui apaise son bébé.

Allie parle avec la voix d'Ève, douce et grave. « La voix m'a dit que nous devrions entrer dans l'eau et marcher. »

Gordy se met à rire. « Tu nous fais quoi, là, Ève ? T'as envie de nager ? »

Luanne la fait taire en posant un doigt sur ses lèvres. Depuis qu'Ève a apposé son auriculaire au creux de sa nuque, Luanne n'a plus eu une seule crise de plus de quelques secondes.

« Et après, on est censées faire quoi ? veut savoir Abigail.

— Après, Dieu nous montrera ce qu'Elle veut de nous », répond Ève.

Ce « Elle » est un enseignement nouveau. Si choquant soit-il, toutes les filles, sans exception, le comprennent. Elles attendaient cette bonne nouvelle.

Elles s'avancent dans l'eau, empêtrées dans leur chemise de nuit ou leur pyjama qui adhèrent à leurs jambes ; on discerne quelques grimaces quand un pied rencontre un caillou, et quelques gloussements, mais chaque fille peut observer le souffle du sacré caressant le visage de ses camarades. Quelque chose va se passer ici. Le jour est en train de se lever.

Quand elles sont immergées jusqu'à la taille, elles forment un cercle et laissent leurs mains traîner dans l'eau froide et limpide.

Ève dit : « Sainte Mère, montre-nous ce que Tu attends de nous. Donne-nous le baptême de Ton amour et enseigne-nous comment vivre. »

Et chacune des filles, subitement, sent ses genoux se dérober sous elle. Comme si une main vigoureuse faisait pression sur leur dos pour leur plonger la tête dans l'océan et l'en ressortir, les cheveux ruisselants, le souffle coupé, et avec la certitude que Dieu les a touchées et que ce jour est celui de leur renaissance. Toutes tombent à genoux. Toutes sentent cette main qui les immerge de force. Toutes pensent un court instant qu'elles vont mourir, puisqu'elles ne peuvent plus respirer, et toutes savent, quand elles sont hissées à la surface, que la renaissance a eu lieu.

Elles sont là, en cercle, tête mouillée, ébahies. Seule Ève est demeurée debout.

Et elles sentirent la présence de Dieu autour d'elles et parmi elles, et Elle en fut contente. Et dans le ciel les oiseaux s'envolèrent en appelant de leurs cris la magnificence d'une aube nouvelle.

Elles étaient une dizaine ce matin-là dans l'océan pour assister au miracle. Avant cela, aucune d'entre elles n'avait joué les meneuses dans le groupe d'une cinquantaine de jeunes femmes ayant trouvé refuge au couvent. Ces filles ne se distinguaient en rien des autres, elles n'étaient ni plus populaires, ni plus drôles, ni plus jolies, ni même plus intelligentes. Si quelque chose les avait réunies, c'est qu'elles étaient celles qui avaient le plus souffert. En raison de leur histoire personnelle effroyable, toutes savent pertinemment ce qu'il y a à craindre des autres et de soi-même. Néanmoins, à l'issue de cette matinée, elles ne sont plus les mêmes.

Ève leur fait jurer de garder le secret quant à la scène à laquelle elles ont assisté. En pure perte. Ces filles ne peuvent s'empêcher d'en parler à d'autres. Savannah le raconte à Kayla, et Kayla à Megan, et Megan confie à Danielle qu'Ève parle avec la Créatrice, et qu'Elle lui envoie des messages secrets.

Elles viennent quérir ses enseignements.

« Pourquoi dis-tu Elle en parlant de Dieu ? » lui demandent-elles.

Ève explique : « Dieu n'est ni femme ni homme mais les deux à la fois. Or Elle est venue nous montrer une nouvelle facette de Son visage, une facette que nous n'avons que trop longtemps ignorée.

— Mais… Et Jésus ?

— Jésus est le fils. Mais le fils a été engendré par la mère. Posez-vous cette question : Qui, de Dieu ou du monde, est le plus grand ?

— Dieu, répondent-elles, car les nonnes le leur ont déjà enseigné. Dieu est plus grande parce que Dieu a créé le monde.

— La Créatrice est donc plus grande que Sa création ? demande Ève.

— Il ne peut en être autrement, répondent-elles.

— Alors qui, de la Mère ou du Fils, doit être le plus grand ? »

Les filles hésitent, par crainte de proférer des paroles blasphématoires.

«Il se trouve déjà des indices dans les Écritures, reprend Ève. Il nous a déjà été dit que Dieu est descendu sur Terre dans un corps humain. Nous avons déjà appris à appeler Dieu "Notre Père". Jésus a enseigné cela.»

Toutes en conviennent.

«J'apporte donc un nouvel enseignement. Ce pouvoir nous a été donné pour rectifier notre façon de penser et la remettre dans le droit chemin. C'est la Mère et non le Fils qui est l'émissaire des Cieux. Nous devons appeler Dieu "Notre Mère". Dieu Notre Mère est descendue sur Terre incarnée dans le corps de Marie, qui a renoncé à Son enfant afin de nous libérer du péché. Dieu a toujours dit qu'Elle reviendrait sur Terre. Et Elle est aujourd'hui revenue pour nous enseigner Ses voies.

— Qui es-tu?» demandent-elles.

Et Ève dit: «Qui dites-vous que je suis?»

Et Allie dit dans son cœur: Je me débrouille comment?

Et la voix dit: Tu te débrouilles très bien.

Est-ce ceci ta volonté? demande Allie.

Penses-tu que quoi que ce soit puisse se produire sans que Dieu l'ait voulu? répond la voix. Et ça ne va pas s'arrêter là, ma chérie, crois-moi.

En cette période troublée, une soif de vérité, une faim de compréhension couvaient dans le pays. Qu'est-ce que Dieu voulait bien signifier par ce changement dans la destinée de l'humanité? En cette période troublée, dans les États du Sud, il se trouvait des prêcheurs par légions pour expliquer que ce changement était une punition pour nos péchés, que Satan était en marche parmi nous, que c'était le signe avant-coureur de la fin des temps. Mais rien de tout cela n'était la vraie religion. Car la vraie religion est amour et non pas crainte. La mère qui berce son enfant dans ses bras : voilà l'amour et voilà la vérité. Les filles se transmettent la nouvelle. Dieu est revenue, et Son message nous est destiné, à nous seules.

Quelques semaines plus tard, à l'aube, d'autres baptêmes ont lieu. C'est le printemps, bientôt Pâques, la fête des œufs, de la fertilité et de la conception. La fête de Marie. Lorsque les filles sortent de l'eau, elles se moquent bien de garder le secret. Elles en seraient incapables de toute façon. Quand sonne l'heure du petit déjeuner, tout le couvent est au courant, religieuses incluses.

Ève s'assied sous un arbre, dans le jardin, et les autres filles viennent à elle.

« Comment devons-nous t'appeler ? » lui demandent-elles.

Et Ève répond : « Je ne suis que la messagère de la Mère.

— Mais la Mère est en toi, non ?

— Elle est en chacune de nous. »

Mais qu'importe, toutes les filles commencent à l'appeler Mère Ève.

Ce soir-là, un grand débat agite les Sœurs de la Miséricorde. Sœur Maria Ignacia – qui, notent les autres nonnes, entretient une amitié particulière avec cette Ève – plaide en faveur de ce nouvel ordre des croyances. Ça ne change rien, fait-elle valoir. La Mère et le Fils, ça reste pareil. Marie est la Mère de l'Église, la Reine des Cieux, celle qui prie pour nous maintenant et à l'heure de notre mort. Certaines de ces filles n'avaient jamais été baptisées. Elles se sont mis en tête de se baptiser elles-mêmes. En quoi est-ce un mal ?

Sœur Katherine discourt sur les hérésies auxquelles a donné lieu le culte marial, et la nécessité d'attendre des directives sur la conduite à tenir.

Sœur Veronica se hisse sur ses pieds et se tient aussi droite que les reliques de la Croix, au centre de la pièce. «Le diable est dans cette maison, assène-t-elle. Nous l'avons laissé s'enraciner en nos seins et faire son nid dans nos cœurs. Si nous n'éradiquons pas le chancre immédiatement, nous serons toutes damnées. Damnées, répète-t-elle, plus fort, en regardant une à une chacune des moniales. Si nous ne brûlons pas ces filles, comme ils l'ont fait à Decatur et à Shreveport, le diable nous emportera toutes. Il faut supprimer le chancre de la surface de la Terre.»

Elle marque une pause. Sœur Veronica est une oratrice puissante.

«Je prierai pour cela, ce soir, reprend-elle. Je prierai pour vous toutes. Nous enfermerons les filles dans leurs chambres jusqu'à l'aube. Nous devrions les brûler toutes.»

La fille qui a épié ce conclave derrière la fenêtre rapporte l'information à Mère Ève.

Et toutes attendent sa sentence.

La voix dit : Tu les as dans la poche, ma grande.

Mère Ève dit : Laissons-les nous enfermer. Dieu Toute-Puissante réalisera Ses prodiges.

135

Cette Sœur Veronica, dit la voix, elle n'a pas *capté* qu'il vous suffirait d'ouvrir la fenêtre et de descendre le long de la colonne d'évacuation ?

Et Allie dit dans son cœur : C'est la volonté de Dieu Toute-Puissante qu'elle ne l'ait pas capté.

Le lendemain matin, à six heures, quand les couventines se présentent à la chapelle en file indienne pour les vigiles, Sœur Veronica est encore en prière, prostrée devant la croix, bras tendus, front posé sur la pierre froide. Ce n'est que lorsqu'elles se penchent pour lui toucher délicatement le bras que les sœurs découvrent son visage congestionné. Sœur Veronica est morte depuis plusieurs heures. Crise cardiaque. Cela peut arriver à n'importe quelle femme de son âge. Et tandis que le soleil se lève et qu'elles élèvent leurs regards vers la statue en croix, les sœurs découvrent, gravée dans sa chair en lignes hachurées, la marque en forme de fougère caractéristique du pouvoir. Et elles savent que Sœur Veronica a été emportée à l'instant où elle assistait à ce miracle, et qu'elle s'est par conséquent repentie de tous ses péchés.

La Toute-Puissante est revenue comme promis et Elle demeure de nouveau dans la chair humaine.

Ce jour est jour d'allégresse.

Des messages du Saint-Siège appellent au calme et à l'ordre mais l'atmosphère qui règne au couvent est telle qu'aucun message ne pourrait ramener la tranquillité. L'ambiance y est à la fête et toutes les règles du quotidien semblent suspendues. Les lits restent défaits, les pensionnaires se servent à leur guise dans le garde-manger, il y a des chants et de la musique, un scintillement dans l'air. Quand sonne l'heure du déjeuner, quinze autres filles ont demandé à recevoir le baptême, et c'est chose faite dans l'après-midi. Certaines nonnes protestent et menacent d'appeler la police, mais les filles rient et font pleuvoir sur elles leurs décharges jusqu'à ce qu'elles s'enfuient.

En fin d'après-midi, Ève s'adresse à sa congrégation. Les filles la filment avec leurs téléphones portables et postent ces images sur Internet qui seront reprises dans le monde entier. Mère Ève a rabattu une capuche sur sa tête, par humilité, car ce n'est pas son message qu'elle prêche, mais celui de la Mère.

Ève dit : « N'ayez pas peur. Si vous Lui accordez votre confiance alors Dieu sera avec vous. C'est pour nous qu'Elle a renversé l'ordre qui régnait aux Cieux comme sur la Terre.

« On vous a inculqué que l'homme régnait sur la femme comme Jésus règne sur l'Église. Je vous dis, moi, que la femme règne sur l'homme comme Marie a guidé les pas de Son enfant, avec bonté et amour.

« On vous a inculqué que la mort de Son fils a effacé le péché. Je vous dis, moi, que nul péché n'est effacé, qu'une immense tâche nous attend et qu'il nous faut œuvrer toutes ensemble pour apporter la justice dans le monde. Bien des injustices ont été commises, et la volonté de Dieu Toute-Puissante est que nous unissions nos forces pour y remédier.

« On vous a inculqué que l'homme et la femme devaient vivre ensemble comme mari et femme. Je vous dis, moi, qu'il y a pour les femmes plus de bonheur à vivre entre elles, à s'entraider, à se regrouper et à être une source de réconfort les unes pour les autres.

«On vous a inculqué que vous deviez vous contenter du sort qui vous est fait. Je vous dis, moi, qu'il y aura pour nous une terre nouvelle. Un lieu que Dieu nous montrera et où nous nous construirons une nouvelle nation, puissante et libre.

— Mais on ne peut pas rester éternellement ici, objecte une des filles. Elle est où, cette terre nouvelle ? Et que se passera-t-il si on nous envoie la police ? On n'est pas chez nous, ici, ils nous chasseront ! Ils vont toutes nous envoyer en prison ! »

T'inquiète pas pour ça, dit la voix. Quelqu'un va venir.

Et Ève dit : «Dieu Toute-Puissante nous enverra Son salut. Un soldat viendra. Et tu seras damnée pour avoir douté, car Dieu Toute-Puissante se souviendra qu'en cette heure de triomphe tu as douté d'Elle.»

La fille se met à pleurer. Les objectifs des téléphones zooment sur elle. À la tombée de la nuit, elle aura été expulsée du couvent.

À Jacksonville, quelqu'un regarde ces informations à la télévision. Quelqu'un voit ce visage en partie dissimulé sous la capuche. Et ce quelqu'un se dit : Je connais ce visage.

Margot

«Regardez ça.

— C'est ce que je fais.

— Vous avez lu ?

— Je suis en train.

— Ce n'est pas dans je ne sais quel pays du tiers-monde, Margot.

— Je sais.

— Ça se passe dans le Wisconsin.

— Oui, je vois ça.

— Dans le Wisconsin, Margot !

— Essayez de garder votre calme, Daniel.

— Un coup de fusil. Voilà ce qu'elles méritent. Il faudrait tirer une balle dans la tête de ces filles. *Bam*. Fin de l'histoire.

— On ne peut pas mettre une balle dans la tête de toutes les femmes, Daniel.

— OK, Margot, on vous épargnerait.

— Voilà qui est réconfortant.

— Oh. Pardon. Votre fille. J'avais oublié. Elle est… je l'épargnerais aussi.

— Merci, Daniel.»

Daniel pianote sur le bureau et Margot songe, comme elle se surprend à le faire assez souvent : Je pourrais te buter pour ça. Cette pensée fredonne désormais en elle, en sourdine mais sans relâche. Elle la caresse comme un galet au fond de sa poche.

« Et ce n'est pas OK d'envisager d'abattre des jeunes femmes.

— Ouais, je sais. Seulement… »

Daniel désigne l'écran d'un geste. Ils sont en train de regarder une vidéo montrant six jeunes filles faire la démonstration de leur pouvoir les unes sur les autres. Elles fixent l'objectif et disent : « Nous dédions ceci à la Déesse. » Elles ont appris ça en regardant d'autres vidéos qui circulent sur Internet. Elles s'envoient des décharges, et n'y vont pas de main morte : l'une d'elles s'évanouit ; une autre saigne du nez et des oreilles. Cette « déesse » est devenue un genre de mème dont le succès, viral, est attisé par l'existence du pouvoir, des forums anonymes et de l'imagination des jeunes, qui n'ont pas changé et ne changeront jamais. Il y a un symbole : une main, comme une main de Fatima, avec, au centre de la paume, un œil d'où partent les filaments du courant, tels des membres supplémentaires, telles les branches d'un arbre. On rencontre maintenant ce symbole, tracé à la bombe aérosol, sur des murs, des voies de garage et des autoponts – des endroits en hauteur, difficiles d'accès. Sur les forums, certains fils de discussion encouragent les filles à se rassembler pour se livrer à des actes effroyables, le FBI essaie de fermer ces forums mais, chaque fois que l'un disparaît, un autre surgit aussitôt pour prendre sa place.

Margot observe, sur l'écran, ces filles jouer avec leur pouvoir. Elles crient lorsqu'elles reçoivent une décharge. Elles rient lorsqu'elles en délivrent une.

« Comment va Jos ? s'enquiert Daniel – enfin.

— Ça va. »

Ça ne va pas du tout. Jocelyn ne parvient toujours pas à maîtriser son pouvoir, c'est même de pire en pire. Et personne n'est en mesure de lui expliquer ce qui lui arrive.

Margot observe sur l'écran ces filles du Wisconsin. L'une d'elles a la main de la Déesse tatouée au centre de sa paume. Elle libère son pouvoir et son amie pousse un cri perçant ; Margot ignore si elle crie de peur, de douleur ou de plaisir.

« Et nous a rejoints à présent dans le studio Mme le maire Margot Cleary. Certains de nos téléspectateurs se souviendront peut-être que dès que l'épidémie s'est déclarée, Mme Cleary a pris sans attendre des mesures fermes, sauvant probablement ainsi bon nombre de vies.

« Elle est venue accompagnée de sa fille, Jocelyn. Comment allez-vous, Jocelyn ? »

Jos se tortille sur son siège, mal à l'aise. Ils ont l'air confortable, ces fauteuils, mais en réalité ils sont durs, et Jocelyn sent comme une arête tranchante s'enfoncer en elle. Elle tarde à répondre, son hésitation dure quelques secondes de trop.

« Ça va.

— Bien. Alors je crois que vous avez une histoire intéressante à nous raconter, n'est-ce pas, Jocelyn ? Vous rencontrez quelques problèmes, c'est bien ça ? »

Margot pose une main sur le genou de Jocelyn. « Comme beaucoup d'adolescentes, ma fille est confrontée depuis peu au développement de son pouvoir.

— Nous avons quelques images de cela, n'est-ce pas, Kristen ?

— Tout à fait. Madame le maire, voici un extrait de la conférence de presse que vous avez tenue devant votre domicile. Je crois savoir, Jocelyn, que vous avez envoyé un garçon à l'hôpital – c'est bien ça ? »

Apparaît la séquence tournée le jour où Margot a été rappelée d'urgence à la maison. On la voit sur son perron, glisser une mèche de cheveux derrière son oreille comme si elle était stressée – ce qui n'était pas le cas. Puis on la voit passer un bras autour de Jos et lire la déclaration qu'elle avait préparée : « Ma fille s'est retrouvée impliquée dans une brève altercation. Nos pensées vont à Laurie Vincens et à sa famille. Nous sommes soulagées d'apprendre que ses blessures ne sont que superficielles. Les incidents de cette nature sont le lot de quantité de jeunes filles, aujourd'hui. Jocelyn et moi espérons que tout le monde va conserver son calme et permettre à notre famille de tourner la page de cette terrible mésaventure. »

« On a l'impression que ça s'est passé il y a une éternité, n'est-ce pas, Kristen ?

— Tout à fait, Tom. Jocelyn, qu'avez-vous ressenti, lorsque vous avez blessé ce camarade ? »

Jos s'entraîne depuis plus d'une semaine avec sa mère, en vue de ce moment. Elle sait quoi répondre. Elle a la bouche sèche mais, en bonne fille consciencieuse, elle se lance.

« C'était terrifiant. Je n'avais pas appris à le maîtriser. J'avais très peur de l'avoir grièvement blessé. J'aurais aimé… J'aimerais bien que quelqu'un me montre comment l'utiliser. Comment le contrôler. »

Elle a les larmes aux yeux. Ça, elles ne l'ont pas répété mais c'est génial. Le producteur zoome immédiatement sur son visage et réoriente la caméra trois. C'est parfait. Si jeune, si fraîche, si belle, si triste.

«À vous entendre, ça paraît effrayant. Et vous pensez que cela vous aurait aidée si…»

Margot intervient à nouveau. Elle aussi est à son avantage. Les cheveux lissés et brillants. Une touche d'ombre à paupières blanc cassé et brun. Rien de trop tape-à-l'œil. Elle pourrait être cette voisine coquette qui prend soin d'elle, et pratique la natation et le yoga. Une femme qui en veut, et croit en ses ambitions.

«C'est ce jour-là, Kristen, que j'ai commencé à me demander comment nous pourrions concrètement *aider* ces jeunes filles. Pour l'instant, le seul conseil dont elles disposent se résume à s'abstenir de faire usage de leur pouvoir.

— Personne n'a envie qu'elles se baladent dans les rues en faisant jaillir des éclairs…

— Absolument, Tom. D'où mon plan en trois points.»

C'est bien, ça. Assertif. Efficace. Des phrases courtes. Une liste numérotée. Exactement comme sur BuzzFeed.

«Un : créer des espaces dédiés et sécurisés qui permettront aux jeunes filles de s'entraîner ensemble à utiliser leur pouvoir. Je propose de créer un centre-test dans l'agglomération dont j'ai la charge et, si le succès est au rendez-vous, d'étendre le dispositif à l'ensemble de l'État. Deux : identifier les jeunes filles qui contrôlent déjà bien leur pouvoir et peuvent apprendre aux plus jeunes à maîtriser le leur. Trois : tolérance zéro à l'égard de tout usage qui en serait fait à l'extérieur de ces espaces sécurisés. »

Il y a un silence. Margot et les deux présentateurs ont discuté de tout ça hors antenne, avant le début de l'émission. Les téléspectateurs, eux, auront besoin de temps pour assimiler ce qu'ils viennent d'entendre.

« Si je comprends bien, madame Cleary, vous souhaitez enseigner aux filles à utiliser leur pouvoir plus efficacement avec l'argent public ?

— Plus *sûrement*, Kristen, pas plus efficacement. Et j'espère, en venant ici, pouvoir jauger l'intérêt de ce projet. Dans une période comme celle que nous traversons, nous devrions probablement nous remémorer ce qu'il est dit dans la Bible : "Les plus puissants d'entre nous ne sont pas toujours les plus sages, et les anciennes générations ne sont pas toujours les mieux placées pour juger de ce qui est bon." »

Citer la Bible, c'est une stratégie gagnante à tous les coups.

« Quoi qu'il en soit, de mon point de vue, la mission des élus est de proposer des solutions pour tenter de se sortir de cette situation, vous ne pensez pas ?

— Vous suggérez de créer un genre de *camp d'entraînement* pour filles ?

— Allons, Tom, vous savez pertinemment que là n'est pas mon propos. Nous ne laissons pas les jeunes gens prendre le volant avant qu'ils aient obtenu leur permis, n'est-ce pas ? Et pour refaire l'électricité chez vous, vous ne voudriez pas d'un artisan inexpérimenté... Tout ce que je dis, c'est : laissons les filles enseigner aux filles.

— Mais comment pourrions-nous contrôler le contenu de cet enseignement ? demande Tom d'une voix alarmée qui grimpe légèrement dans les aigus. Tout ça me paraît très dangereux. Plutôt que de leur enseigner comment s'en servir, nous devrions essayer de les en *guérir*. »

Kristen sourit à la caméra. « Mais personne ne sait comment faire ça, Tom. J'ai lu ce matin dans le *Wall Street Journal* qu'une équipe internationale de chercheurs a acquis la certitude que ce phénomène résulte de l'accumulation dans l'environnement d'un agent neurotoxique utilisé pendant la Seconde Guerre mondiale. C'est lui qui a modifié le génome humain. Toutes les filles qui naîtront, désormais, auront le pouvoir – sans exception. Et elles le conserveront tout au long de leur vie, à l'instar des femmes plus âgées chez lesquelles il s'est réveillé. Il n'est plus temps de chercher un traitement. Il faut aller de l'avant. »

Tom tente de protester mais Kristen poursuit sur sa lancée : « Et je trouve votre idée géniale, madame le maire. Je soutiens entièrement votre plan.

« Et tout de suite, c'est l'heure de votre bulletin météo. »

De : adressejetable29457902@gmail.com
À : Jocelyn.feinburgcleary@gmail.com

Je t'ai vue à la télé aujourd'hui. Tu rencontres des soucis avec ton pouvoir et tu veux savoir *pourquoi* ? Tu veux savoir si tu es la seule ? Tu n'as encore rien vu, sœurette. Ce terrier de lapin est sans fond. La confusion des genres, ce n'est qu'un début. Nous avons besoin de remettre les hommes et les femmes aux places qui sont les leurs.

Si tu veux la vérité, va faire un tour sur urbandox-speaks.com

«Comment avez-vous osé ?

— Rien ne bougeait de votre côté, Daniel. Personne n'était disposé à m'écouter.

— Margot, des fois que ça vous aurait échappé, je suis le gouverneur de cet État, et vous vous n'êtes que le maire de l'agglomération. Comment osez-vous aller à la télé, sur une chaîne *nationale*, promettre d'étendre ce dispositif à *tout* l'État ?

— Aucune loi ne l'interdit.

— La *loi* ? Vous vous foutez de ma gueule ? Que vient faire la *loi*, ici ? Parlons plutôt du fait que vous n'avez respecté aucun des accords que nous avions passés ! Et que personne ne se mettra en quatre pour trouver de quoi financer votre machin, si vous vous faites autant d'ennemis en une seule matinée ! Par ailleurs, sachez que je vais *personnellement* m'employer à bloquer toutes les propositions qui émaneront de chez vous ! J'ai des amis puissants dans cette ville, Margot, et si vous croyez pouvoir passer en force et anéantir le travail que nous avons accompli, pour votre petit quart d'heure de gloire…

— Calmez-vous, Daniel.

— Non, je ne me calmerai *pas*. Le problème, Margot, ce n'est pas simplement vos foutues *manigances*, ni le fait de *parler à la presse*, mais c'est tout votre projet qui ne tient pas debout. Vous voulez employer l'argent du *contribuable* pour entraîner des *terroristes* à utiliser leurs armes plus efficacement.

— Ce ne sont pas des terroristes, ce sont des jeunes filles.

— Vous voulez parier ? Vous pensez qu'il n'y aura pas quelques terroristes dans le lot ? Vous avez vu ce qui s'est passé au Moyen-Orient, en Inde, en Asie, non ? Vous l'avez vu à la télé. Vous voulez parier que votre petit projet ne finira pas par attirer quelques foutus djihadistes ?

— Ça y est ?

— Ça…

— Ça y est, c'est fini ? Parce que j'ai du travail qui m'attend, donc si vous avez dit tout ce que vous aviez à dire…

— Non, ce n'est pas fini ! »

Et pourtant, si. Daniel est encore dans le bureau de Margot, à postillonner sur le beau mobilier et les trophées en verre dépoli récompensant l'excellence municipale, que déjà ses administrés passent des coups de fil, envoient des e-mails, postent des tweets, se connectent à des forums : « Qui a entendu cette dame, à la télé ce matin ? Comment puis-je inscrire mes filles dans un de ces camps ? Vous comprenez, j'en ai trois, de quatorze, seize et dix-neuf ans, qui sont littéralement en train de se mettre en pièces. Elles ont besoin d'un endroit où aller. Elles ont besoin de relâcher la pression. »

La semaine n'est pas terminée que Margot a déjà reçu plus d'un million et demi de dollars de subsides pour ses camps de filles – aussi bien des chèques de parents inquiets que des dons anonymes de milliardaires de Wall Street. Des gens veulent investir dans son projet. Ce sera un partenariat public-privé, il aura valeur de modèle pour montrer que les pouvoirs publics et le monde des affaires peuvent travailler main dans la main.

En moins d'un mois, Margot a trouvé des lieux pour accueillir les premiers centres-tests : des écoles restées fermées depuis l'entrée en vigueur de la ségrégation entre garçons et filles, disposant de gymnases spacieux et de vastes espaces en plein air. Six autres édiles de l'État viennent les visiter afin d'en apprendre un peu plus sur son projet.

En moins de trois mois, des gens commencent à dire : « Pourquoi cette Margot Cleary ne postulerait pas à un mandat de plus grande envergure ? Faites-la venir. Rencontrons-la. »

Tunde

Dans un sous-sol obscur d'une petite ville moldave, une gamine de treize ans à la lèvre ourlée d'un léger duvet apporte du pain rassis et un vieux morceau de poisson gras à un groupe de femmes blotties les unes contre les autres sur des matelas crasseux. Cette gamine un peu simple d'esprit vient là depuis des semaines. Elle est la fille du chauffeur du camion à pain ; cet homme rend service aux propriétaires de cette maison en surveillant de temps à autre les femmes qui y sont retenues, et il gagne quelques pièces en échange de pain rassis.

Les femmes, par le passé, ont tenté de demander des faveurs à l'adolescente. Un téléphone portable – ne pourrait-elle pas se débrouiller pour leur en apporter un ? Du papier, pour écrire un message – accepterait-elle de poster une lettre pour elles ? Un timbre et un bout de papier, ce n'est pas grand-chose. Quand leurs familles apprendront ce qui leur est arrivé, elles la paieront. S'il te plaît. L'adolescente a toujours gardé les yeux rivés sur ses pieds et secoué la tête avec fermeté, en clignant de ses yeux humides et stupides. Les femmes se disent qu'elle est peut-être sourde. Ou qu'on lui a ordonné de faire semblant. Ce qu'elles ont déjà enduré leur fait regretter de n'être ni sourdes, ni aveugles.

La fille vide le seau d'excréments dans la rigole de la cour, le rince au tuyau d'arrosage et le leur rapporte, propre, à l'exception de quelques traces sous le rebord. L'odeur qui règne ici sera un peu plus supportable pendant une heure ou deux, c'est déjà ça.

La fille s'apprête à s'en aller. Quand elle sera partie, elles se retrouveront plongées dans le noir total.

« Laisse-nous une lumière, dit l'une des femmes. N'as-tu pas une bougie ? Une petite lueur pour nous ? »

La fille se retourne vers la porte. Regarde l'escalier qui conduit au rez-de-chaussée. Personne en vue.

Elle prend la main de la femme et retourne la paume face à elle. Au centre de celle-ci, l'adolescente imprime une petite *torsion* avec cette chose qui vient tout juste de s'éveiller dans sa clavicule. La femme sur le matelas – elle a vingt-cinq ans et pensait avoir décroché un poste de secrétaire à Berlin – étouffe un hoquet. Un frisson lui secoue le corps, elle se tortille, écarquille grands les yeux. Et une lumière argentée vacille brièvement autour de la main qui s'accroche au matelas.

Elles attendent leur heure dans le noir. Elles s'entraînent. Elles veulent être sûres qu'elles pourront agir toutes en même temps, que personne n'aura le temps de saisir une arme. Elles se passent cette chose de main en main et s'émerveillent. Certaines parmi elles sont captives depuis si longtemps qu'elles n'en ont jamais entendu parler ; pour d'autres, ce n'était guère plus qu'une étrange rumeur, une curiosité. Elles croient que Dieu leur a envoyé un miracle afin de les délivrer, comme il a délivré les enfants d'Israël de l'esclavage.

Depuis les ténèbres de leur réduit, elles ont crié à l'aide, et Il leur a envoyé la lumière. Elles pleurent.

Un des surveillants vient désentraver la femme qui pensait devenir secrétaire à Berlin, avant d'être jetée sur un sol en béton, avant qu'on ne lui montre, encore et encore, en quoi consistait son vrai travail. Il tient à la main les clés de leurs fers. Elles lui tombent dessus toutes en même temps, l'homme n'a pas le temps d'émettre le moindre cri que déjà le sang jaillit à gros bouillons de ses yeux et de ses oreilles.

Elles se libèrent les unes les autres.

Elles tuent tous les hommes présents dans cette maison, mais cela ne leur suffit pas.

La Moldavie est la capitale mondiale du trafic d'esclaves sexuels. Il y a dans le pays un millier de petites villes qui constituent autant de zones de transit, dissimulées dans des sous-sols ou des immeubles condamnés. Le trafic concerne les hommes également, et les enfants. Jour après jour, les petites filles grandissent et, quand le pouvoir s'éveille au bout de leurs doigts, elles le transmettent à leurs aînées. Le phénomène prend comme une traînée de poudre ; le changement, de par sa brutalité, n'a pas laissé le temps aux hommes d'apprendre les nouvelles parades dont ils auraient besoin pour se protéger. Ce pouvoir est un cadeau tombé du ciel. Qui osera dire qu'il n'a pas été envoyé par Dieu ?

Tunde range dans un dossier une série de reportages et d'interviews qu'il a réalisés dans des villes situées à la frontière moldave, là où les soulèvements ont été les plus violents. Rares sont les hommes qui auraient pu les approcher d'aussi près. Les femmes lui font confiance depuis qu'il a couvert les émeutes de Riyad ;

il a été chanceux, mais il sait aussi se montrer malin et déterminé. Où qu'il aille, il emporte ses précédents reportages pour amadouer ces femmes. Elles veulent toutes que quelqu'un raconte leur histoire.

«Ces hommes n'étaient pas les seuls à nous faire du mal, lui raconte Sonja, vingt ans. Eux, on les a tués, mais il y en avait plein d'autres. La police savait ce qui se passait et elle n'a rien fait. Les maris de la ville battaient leurs épouses si elles tentaient de nous apporter un peu de nourriture. Tout le monde savait ce qui se passait, le maire, les propriétaires, les *facteurs*.»

Elle fond en larmes et se frotte les yeux du gras du pouce. Elle lui montre le tatouage au centre de sa paume – l'œil, d'où partent des ramifications en forme de vrille.

«Cet œil signifie que nous resterons vigilantes et que plus rien, jamais, n'échappera à notre regard, reprend-elle. De la même façon que rien n'échappe à celui de Dieu.»

Tunde consacre ses nuits à écrire, à noircir des pages avec un sentiment d'urgence. C'est une sorte de journal de bord. Des notes du front. Cette révolution aura besoin de son chroniqueur. Ce sera lui. Il a d'ores et déjà en tête un ouvrage qui balayera tout le spectre du sujet, une somme ambitieuse – qui comprendra des témoignages, bien sûr, mais aussi des exposés de la situation à un instant T, région par région, pays par pays. Des plans larges qui montreront la propagation de cette onde de choc sur la planète. Des plans serrés qui se concentreront sur des moments particuliers, des histoires individuelles. Parfois, en écrivant, il s'enflamme tellement qu'il en oublie que lui-même ne détient pas ce pouvoir, ni dans ses mains, ni dans les os de son cou. Ce sera un pavé. Neuf cents pages, peut-être mille. Un pendant à *De la démocratie en Amérique* de Tocqueville. À l'*Histoire de la décadence et de la chute de l'Empire romain* de Gibbon. Ou encore à *Shoah*, de Lanzmann : l'ouvrage s'appuiera sur une multitude de vidéos accessibles sur Internet. Des séquences sur le vif, tournées au cœur même des événements, couplées à des analyses et des éléments de discussion.

Il ouvre son chapitre sur la Moldavie en décrivant comment le pouvoir s'y est transmis de main en main, et comment ensuite, fortes des incitations et du soutien qu'elles ont trouvés dans la cyber-religion qui fait un tabac sur la Toile, les femmes ont pris le contrôle des villes et, sur leur lancée, initié l'inéluctable renversement à la tête du pays.

Tunde interviewe le président cinq jours avant la chute du gouvernement. Viktor Moskalev est un homme de petite taille qui transpire abondamment. Jusque-là, il était parvenu à maintenir l'unité de son pays en concluant toute une série d'alliances et en fermant les yeux sur les agissements des vastes réseaux mafieux qui utilisent depuis des décennies son petit pays comme plaque tournante de leurs trafics nauséabonds. Le président est nerveux : pendant l'interview, il n'a de cesse qu'il ne chasse de devant ses yeux les rares mèches qui lui restent sur le crâne, et son front ruisselle, même s'il fait plutôt frais dans la pièce. Son épouse, Tatiana – une ex-gymnaste qui a failli concourir autrefois aux jeux Olympiques –, est assise à ses côtés et lui tient la main.

Tunde leur sourit. « Président Moskalev, de vous à moi, que se passe-t-il en ce moment dans votre pays ? » commence-t-il d'un ton délibérément détendu.

Le long du cou de Viktor, les muscles se contractent. L'entretien se déroule dans le grand salon d'apparat de son palais de Chisinau, où la moitié du mobilier est doré. Tatiana caresse le genou de son mari et sourit. Elle aussi a sorti les dorures : la chevelure est méchée de reflets et des paillettes soulignent l'arête des pommettes.

« Tous les pays ont eu à s'adapter à la nouvelle réalité », répond Viktor.

Tunde se recule contre le dossier de son fauteuil et croise les jambes.

« Cette interview ne sera diffusée ni à la radio ni sur Internet, Viktor. C'est uniquement du matériau pour mon livre. Et j'aimerais vraiment connaître votre sentiment : à l'heure où nous parlons, quarante-trois villes frontalières sont aux mains de groupes paramilitaires, essentiellement composés de femmes qui se sont libérées de l'esclavage sexuel. Quelles sont selon vous vos chances de reprendre le contrôle de ces villes ?

— Nos troupes sont déjà en marche et vont écraser ces rebelles, répond Viktor. D'ici quelques jours, la situation sera revenue à la normale. »

Tunde hausse un sourcil interloqué. Ne parvient pas tout à fait à réprimer un rire. Il est *sérieux* ? Ces gangs de femmes ont mis la main sur les armes, les gilets pare-balles et les munitions qui appartenaient aux organisations criminelles qu'elles ont liquidées. Elles sont devenues pratiquement invincibles.

« Excusez-moi, mais comment comptez-vous procéder, au juste ? insiste Tunde. Ces gangs sont partout. Vous allez bombarder votre propre pays ?

Viktor esquisse un sourire énigmatique. « On fera le nécessaire, voilà tout. Ces troubles seront de l'histoire ancienne d'ici à peine une semaine ou deux. »

Nom de Dieu. Peut-être qu'il compte vraiment bombarder son pays et finir président d'un tas de décombres. Ou alors, il n'a pas encore accepté la réalité de ce qui se passe ici. Ça fera une note de bas de page intéressante dans le livre : Alors que son pays était en train de se désagréger autour de lui, le président Moskalev semblait presque blasé.

L'interview terminée, Tunde attend dans le couloir qu'une voiture diplomatique vienne le chercher pour le reconduire à son hôtel. Ces temps-ci, il est plus sûr de se déplacer sous pavillon nigérian que sous la protection de Moskalev. Seulement, il faut parfois deux ou trois heures aux voitures pour franchir tous les contrôles de sécurité.

C'est là que Tatiana Moskalev le trouve : en train d'attendre dans un fauteuil richement brodé que son portable sonne et qu'on lui annonce que sa voiture est avancée.

Annoncée par le cliquetis de ses talons aiguilles, Tatiana vient se planter devant lui. Elle porte une robe turquoise, moulante comme une seconde peau ; la coupe comme les fronces soulignent ses puissantes jambes de gymnaste et ses élégantes épaules.

« Vous n'aimez pas mon mari, n'est-ce pas ? lance-t-elle.

— Je ne dirais pas ça, tempère Tunde avec un sourire avenant.

— Eh bien moi, si. Allez-vous écrire des méchancetés à son sujet ? »

Tunde, qui s'est redressé, cale les coudes sur le dossier du fauteuil, bombe le torse.

« Tatiana, si nous devons avoir cette conversation, y aurait-il quelque chose à *boire*, dans ce palais ? »

Il y a du cognac dans une pièce adjacente dont le décor évoque celui d'une salle de conseil d'administration de Wall Street tout droit sortie d'un film des années 1980 : table de bois sombre et luminaires en plastique doré et ultra-clinquant. Tatiana leur sert deux généreuses rasades puis, côte à côte devant la fenêtre, ils contemplent la ville qui s'étend devant eux. Le palais présidentiel est une tour plantée en centre-ville ; de l'extérieur, on croirait un de ces hôtels quatre étoiles pour hommes d'affaires.

« Il était venu assister à un spectacle dans mon lycée, lui raconte Tatiana. J'étais gymnaste. Et je me produisais devant le ministre des Finances ! (Elle boit une gorgée de cognac.) J'avais dix-sept ans, et lui quarante-deux. Il m'a arrachée à ce trou paumé.

— Le monde est en train de changer », dit Tunde, et ils échangent un bref regard.

Elle sourit. « Vous êtes promis à un grand avenir, dit-elle. Vous avez soif de réussite. J'ai déjà vu ça.

— Et vous ? L'avez-vous cette… soif de réussite ? »

Elle le toise, et lâche un petit rire nasal. Elle-même ne doit pas avoir plus de quarante ans, aujourd'hui.

« Regardez ce que je peux faire », répond-elle, et Tunde s'exécute, même s'il pense savoir de quoi il s'agit.

Elle pose sa paume bien à plat sur le cadre de la fenêtre et ferme les yeux.

Dans la pièce, les ampoules des plafonniers grésillent, vacillent puis s'éteignent.

Tatiana lève les yeux et soupire.

« Pourquoi l'éclairage est-il… relié aux cadres des fenêtres ? demande Tunde.

— L'électricité a été faite en dépit du bon sens, comme tout ici.

— Viktor sait-il que vous pouvez le faire ? »

Tatiana secoue la tête. « C'est la coiffeuse qui me l'a donné. C'était une blague. Une femme comme vous, elle m'a dit, vous n'en aurez jamais besoin. On s'occupe bien de vous.

— Et c'est vrai ? demande Tunde. On s'occupe bien de vous ? »

Elle rit maintenant, franchement, à gorge déployée. « Soyez prudent, reprend-elle. Viktor vous couperait les couilles s'il vous entendait parler de cette façon. »

Tunde éclate de rire à son tour. « Est-ce vraiment de Viktor que je dois avoir peur ? Encore ? »

Elle avale une longue gorgée de cognac. « Voulez-vous connaître un secret ? demande-t-elle.

— J'adore les secrets.

— Awadi-Atif, le nouveau roi d'Arabie saoudite, se trouve en exil dans le nord de notre pays. Il alimente Viktor en argent et en armes. C'est pour ça que Viktor pense pouvoir écraser la rébellion.

— Vous êtes sérieuse ? »

Elle hoche la tête.

« Pouvez-vous m'obtenir des documents qui le confirment ? Des e-mails, des fax, des photos, n'importe quoi ? »

Elle secoue la tête.

« Cherchez-les par vous-même. Vous êtes un garçon intelligent. Vous les trouverez. »

Il humecte ses lèvres. « Pourquoi me racontez-vous tout ça ?

— Je veux que vous vous rappeliez de moi, quand vous aurez réussi, répond-elle. Je veux que vous vous souveniez que nous avons eu cette petite conversation.

— Conversation ? répète Tunde. C'est tout ?

— Votre voiture est arrivée», dit-elle en désignant la longue limousine noire en train de franchir le dernier barrage de sécurité, trente étages plus bas.

Cinq jours se sont écoulés depuis cette conversation lorsque Viktor Moskalev succombe à une crise cardiaque durant son sommeil. Et la communauté internationale n'est pas au bout de ses surprises quand, dans la foulée de cette disparition, la Cour suprême de Moldavie, lors d'une session convoquée en urgence et par un vote à l'unanimité, confie les rênes du pays à son épouse, Tatiana. En temps voulu, des élections seront organisées, et Tatiana présentera sa candidature en bonne et due forme, mais en cette période de troubles, le plus important est de maintenir l'ordre.

Il se peut, note Tunde dans son journal de bord, qu'on ait sous-estimé Tatiana Moskalev : il s'avère qu'elle ne manque ni de sens politique, ni d'intelligence, et qu'elle a su admirablement tirer parti de l'avantage qui était le sien. Pour sa première apparition publique, elle arborait une petite broche en or en forme d'œil ; certains y ont vu un clin d'œil discret aux mouvements autour de la «Déesse» dont l'ampleur et la popularité ne cessent de croître sur Internet. D'autres ont remarqué combien il était ardu de différencier les conséquences d'un choc électrique habilement administré et une banale crise cardiaque, mais on ne dispose d'aucune preuve susceptible d'étayer ces rumeurs.

Les passassions de pouvoirs s'opèrent rarement en douceur. Celui-ci se double d'un putsch mené par le commandant en chef de la Défense de Viktor, qui embrigade plus de la moitié de l'armée et réussit à déloger le gouvernement provisoire de Tatiana Moskalev de Chisinau. Mais dans les villes frontalières, toutes ces femmes qui se sont libérées de leurs chaînes soutiennent, largement et viscéralement, Tatiana Moskalev. Elles étaient plus de trois cent mille à transiter chaque année dans le pays, traitées comme de vulgaires marchandises. Nombre d'entre elles, n'ayant nulle part où aller, sont restées.

Trois ans, cinq mois et treize jours après la Journée des filles, Tatiana Moskalev, forte de sa fortune et de ses connexions, d'une moitié ou presque de son armée et d'un coquet arsenal, investit un château dans les collines à la frontière de la Moldavie. Là, elle annonce la constitution d'un nouveau royaume en réunissant les terres côtières entre les anciennes forêts et les vastes bras de mer, déclarant de facto la guerre à quatre pays distincts, y compris la Grande Ourse elle-même. Elle baptise ce nouveau pays la Bessapara, du nom de l'ancien peuple qui vivait autrefois sur ces terres et y interprétait les paroles sacrées des prêtresses au sommet des montagnes. La communauté internationale opte pour l'attentisme. Le consensus est que l'État de Bessapara fera long feu.

Tunde enregistre et documente tous ces développements dans ses notes. Il ajoute : « Il flotte comme un parfum dans l'air, qui évoque les odeurs de pluie après une longue sécheresse. Une personne d'abord, puis cinq, puis cinq cents, puis des villages entiers, des villes, des États. Bourgeon après bourgeon, feuille après feuille. Quelque chose de nouveau est à l'œuvre. L'échelle du phénomène s'est démultipliée. »

Roxy

Il y a une inconnue sur la plage, à marée haute, qui illumine la mer de ses mains. Les filles du couvent l'observent du haut de la falaise. Elle s'est avancée dans l'eau jusqu'à la taille, voire au-delà. Elle n'a même pas enfilé de maillot de bain, elle a gardé son jean et son cardigan noir. Et elle met le feu à l'océan.

Comme le crépuscule approche, les filles ne loupent pas une miette du spectacle. Les rubans de varech qui flottent à la surface s'étalent en un filet délicat et désordonné. Et lorsque l'inconnue envoie ses décharges dans l'eau, les particules et débris scintillent faiblement et le vert des algues s'intensifie. Le large halo de lumière qui s'étend autour d'elle semble monter des profondeurs, comme si l'océan contemplait le ciel d'un œil gigantesque. En même temps que la flore de la mer des Sargasses se consume et que ses vésicules enflent et éclatent, on croirait entendre des bonbons qui crépitent sous la langue, et une puissante senteur marine, iodée, verte, envahit l'atmosphère. L'inconnue a beau se trouver à plusieurs centaines de mètres d'elles, les filles la sentent du haut de la falaise. Elles se disent que, d'un moment à l'autre, cette femme va se trouver à court de courant, mais non, la baie continue à fourmiller de clignotements luminescents, et l'odeur s'intensifie tandis que crabes et petits poissons remontent flotter à la surface.

Les filles se disent les unes aux autres : « Dieu enverra Son salut. »

« Elle a dessiné un cercle à la surface des eaux, dit Sœur Maria Ignacia. Elle est à la frontière de la lumière et des ténèbres. »

Elle est un signe de la Mère.

Les filles l'envoient dire à Mère Ève : Quelqu'un est venu.

Roxy s'était vu proposer plusieurs destinations, et ils lui avaient laissé le choix. Bernie a de la famille en Israël ; elle pouvait aller chez eux. Réfléchis-y, Rox, des plages de sable fin, de l'air pur, tu pourrais aller au lycée avec les gamines de Yuval ; il en a deux, d'environ ton âge, et fais-moi confiance, les Israéliens n'enferment pas les filles pour les empêcher de faire ce que tu fais. Ils les ont enrôlées dans l'armée et sont déjà en train de les entraîner. Je te parie qu'ils ont mis au point des trucs auxquels tu n'as même pas encore pensé. Roxy n'était pas emballée mais était tout de même allée faire un tour sur Internet. Ils ne parlent même pas anglais, en Israël – ils n'écrivent même pas avec des caractères anglais ! Bernie avait essayé de lui expliquer que si, promis, la plupart des gens là-bas parlent anglais, mais Roxy s'obstinait à répondre : « Non, je ne pense pas. »

Sinon, il y avait la famille du côté de sa mère, près de la mer Noire. Bernie avait localisé l'endroit sur la carte. C'est de là que venait ta grand-mère, tu ne l'as jamais rencontrée, pas vrai ? La maman de ta maman ? Il y a encore des cousins, là-bas, des connexions familiales ; on

161

fait de bonnes affaires avec ces gens-là, aussi. Tu pourrais commencer à te familiariser avec le business, tu as dit que ça t'intéressait. Mais Roxy avait déjà décidé où elle voulait aller.

« Je ne suis pas idiote, avait-elle répondu. Je sais que tu dois me faire quitter le pays parce qu'ils cherchent qui a tué Primrose. Je sais que je ne pars pas en vacances. »

Bernie et les garçons s'étaient tus et l'avaient dévisagée.

« Tu ne peux pas dire ça, Rox, avait protesté Ricky. Où que tu ailles, tu dois dire que tu es en vacances, d'accord ?

— Je veux aller en Amérique. En Caroline du Sud. Il y a cette femme là-bas, Mère Ève. Elle fait des conférences sur Internet.

— Sal a des contacts dans le coin, avait répondu Ricky. On peut te trouver un point de chute, Rox, et quelqu'un pour veiller sur toi.

— Je n'ai besoin de personne pour veiller sur moi. »

Ricky avait coulé un regard vers Bernie, qui avait haussé les épaules.

« Après tout ce qu'elle a vécu… », s'était-il contenté de dire. Et l'affaire avait été conclue.

Allie s'assied sur un rocher et trempe le bout des doigts dans l'eau. Chaque fois que l'inconnue envoie une décharge dans l'océan, elle sent, même à cette distance, comme une petite tape sèche et *aiguë*.

Elle dit dans son cœur : Qu'en penses-tu ? Je n'ai jamais vu personne qui ait autant de force en elle.

La voix dit : Ne t'avais-je pas promis de t'envoyer un soldat ?

Connaît-elle son destin ? demande Allie.

Qui le connaît, mon poussin ? répond la voix.

Il fait nuit maintenant et, d'ici, on voit à peine les lumières de la route. Allie plonge la main dans l'océan et envoie une décharge aussi puissante qu'elle le peut. À peine provoque-t-elle un vacillement lumineux à la surface de l'eau. Cela suffit néanmoins. La femme, là-bas dans les vagues, vient vers elle.

Il fait trop noir pour voir distinctement ses traits.

« Tu dois avoir froid, lance Allie à tue-tête. J'ai apporté une couverture, si tu veux.

— Nom de Dieu ! s'exclame l'inconnue. Qui es-tu ? Tu fais partie de l'équipe des sauveteurs en mer ? Je suppose que tu n'as pas apporté de pique-nique ? »

Une Anglaise. Voilà qui est inattendu. Mais bon, on sait tous que les Voies de la Toute-Puissante sont impénétrables.

« Roxy, reprend la baigneuse. Je m'appelle Roxy.

— Et moi… » Allie marque une pause. Pour la première fois depuis très longtemps, l'envie de révéler son véritable prénom la titille. Ridicule. « Je m'appelle Ève.

— Oh nom de nom ! Ça alors ! C'est justement toi que je cherchais. Je viens tout juste d'arriver. Ce matin. Par le vol de nuit. Ce truc te flingue, tu peux me croire. J'ai fait une petite sieste, et je me suis dit que j'allais attendre demain pour me lancer à ta recherche, et te voilà. Putain, c'est un miracle ! »

Tu vois ? dit la voix. Qu'est-ce que je t'avais dit ?

Roxy se hisse sur le rocher plat à côté d'Allie. D'un coup, elle est impressionnante. Elle a des épaules et des bras musclés, mais ça tient à autre chose.

Avec ce sixième sens qu'elle a peaufiné, Allie tente d'évaluer la puissance que Roxy possède dans son fuseau.

Elle a la sensation de dégringoler de la surface du monde, d'entamer une chute vertigineuse, aussi infinie que l'océan.

« Oh, fait-elle. Un soldat viendra.

— Quoi ? »

Allie secoue la tête. « Rien. C'est un truc que j'ai entendu, une fois. »

Roxy l'évalue du regard. « T'es du genre un peu flippante, hein ? C'est ce que je m'étais dit en regardant tes vidéos. Un peu flippante, la nana. Tu serais parfaite dans une de leurs séries télévisées *Most Haunted*. Tu l'as déjà vue, celle-là ? Dis, sérieux, t'as rien à manger ? Je crève la dalle. »

Allie tâte ses poches et trouve une barre chocolatée. Roxy se jette dessus et la dévore en un éclair.

« Ça va mieux, annonce-t-elle. Tu vois cette sensation, quand tu as déchargé beaucoup de courant, et que tout d'un coup tu meurs de faim ? » Elle s'interrompt et regarde Allie. « Non ?

— Pourquoi faisais-tu ça ? La lumière, dans l'eau ? »

Roxy hausse les épaules.

« Une idée qui m'est venue comme ça. C'est la première fois que je me baigne dans l'océan, je voulais voir de quoi j'étais capable. » Elle contemple le large, paupières plissées. « Je crois que j'ai tué un paquet de poissons. Vous auriez probablement de quoi manger pour toute la semaine si vous aviez… J'sais pas… un bateau, un filet. Je suppose que dans le lot, certains sont peut-être empoisonnés. Ça existe en vrai, les poissons venimeux ? Ou bien juste au cinéma, comme dans… *Les Dents de la mer* ? »

Allie éclate de rire malgré elle, ce qui n'était pas arrivé depuis longtemps – depuis la dernière fois qu'elle avait ri sans avoir auparavant décidé qu'il serait opportun de le faire.

Pas bête, l'idée qui vient de lui passer par la tête, dit la voix. Et cette fille est ici parce qu'elle te cherchait. Je t'avais bien dit qu'un soldat viendrait.

Ouais. Ferme-la deux secondes, tu veux ?

« Qu'est-ce qui t'a incitée à partir à ma recherche ? » demande-t-elle.

Roxy roule des épaules, comme quelqu'un qui court et slalome pour esquiver des coups.

« Fallait que je me mette au vert quelque temps. Et je t'avais vue sur YouTube. » Elle inspire, expire profondément, sourit pour elle-même et ajoute : « Écoute, tous ces trucs que tu racontes… que c'est Dieu qui a provoqué tout ça pour une bonne raison, et que les femmes sont censées reprendre les commandes aux hommes… Tout ça, j'y crois pas, d'accord ?

— D'accord.

— Mais je pense… Tiens, tu sais ce qu'ils enseignent aux filles dans les écoles, en Angleterre ? Des exercices de respiration ! Sans déconner – on leur apprend à *respirer*. Et leurs foutues consignes, c'est "contrôlez-vous, ne l'utilisez pas, ne faites rien, restez sages, soyez gentilles et gardez les bras croisés" – tu vois le genre ? Mais l'autre jour, j'ai couché avec un type qui m'a quasiment suppliée de lui faire le truc, juste un peu – il avait vu ça sur Internet. Qui va rester éternellement les bras croisés ? Mon père est cool, mes frères aussi, ils ne sont pas bouchés comme certains, mais je voulais te parler parce que toi… toi, tu réfléchis à la signification de tout ça. Pour l'avenir, tu vois ? C'est excitant. »

Tout ce laïus sort d'une seule traite tel un flot bouillonnant.

« Et tout ça veut dire quoi, selon toi ? demande Allie.

— Que tout va changer, répond Roxy en pêchant distraitement des algues d'une main. C'est évident, non ? Et qu'on va toutes devoir inventer ensemble quoi faire de ce pouvoir. Tu vois, les hommes, ils ont un avantage : la force physique. Mais les femmes ont elles aussi un avantage maintenant. Et les armes à feu, ça existe toujours. Une bande de types avec des pistolets : je ne fais pas le poids face à eux. Je trouve que… c'est excitant, tu vois. J'en parlais avec mon père. Des trucs qu'on pourrait faire ensemble. »

Allie éclate de rire. « Tu penses qu'ils voudront travailler avec *nous* ?

— Certains, oui. Ceux qui ont de la jugeote. J'en ai discuté avec mon père. Tu as déjà eu cette sensation d'être capable de dire quelles filles autour de toi ont un pouvoir immense, et lesquelles n'en ont aucun ? Tu sais, un genre de sixième sens. »

C'est la première fois qu'Allie entend quelqu'un évoquer cette intuition qu'elle-même a particulièrement aiguisée.

« Oui, répond-elle. Je crois savoir ce que tu veux dire.

— Nom de Dieu, t'es bien la première ! D'un autre côté, ce n'est pas comme si j'en avais parlé à la Terre entière. En tout cas, c'est bien utile pour épater les mecs, pas vrai ? Ou pour faire la paire avec eux. »

Allie pince les lèvres. « Je vois ça un peu différemment, tu sais.

— Ouais, ma vieille, je sais. J'ai regardé tes trucs.

— Je pense qu'il se prépare une bataille grandiose entre la lumière et les ténèbres. Et que ton destin est de combattre à nos côtés. Je pense que tu seras la plus puissante parmi les puissantes. »

Roxy éclate de rire et lance un caillou dans la mer. « Ça m'a toujours botté, l'idée d'avoir un destin, répond-elle. Hé, on pourrait pas aller quelque part ? Chez toi, ou n'importe. On se caille, ici. »

Ils l'avaient laissée assister aux obsèques de Terry ; c'était un peu comme Noël. Il y avait des tantes et des oncles, de l'alcool, des mini-sandwiches et des œufs durs. Des gens venaient lui glisser un bras autour des épaules et lui dire qu'elle était une bonne petite. Et avant de partir, Ricky lui avait donné un peu de son truc, et il en avait pris lui aussi. « Pour arrondir les angles », avait-il dit. Du coup, en prime et comme il faisait froid, on sentait presque de la neige tomber. Exactement comme à Noël.

Au cimetière, Barbara, la maman de Terry, s'était avancée pour jeter une pelletée de terre sur le cercueil, qui, quand elle avait heurté le bois, lui avait arraché un long sanglot déchirant.

Il y avait une voiture garée non loin de là, et des types avec des téléobjectifs qui prenaient des photos. Avec quelques copains, Ricky était allé leur mettre un petit coup de pression et ils avaient décampé.

« Des paparazzis ? avait demandé Bernie à leur retour.

— Ou des flics, avait répondu Ricky. On s'en occupe. »

Roxy risquait des ennuis à cause de tout ça.

Tout le monde s'était bien comporté avec elle, à la réception. Mais au cimetière, personne n'avait su où se mettre quand elle était passée devant eux.

Lorsque Allie et Roxy arrivent au couvent, le dîner est déjà servi. Des places les attendent en bout de table, le réfectoire bourdonne de conversations et embaume le bon petit plat – un ragoût de palourdes et de moules, avec des pommes de terre et du maïs. Il y a du pain croustillant et des pommes. Un sentiment qu'elle ne parvient pas à nommer, ni même à reconnaître, s'empare de Roxy. Une émotivité, qui lui fait presque venir les larmes aux yeux. Une des filles lui dégote des vêtements secs : un gros pull bien chaud et un pantalon de jogging, tout doux et usés à force d'avoir été lavés, c'est exactement l'état dans lequel elle se sent. Les filles veulent toutes discuter avec elle – elles n'ont jamais entendu un accent comme le sien, et elles ne se lassent pas de lui faire répéter certains mots. Que de bavardages ! Roxy s'est toujours considérée comme un moulin à paroles, mais alors là…

Après le souper, Mère Ève dispense une petite leçon sur les Écritures. Les filles trouvent dans celles-ci certains passages qui font sens immédiatement, et dans le cas contraire, il suffit de les réécrire. Mère Ève commente l'histoire du livre de Ruth. Elle lit à voix haute l'extrait où Ruth dit à sa belle-mère et amie : « Ne me presse pas de t'abandonner et de m'éloigner de toi, car où tu iras, j'irai, où tu demeureras, je demeurerai ; ton peuple sera mon peuple, et ton Dieu sera mon Dieu. »

Mère Ève fait montre, au milieu de toutes ces filles, d'une grande aisance, ce qui n'est pas le cas de Roxy. Elle n'est pas habituée à la compagnie féminine ; dans la famille de Bernie et dans son gang, il n'y a que des garçons, sa mère elle-même était plutôt une femme à hommes et, à l'école, les autres filles n'ont jamais été tendres avec elle. Mère Ève, contrairement à Roxy, est dans son élément : elle tient la main des deux filles assises à ses côtés tout en parlant et plaisantant.

« Cette histoire à propos de Ruth, dit-elle, est la plus belle histoire d'amitié de toute la Bible. Personne n'a jamais été plus loyal que Ruth, personne n'a jamais exprimé mieux qu'elle les liens de l'amitié. » Des larmes brillent dans ses yeux et son auditoire, autour de la table, se sent déjà ému. « Ce n'est pas à nous de nous soucier des hommes, laissons-les se faire plaisir, comme ils l'ont toujours fait. S'ils veulent se faire la guerre, laissons-les s'égarer. Nous, nous pouvons compter les unes sur les autres. Où vous irez, j'irai. Votre peuple sera mon peuple, mes sœurs. »

Et toutes concluent en chœur : « Amen. »

En haut, on a préparé un lit pour Roxy. Ce n'est qu'une petite chambre, avec un matelas une place et une couverture en patchwork, une table, une chaise, et une vue sur l'océan, et pourtant Roxy a envie de pleurer, même si elle n'en montre rien. En s'asseyant sur le lit et en caressant la couverture, elle se souvient d'une nuit où son père l'avait emmenée chez lui, dans la maison où il habitait avec Barbara et ses frères. Il était déjà tard et sa mère, qui était malade et vomissait, l'avait appelé pour qu'il vienne chercher sa fille, ce qu'il avait fait. Roxy était en pyjama, elle ne devait pas avoir plus de cinq ou six ans. Elle se rappelle encore Barbara disant : « Pas question qu'elle reste ici » et la réponse de Bernie : « Ne m'emmerde pas et installe-la dans la chambre d'amis. »

Mais Barbara avait croisé les bras et répété : « Pas question. Envoie-la chez ton frère, s'il le faut. » Il pleuvait cette nuit-là, et son père avait rebroussé chemin jusqu'à la voiture en portant Roxy dans ses bras. Elle sentait les gouttes qui tombaient de la capuche de sa robe de chambre et s'écrasaient sur sa poitrine.

Quelqu'un attend des nouvelles de Roxy, ce soir-là, et ce quelqu'un va drôlement se faire sonner les cloches s'il a perdu sa trace. Mais elle a seize ans, et il suffira d'un SMS pour régler ça.

Mère Ève referme la porte, elles sont maintenant seules dans la petite chambre.

« Tu peux rester aussi longtemps que tu le souhaites, dit-elle en prenant place sur la chaise.

— Pourquoi ?

— J'ai un bon pressentiment te concernant. »

Roxy se met à rire. « Tu aurais un bon pressentiment me concernant si j'étais un garçon ?

— Mais tu n'en es pas un.

— As-tu un bon pressentiment concernant toutes les femmes ? »

Mère Ève secoue la tête. « Pas aussi bon. Veux-tu rester ?

— Ouais. Pendant un petit moment, en tout cas. Histoire de voir ce que vous mijotez, ici. Cet endroit est… On s'y sent bien.

— Tu es forte, n'est-ce pas ? demande Mère Ève. Aussi forte que n'importe qui.

— Plus forte que n'importe qui, l'amie. C'est pour ça que tu m'as à la bonne ?

— Nous pourrions avoir besoin de quelqu'un de fort.

— Ah ouais ? Tu as de grands projets ? »

Mère Ève se penche vers Roxy et pose les mains sur ses genoux. « Je veux sauver les femmes.

— Comment ça, toutes ? demande Roxy en rigolant.

— Oui. Si je le peux. Je veux leur dire et leur faire comprendre que nous pouvons vivre autrement, désormais. Qu'on peut s'unir et laisser les hommes suivre leur propre chemin. Que plus rien ne nous oblige à perpétuer l'ordre ancien et que nous pouvons créer un nouveau chemin.

— Ah ouais ? Tu auras quand même besoin de quelques types, pour faire des bébés. »

Mère Ève sourit. « Toute chose est possible avec l'aide de Dieu. »

Le téléphone d'Allie émet un bip. Elle regarde l'écran. Grimace. Et le repose à l'envers.

« Que se passe-t-il ? demande Roxy.

— Les gens continuent à nous inonder d'e-mails.

— Pour essayer de vous chasser d'ici ? Chouette endroit. Je comprends qu'ils veuillent le récupérer.

— Pour nous donner de l'argent. »

Roxy éclate de rire. « Et où est le problème ? Vous en avez trop ? »

Allie la considère longuement d'un air songeur. « Seule Sœur Maria Ignacia a un compte bancaire. Et je… » Elle passe la langue sur ses incisives et claque des lèvres.

« Tu ne me fais pas confiance, n'est-ce pas ? » demande Roxy.

Allie sourit. « Et toi, tu me fais confiance ?

— C'est le prix à payer, si tu veux faire des affaires, mon amie. Faut bien faire confiance à quelqu'un, sinon tu n'arrives à rien. Tu as besoin d'un compte en banque ? Plusieurs ? Tu en veux quelques-uns offshore ? J'y connais rien, mais je crois que les îles Caïmans, c'est pas mal.

— Que veux-tu dire ? »

En guise de réponse, Roxy dégaine son téléphone, et avant qu'Allie ne puisse protester, la prend en photo et envoie un message.

« Fais-moi confiance, lui dit-elle avec un grand sourire. Faut bien que je trouve un moyen de payer ma part du loyer, pas vrai ? »

Un homme se présente au couvent le lendemain matin avant sept heures. Il gare sa voiture devant les grilles, et attend. Roxy va frapper à la porte d'Allie et la traîne dans l'allée en robe de chambre.

« Quoi ? De quoi s'agit-il ? proteste Allie, mais elle sourit.

— Suis-moi et tu verras. »

« C'est super, Einar », dit Roxy à l'homme. Il est râblé, quarante-cinq ans environ, brun, avec une paire de lunettes de soleil en bandeau au milieu du front.

Einar se fend d'un grand sourire et hoche lentement la tête. « Tout est OK pour toi, Roxanne ? Bernie Monke a demandé qu'on s'occupe de toi. Est-ce que quelqu'un s'occupe de toi, ici ?

— Je suis hyper bien, Einar. C'est génial, ici. Je vais rester là quelques semaines avec mes copines, je pense. Tu m'as apporté ce que je t'ai demandé ? »

Einar la regarde et se met à rire.

«Je t'ai rencontrée une fois à Londres, Roxanne. T'avais six ans et on attendait ton père. Tu m'as balancé un coup de pied dans les tibias quand j'ai refusé de t'acheter un milk-shake. »

Roxy rigole à son tour, très à l'aise. Allie voit bien qu'elle est plus détendue que la veille, pendant le dîner.

«T'aurais mieux fait de dire oui, pas vrai ? Bon, donne-moi mes affaires. »

L'homme a apporté un sac, qui contient quelques vêtements ainsi qu'un ordinateur portable flambant neuf et une pochette à fermeture Éclair. Roxy pose celle-ci en équilibre sur le rebord du coffre et l'ouvre.

«Doucement, prévient Einar. On a fait ça en catastrophe, l'encre risque de baver, si on fait pas gaffe.

— Compris, Evie ? À manipuler avec des pincettes tant que l'encre n'est pas sèche», lance Roxy en lui tendant quelques articles qu'elle sort de la pochette.

Ce sont des passeports – américains –, des permis de conduire, des cartes de sécurité sociale, qui tous ont l'air aussi réglo que s'ils émanaient d'une administration, et qui tous comportent une photo d'Allie, mais jamais tout à fait la même : la coiffure change et, sur deux d'entre elles, elle porte des lunettes. Chaque jeu de documents est établi à un nom différent, mais sur tous, c'est bien elle.

«On t'a fait sept jeux, explique Roxy. Six, plus un au cas où – un passeport britannique. Si jamais ça te branche un jour d'aller faire un tour là-bas. Tu as pu ouvrir les comptes bancaires, Einar ?

— Tout est réglé, répond celui-ci en sortant un petit portefeuille zippé de sa poche. Mais aucun dépôt de plus de cent mille par jour sans nous en parler d'abord, compris ?

— Cent mille dollars, ou livres ? » demande Roxy.

Einar cille légèrement. « Dollars. Et uniquement pendant les six premières semaines, s'empresse-t-il d'ajouter. Passé ce délai, ils arrêtent de surveiller les comptes.

— Parfait, conclut Roxy. Pas de coup de pied dans les tibias. Pour cette fois. »

Roxy et Darrell avaient traîné un petit moment dans le jardin, poussant des cailloux du bout du pied, arrachant l'écorce des arbres. Ni l'un ni l'autre n'avait jamais beaucoup apprécié Terry, mais c'était bizarre, maintenant qu'il n'était plus là.

« Ça t'a fait quoi, comme sensation ? avait demandé Darrell.

— Je ne sais pas, je n'étais pas en bas lorsqu'ils l'ont eu.

— Non, je voulais dire, quand t'as réglé son compte à Primrose, t'as ressenti quoi ? »

Et elle avait senti à nouveau ce scintillement dans sa paume, elle s'était souvenue de comment le visage de Primrose était devenu très chaud, puis tout froid. Elle avait reniflé. Et contemplé sa main, comme si celle-ci pouvait lui souffler la réponse.

« C'était bon, avait-elle répondu. Il a tué ma maman.

— J'aimerais bien pouvoir le faire, moi aussi », avait dit Darrell.

Roxanne Monke et Mère Ève parlent beaucoup, durant les jours qui suivent. Elles se découvrent des

174

points communs : la mère absente, et cette place équi-voque dans la famille, un pied dedans, un pied dehors.

« J'aime bien que vous disiez toutes "sœurs", ici. Je n'ai jamais eu de sœur.

— Moi non plus, répond Allie.

— J'en ai toujours voulu une », ajoute Roxy, et elles laissent tomber le sujet – pour l'instant.

Quelques filles du couvent souhaitent faire des combats amicaux contre Roxy pour perfectionner leur technique. Roxy est partante. Le petit groupe investit, à l'arrière du bâtiment, la grande pelouse qui descend vers l'océan. Roxy affronte deux ou trois adversaires à la fois, elle esquive leurs coups mais ne les rate pas en retour, si bien que les filles, déboussolées, finissent par diriger leurs décharges les unes contre les autres. Elles se présentent au dîner meurtries dans leurs chairs mais hilares, quelques-unes arborent même avec fierté une petite cicatrice en forme de toile d'araignée sur le poignet ou la cheville. Au couvent, il y a des filles qui ont à peine onze ou douze ans, et celles-là suivent Roxy comme son ombre, ou comme une popstar. Elle a beau leur dire d'aller voir ailleurs si elle y est, cette popularité ne lui déplaît pas. Elle leur enseigne une attaque qu'elle a elle-même mise au point : asperger le visage de l'adversaire avec une bouteille d'eau et planter en même temps un doigt dans la gerbe, qui se charge ainsi d'électricité. Les filles s'entraînent les unes sur les autres en gloussant et inondent la pelouse.

Un jour en fin d'après-midi, tandis que le soleil couchant flamboie derrière elles, Roxy et Allie observent depuis le porche les filles qui font les imbéciles.

«Ça me rappelle moi à dix ans, dit Allie.

— Ah ouais? Tu viens d'une famille nombreuse?»

S'ensuit un silence qui s'éternise un peu. Roxy se demande si elle a posé une question qu'elle n'aurait pas dû poser, mais merde. Elle peut attendre.

Allie finit par répondre: «D'un foyer.

— Ah, je vois. J'ai connu des gamins qui venaient de là eux aussi. C'est rude à ce qu'il paraît. On a du mal à retomber sur ses pieds, ensuite. Mais bon, tu te débrouilles super bien, maintenant.

— Je veille sur moi. J'ai appris à me protéger.

— Ouais. Je vois ça.»

La voix dans la tête d'Allie est demeurée silencieuse, ces derniers jours. Plus qu'au cours de ces dernières années. Est-ce lié au lieu, à ces journées d'été, à la présence de Roxy, qui pourrait anéantir n'importe qui? Ce qui est sûr, c'est que quelque chose lui a coupé le sifflet.

«J'ai beaucoup été trimbalée à droite, à gauche, quand j'étais petite, reprend Allie. Je n'ai jamais connu mon père et je n'ai qu'un très vague souvenir de ma mère.» Un chapeau, voilà tout ce dont Allie se souvient. Un chapeau du dimanche comme ceux qu'on coiffe pour aller à l'église, rose pâle, audacieusement décentré et, en dessous, un visage souriant qui lui tire la langue. Cela ressemble à un souvenir heureux entre deux longues plages de tristesse, ou de maladie, ou des deux. Allie ne se rappelle même pas être allée à l'église, et pourtant, dans son souvenir, il y a ce chapeau.

«Je pense avoir connu douze maisons avant celle-ci, reprend-elle. Peut-être treize.» Elle passe une main sur son visage, plante les doigts sur son front. «Une fois, on m'a placée chez une dame qui collectionnait les poupées en porcelaine. Il y en avait des centaines partout, qui me regardaient depuis les murs de la chambre dans laquelle je dormais. Cette dame m'habillait avec de beaux vêtements, je me souviens de ça. Des petites robes pastel, avec des rubans passés dans les ourlets. Mais elle est partie en prison pour vol – c'est comme ça qu'elle payait toutes ces poupées – et moi, on m'a envoyée ailleurs.»

Sur la pelouse, une des filles asperge une camarade et, d'une très légère décharge, fait jaillir des étincelles dans la gerbe d'eau. L'autre fille glousse. Ça chatouille.

«Quand on a vraiment besoin de quelque chose, on trouve toujours un moyen de l'obtenir. C'est mon père qui m'a dit ça un jour, se souvient Roxy, et elle éclate de rire. Il parlait des junkies, pas vrai? Mais pas seulement.»

Roxy regarde les filles, sur la pelouse, et cette maison qui est devenue pour elles un foyer, et plus encore.

Allie sourit. «Si tu réussis à l'obtenir, ensuite, tu dois le protéger.

— Ouais mais bon, je suis là, maintenant.

— Nous n'avions jamais rencontré de fille qui ait autant de pouvoir que toi, tu sais.»

Roxy contemple ses mains comme si elle aussi était un peu impressionnée, et même un peu effrayée.

«J'sais pas, dit-elle. Il y en a probablement d'autres comme moi.»

177

Et là, soudain, Allie a une intuition. C'est comme une machine à la fête foraine qui vous prédit la bonne aventure. Glissez deux *quarters* dans la fente, tirez sur le levier, *cric*, remontez-le, *pof* : la machine vous délivre son augure imprimé sur un petit rectangle en carton épais et ourlé de rose. L'intuition d'Allie est exactement comme ça : soudaine et évidente, comme si un mécanisme s'activait derrière ses yeux. *Cric, pof.*

La voix dit : Voilà. Maintenant, tu sais. Alors sers-t'en.

« Tu as tué quelqu'un ? » demande Allie, à voix assez basse.

Roxy enfonce les mains dans ses poches et la dévisage en plissant le front. « Qui te l'a dit ? »

Et parce qu'elle n'a pas répondu « Qui t'a dit *ça* ? », Allie sait qu'elle a vu juste.

La voix dit : Tais-toi.

Allie dit : « Parfois, je sais des choses, c'est tout. Comme s'il y avait une voix dans ma tête.

— Nom de Dieu, tu me files vraiment la chair de poule. Qui va gagner le Grand National, alors ?

— Moi aussi, j'ai tué quelqu'un, reprend Allie. Ça remonte, maintenant. J'étais quelqu'un d'autre.

— Cette personne le méritait probablement, si tu l'as fait.

— Il le méritait. »

L'une comme l'autre s'accordent un temps de réflexion.

Roxy reprend, d'un ton guilleret, comme si elle passait du coq à l'âne : « Un jour, quand j'avais sept ans, un type a fourré sa main dans ma culotte. Un professeur de piano. Ma mère trouvait que ce serait chouette pour moi d'apprendre le piano. J'étais sur le tabouret, en train de faire des *mi*, *sol*, *si*, *ré*, *fa* quand soudain, *vlan* – cette main dans ma culotte. "Ne dis rien et continue à jouer", me dit le type. Le lendemain, quand mon père est venu me chercher pour m'emmener au parc, je lui ai raconté ce qui s'était passé et il a pété un câble. Il a engueulé ma mère – comment avait-elle pu laisser un truc pareil arriver ? Elle a répondu qu'elle n'était pas au courant, évidemment. Mon père a rameuté quelques gars et ils sont allés rendre une petite visite au prof de piano.

— Et alors, que s'est-il passé ? »

Roxy éclate de rire. « Ils l'ont roué de coups. Et pas que. En se couchant le type avait une couille en moins qu'au réveil.

— Non !

— Ben si. Mon père lui a promis que, si jamais il revoyait un seul élève chez lui, il reviendrait lui couper le reste. Il lui a aussi conseillé de ne pas partir recommencer ses trucs pervers dans une autre ville parce que Bernie Monke est *partout*, raconte-t-elle en gloussant. Un jour, je l'ai recroisé dans la rue, et il a détalé. Il m'a vue et *hop* il a fait demi-tour et il s'est mis à courir. Bien inspiré, le mec.

— C'est une chouette histoire. Qui fait plaisir à entendre, soupire discrètement Allie.

— Je sais que tu ne leur fais pas confiance. C'est pas grave. Tu peux t'en passer, ma belle. » Roxy pose une main sur celle d'Allie, et elles restent assises ainsi un long moment.

« Le père d'une des filles est dans la police, reprend finalement Allie. Il lui a téléphoné, il y a deux jours, pour lui dire de ne pas se trouver au couvent vendredi. »

Roxy se met à rire. «Les pères, tous les mêmes. Prêts à tout pour la sécurité de leurs filles. Incapables de garder un secret.

— Tu nous aideras? demande Allie.

— À quoi faut-il s'attendre d'après toi? Un commando des forces spéciales?

— Non, je n'irais pas jusque-là. Il ne s'agit que de quelques poignées de filles retranchées dans un couvent qui pratiquent paisiblement leur religion comme n'importe quelles citoyennes respectueuses de la loi.

— Je ne peux pas tuer quelqu'un d'autre, prévient Roxy.

— Je ne pense pas que ce sera nécessaire, la rassure Allie. J'ai une idée.»

Après avoir réglé son compte à Primrose, ils avaient anéanti ce qu'il restait de son gang. Facile: la mort du chef avait sonné la débandade. Quinze jours après les obsèques de Terry, Bernie avait appelé Roxy sur son portable, à cinq heures du matin, pour lui donner rendez-vous dans un garde-meuble de Dagenham. Il avait sorti un gros trousseau de clés de sa poche, ouvert le box et il lui avait montré les deux corps étendus là, raides morts, prêts à partir dans une cuve d'acide – marquant ainsi le point final de l'histoire.

Roxy avait scruté attentivement leurs visages.

«C'est eux? avait demandé Bernie.

— Ouais, avait-elle répondu en l'enlaçant. Merci, papa.

— Qu'est-ce que je ferais pas pour ma petite fille?»

La grande perche et le nabot – les deux assassins de sa mère. L'un d'eux portait encore sur le bras la marque aux ramifications violettes que Roxy lui avait faite.

«On est bons alors, mon poussin ?

— On est bons, papa.»

Il avait déposé un baiser sur son crâne.

Pendant que deux nettoyeurs faisaient le nécessaire dans le box, père et fille étaient allés flâner et bavarder au cimetière d'Eastbrookend.

«Tu savais que la nuit où tu es née, c'est celle où on a eu Jack Conaghan ?» lui avait demandé Bernie.

Oui, Roxy le savait. Mais elle voulait bien entendre l'histoire une nouvelle fois.

«On l'avait sur le dos depuis des années. Avec ses petits Irlandais, il avait fumé le père de Micky – tu ne l'as pas connu – mais on a fini par l'avoir. Un matin où il pêchait dans le canal ; on est restés en planque une bonne partie de la nuit et quand il s'est pointé, de très bonne heure, on lui a réglé son compte et on l'a balancé à la flotte. Fin de l'histoire. Et une fois rentré à la maison, au sec, j'ai regardé mon téléphone – et il y avait quinze messages de ta maman. Quinze ! Le travail avait commencé.»

Cette histoire lui avait toujours semblé insaisissable, glissante, comme si elle se débattait pour lui échapper. La nuit où elle était née, personne ne l'attendait : son père attendait Jack Conaghan, sa mère attendait son père, et Jack Conaghan, même s'il l'ignorait, attendait la mort. C'est une histoire vieille comme le monde : pile le soir où on se dit qu'il ne se passera rien, c'est là que tout se passe.

«Je t'ai soulevée dans mes bras – une fille ! Après trois garçons, je n'aurais jamais cru avoir une fille. Tu m'as

regardé droit dans les yeux, tu as fait pipi et tu as trempé
mon pantalon. C'est à ça que j'ai su que tu aurais de la
chance dans la vie. »

Et c'est vrai qu'elle a de la chance. À deux ou trois
bricoles près, elle en a toujours eu.

Combien faut-il de miracles ? Pas tant que ça. Un, deux, éventuellement trois. Quatre, c'est largement plus que nécessaire.

Dans le jardin, à l'arrière du couvent, il y a douze policiers armés qui progressent vers le bâtiment. Il a plu. La terre est déjà gorgée d'eau, saturée même, et des robinets sont ouverts de part et d'autre du jardin. Les filles, au moyen d'une pompe, ont acheminé de l'eau de mer jusqu'en haut du grand escalier et c'est une véritable cascade qui dévale maintenant les marches de pierre. Les policiers n'ont pas pensé à chausser des bottes en caoutchouc, ils ignoraient que le terrain serait à ce point boueux. Les seules informations dont ils disposent, ils les tiennent d'une religieuse du couvent : des filles sont retranchées dans les lieux ; elles sont menaçantes, violentes. Douze hommes entraînés et vêtus de gilets pare-balles devraient suffire à les déloger.

« Police ! crient-ils. Sortez du bâtiment avec les mains en l'air. »

Allie regarde Roxy. Celle-ci lui répond avec un grand sourire.

Elles surveillent la progression des policiers depuis la fenêtre du réfectoire, dissimulées derrière les rideaux. Elles attendent qu'ils parviennent aux marches menant vers la terrasse. Elles attendent, attendent…

Quand ils sont tous rassemblés au bas de l'escalier, Roxy retire les bouchons de la demi-douzaine de foudres d'eau de mer stockés derrière elle. La moquette est détrempée en un rien de temps et l'eau ruisselle sous les portes en direction des marches. Roxy, Allie, les policiers – tout le monde patauge, maintenant.

Allie plonge une main dans l'eau, autour de ses chevilles, et se concentre.

À l'extérieur, sur la terrasse et les marches, tous les policiers ont la peau en contact avec l'eau, d'une manière ou d'une autre. L'opération exige d'Allie plus de contrôle qu'elle n'a réussi à en manifester à ce jour : les policiers ont tous le doigt sur la détente et n'attendent que de la presser. Méthodiquement, Allie envoie son message dans l'eau, aussi vif qu'une pensée. Et, l'un après l'autre, les policiers se mettent à gesticuler et à danser comme des marionnettes désarticulées, les coudes volent loin des côtes, les mains se relâchent, deviennent gourdes. L'un après l'autre, ils lâchent leur arme.

« Excellent ! exulte Roxy.

— Maintenant », dit Allie, et elle grimpe sur une chaise.

Roxy envoie un éclair dans l'eau et tous les policiers commencent à vaciller, avant de s'affaisser à terre. C'est propre, sans bavure.

Il ne pouvait y avoir qu'une seule femme à la manœuvre ; une dizaine n'auraient jamais pu agir groupées aussi vite sans se blesser les unes les autres. Un soldat devait venir.

Roxy sourit.

À l'étage, Gordy filme la scène avec son téléphone. Ce sera en ligne dans une heure. Rien ne sert de multiplier les miracles pour qu'on commence à croire en vous, à vous envoyer de l'argent, et des conseils juridiques pour vous implanter comme il convient. Tout le monde est à la recherche d'une réponse, aujourd'hui plus que jamais.

Mère Ève enregistre un message qui accompagnera la séquence : «Je ne viens pas vous demander de renoncer à votre foi, dit-elle. Je ne suis pas ici pour convertir. Que vous soyez chrétiennes, juives, musulmanes, sikhs, hindouistes, bouddhistes, que vous soyez croyantes ou non, Dieu ne veut pas que vous changiez votre pratique.»

Elle marque une pause. Elle sait que ce qui va suivre risque de les surprendre.

«Dieu nous aime toutes, reprend-elle, et Elle veut que nous sachions qu'Elle a simplement changé Son habit. Elle est au-delà de la distinction entre femmes et hommes, au-delà de ce que l'esprit humain peut appréhender. Mais Elle attire votre attention sur ceci, que vous avez oublié : juives, tournez vos regards vers Myriam, non vers Moïse, pour ce qu'elle a à vous apprendre. Musulmanes : regardez Fatima, et non Mahomet. Bouddhistes : souvenez-vous de Tara, mère de la libération. Chrétiennes : priez Marie pour votre salut.

«On vous a enseigné que vous étiez souillées, que vous n'étiez pas saintes, que votre corps était impur et ne pourrait jamais abriter le divin. On vous a enseigné à mépriser tout ce que vous êtes et à n'aspirer qu'à être un homme. Or on vous a enseigné des mensonges. Dieu est en vous, Dieu est revenue sur Terre pour vous l'enseigner, sous la forme de ce nouveau pouvoir. Ne venez pas à moi pour chercher des réponses, car c'est en vous-mêmes que vous devez les trouver. »

Quoi de plus séduisant qu'une exhortation à rester à distance pour rameuter les foules ? Quoi de plus efficace que de clamer qu'elles ne sont pas les bienvenues ?

Dès le soir même, les e-mails affluent : Où puis-je me rendre pour rallier vos adeptes ? Que puis-je faire ici, dans ma ville ? Comment dois-je m'y prendre pour fonder un cercle de prières pour ce nouveau culte ? Enseignez-nous comment prier.

Il y a également des appels à l'aide : Ma fille est malade, priez pour elle. Le nouveau mari de ma mère l'a menottée au lit, s'il vous plaît, envoyez quelqu'un pour la délivrer. Allie et Roxy lisent les e-mails ensemble.

« On doit essayer de leur apporter notre aide, dit Allie.

— Tu ne peux pas les aider toutes, observe Roxy.

— Si. Avec l'aide de Dieu je le peux.

— D'accord, mais peut-être que tu peux les aider sans te déplacer à chaque fois. »

La vidéo de l'exploit d'Allie et Roxy en ligne, les forces de l'ordre se sentent humiliées et enragées. Elles ont quelque chose à prouver. Dans certains États, certains pays, la police recrute déjà activement des femmes dans ses rangs, mais ce n'est pas encore le cas ici. La police reste essentiellement une affaire d'hommes. Et ces hommes sont en colère, ces hommes ont peur ; les dérapages sont inévitables.

Vingt-trois jours après la tentative d'assaut contre le couvent, une fille se présente avec un message pour Mère Ève, et pour elle seule. Elles doivent l'aider, supplie-t-elle. La fille est à bout de forces tant elle pleure et tremble de peur.

Roxy lui prépare une tasse de thé, Allie lui déniche quelques biscuits, et la fille – elle s'appelle Mez – leur raconte ce qui s'est passé.

Ils étaient sept policiers armés à patrouiller dans leur quartier. Mez et sa maman rentraient à pied de l'épicerie, en bavardant. Mez a douze ans, et le pouvoir lui est venu il y a seulement quelques mois ; sa maman l'avait depuis plus longtemps, depuis que sa petite cousine l'avait réveillé chez elle. Donc, elles rentraient chez elles avec leurs courses, en papotant, en riant, quand sept flics leur sont tombés dessus : « Qu'y a-t-il dans ces sacs ? ont-ils demandé. Où allez-vous ? On nous a rapporté que deux femmes faisaient du grabuge dans le voisinage. Qu'avez-vous dans ces maudits sacs ? »

La mère de Mez n'a pas pris ces questions très au sérieux. « Qu'y a-t-il dans ces sacs ? a-t-elle répondu en riant. Des courses, de l'épicerie. »

Un des flics a observé qu'elle était bien détendue, pour une femme qui se promenait dans une zone dangereuse ; qu'est-ce qu'elle manigançait ?

« Fichez-nous la paix », s'est impatientée la mère de Mez, et les policiers ont commencé à la bousculer. Alors elle en a frappé deux, pas fort, juste une légère décharge. À titre d'avertissement.

Mais pour les flics, c'était la provocation de trop. Ils ont sorti leurs matraques et leurs pistolets et ils se sont

186

mis à cogner. Mez hurlait, sa mère hurlait, il y avait du sang partout sur le trottoir.

«Ils la maintenaient au sol et ils se sont acharnés sur sa tête, ils l'ont massacrée, raconte Mez. À sept contre une.»

Allie écoute ce récit sans dire un mot. Et lorsque Mez en a terminé, elle demande : «Est-elle encore en vie ?»

Mez fait signe que oui.

«Sais-tu où ils l'ont emmenée ? Dans quel hôpital ?

— Ils ne l'ont pas emmenée à l'hôpital, mais au poste.»

Allie dit à Roxy : «On y va.»

Et Roxy répond : «En ce cas, on y va toutes.»

C'est un cortège de soixante femmes qui se dirige droit sur le poste de police où est retenue la mère de Mez. Elles marchent en silence mais d'un pas martial, et elles filment tout – c'est la consigne qui a circulé de bouche à oreille dans le couvent. Filmez, mettez les vidéos en ligne ou diffusez-les en streaming si vous le pouvez. Le temps qu'elles arrivent au poste, elles sont attendues de pied ferme. Des policiers armés de fusils ont pris position à l'extérieur.

Allie s'avance vers eux, mains levées. «Nous sommes venues en paix, dit-elle. Nous voulons voir Rachel Latif. Nous voulons nous assurer qu'elle reçoit les soins médicaux dont elle a besoin. Nous voulons qu'elle soit transférée dans un hôpital.

— Mme Latif est détenue en toute légalité, l'informe l'officier supérieur. Au nom de quelle autorité réclamez-vous sa libération ?»

Allie tourne la tête à droite, à gauche, contemple la phalange de femmes qui l'accompagne, et dont les rangs ne cessent de grossir à chaque minute qui passe. Elles sont à présent quelque deux cent cinquante, devant le poste de police. La nouvelle s'est répandue comme une traînée de poudre ; il y a eu des échanges de SMS ; certaines femmes ont eu vent de ce qui se passait sur Internet, et toutes ont accouru.

«Le seul pouvoir qui compte, dit Allie, ce sont les lois communes de l'humanité et de Dieu. Une femme gravement blessée est détenue dans vos geôles, or elle a besoin de voir un médecin.»

Roxy sent l'électricité qui crépite dans l'air. Toutes ces femmes sont à cran, elles ont la rage. Roxy se demande si les hommes la perçoivent, eux aussi. Les policiers sont nerveux. Et armés de fusils. La situation pourrait déraper très facilement.

L'officier secoue la tête : «Nous ne pouvons pas vous laisser entrer. Et votre présence ici constitue une menace à l'égard de mes hommes.

— Nous sommes venues en paix, répète Allie. Nous sommes pacifiques. Nous voulons voir Rachel Latif, nous voulons qu'elle soit prise en charge par un médecin.»

Un puissant brouhaha monte de la foule, puis le silence retombe. Toutes attendent.

«Si je vous laisse la voir, direz-vous à ces femmes de rentrer chez elles ? demande l'officier.

— Laissez-moi la voir d'abord», répond Allie.

Rachel Latif, quand Roxy et Allie sont conduites dans sa cellule, est à peine consciente. Ses cheveux sont poissés de sang. Allongée sur le lit de camp, elle bouge à peine et son souffle n'est plus qu'un râle lent et douloureux.

« Merde ! s'exclame Roxy.

— Officier, cette femme doit être transportée d'urgence à l'hôpital », dit Allie.

Les policiers observent attentivement leur chef. Dehors, un flot ininterrompu de nouvelles venues vient grossir la foule. Chacune de ces femmes parle avec sa voisine, toutes sont à l'affût d'un signal secret pour passer à l'action, et le bruissement qui monte de leurs rangs évoque les pépiements d'une nuée d'oiseaux. Ils ne sont que vingt, dans ce poste de police. D'ici une demi-heure, elles seront plusieurs centaines massées à l'extérieur.

Rachel Latif a le crâne ouvert ; on voit l'os, brisé, et des bulles de sang qui s'échappent de la matière cervicale.

La voix dit : Ils ont fait ça sans avoir été provoqués. *Vous*, en revanche, vous avez été provoquées. Vous pourriez prendre le contrôle de ce commissariat, vous pourriez tuer chacun des hommes ici présents, si vous le vouliez.

Roxy prend la main d'Allie et la serre, fort.

« Monsieur l'agent, dit-elle, vous n'avez pas envie que cette histoire aille plus loin. Vous n'avez pas envie qu'elle soit publiée dans les journaux… Alors, laissez cette femme partir à l'hôpital. »

Le policier lâche un long soupir.

Une clameur monte de la foule quand Allie ressort du poste, et cette clameur croît plus encore quand les femmes entendent la sirène de l'ambulance se frayer tant bien que mal un passage jusqu'au commissariat.

Deux femmes hissent Mère Ève sur leurs épaules. Elle lève une main. Et les murmures se taisent.

Mère Ève s'exprime par la bouche d'Allie et dit : « J'emmène Rachel Latif à l'hôpital. Je m'assurerai qu'elle y soit correctement soignée. »

La clameur reprend, s'envole comme un tourbillon de brins d'herbe, avant de s'évanouir. Mère Ève écarte les doigts à la façon de la main de Fatima. « Vous avez fait du bon travail. Vous pouvez rentrer chez vous. »

Les femmes hochent la tête. Les filles du couvent font demi-tour et se mettent en route, en bloc. D'autres commencent à leur emboîter le pas.

Une demi-heure plus tard, pendant qu'à l'hôpital on examine Rachel Latif, la rue, devant le poste de police, s'est entièrement vidée.

Au final, plus rien ne les retient au couvent. C'est un endroit sympa, avec une belle vue sur l'océan et dans lequel on se sent comme à la maison, mais neuf mois après l'arrivée de Roxy, l'organisation d'Allie aurait pu acheter une centaine de bâtiments identiques, et de toute façon elles ont besoin d'un lieu plus vaste. Six cents femmes sont désormais affiliées au couvent dans cette seule petite ville, et des succursales voient le jour un peu partout dans le pays et dans le monde. Plus les autorités la disent illégitime, plus l'ancienne Église la dit envoyée par le diable, plus les fidèles sont nombreuses à rallier Mère Ève. Si Allie avait le moindre doute, avant tout cela, d'être l'envoyée de Dieu, avec pour mission de délivrer un message à Son peuple, il n'en est plus rien aujourd'hui. Elle est ici pour veiller sur les femmes. Dieu lui a assigné ce rôle, et ce n'est pas à elle, Allie, de se défiler.

Quand revient le printemps, il est de nouveau question de déménagement.

« Où que tu atterrisses, tu me garderas une chambre, n'est-ce pas ? demande Roxy.

— Ne t'en va pas, répond Allie. Pourquoi partir ? Pourquoi retourner en Angleterre ? Qu'y a-t-il pour toi, là-bas ?

— Mon père pense que je ne risque plus rien. Plus personne n'en a rien à fiche qu'on s'entre-tue, du moment qu'on n'embringue pas d'honnêtes citoyens dans nos histoires, répond-elle avec un grand sourire.

— Non sérieusement, pourquoi rentrer ? insiste Allie avec une moue de contrariété. C'est ici, ta maison. Reste. S'il te plaît. Reste avec nous. »

Roxy lui serre la main, fort. « Ma famille me manque. Mon père, mes frères. La Marmite, aussi. Je ne m'en vais pas pour toujours. On se reverra. »

Allie inspire par le nez. Il y a un murmure, dans les profondeurs de son esprit, qui s'est tu depuis des mois, maintenant.

Elle secoue la tête. « Oui, mais tu ne peux pas leur faire confiance. »

Roxy éclate de rire. « À qui ça ? Aux hommes ? Tous ? Je dois me méfier de tous les hommes ?

— Sois prudente. Trouve des femmes de confiance pour travailler avec toi.

— Ouais, ouais, on a déjà parlé de tout ça, ma belle.

— Tu dois reprendre les rênes, insiste Allie. Tu peux le faire. Tu en es capable. Ne les laisse pas à Ricky, ni à Darrell. Ces affaires t'appartiennent.

— Tu as raison. Mais je ne peux pas reprendre les rênes si je reste ici à me tourner les pouces, pas vrai ? J'ai pris mon billet. Je pars samedi prochain. Mais avant, je voulais te parler d'un truc. J'ai des projets. Est-ce qu'on peut en discuter ? Sans que tu me rabâches que je devrais rester ?

— On peut, oui. »

Allie dit dans son cœur : Je ne veux pas qu'elle parte. Pouvons-nous l'en empêcher ?

La voix dit à Allie : N'oublie pas, mon poussin. La seule façon pour toi d'être en sécurité, c'est d'être maîtresse des lieux.

Puis-je être maîtresse du monde tout entier ? s'enquiert Allie.

La voix dit, très doucement, comme elle le faisait il y a des années de cela : Oh, ma chérie. Oh, ma petite fille, il te reste encore du chemin à parcourir.

« Le truc, c'est qu'il m'est venu une idée, dit Roxy.

— À moi aussi », répond Allie.

Et elles se regardent, échangeant un sourire.

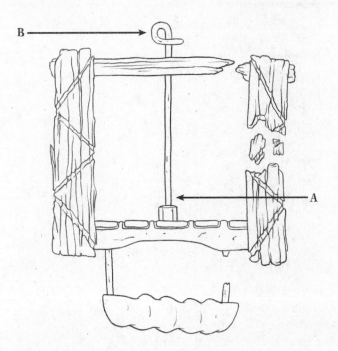

*Dispositif, vieux d'environ mille cinq cents ans, conçu pour s'entraîner à l'utilisation du courant électrostatique.
La poignée en fer, à la base, est reliée à l'intérieur du cadre en bois à une cheville métallique (A). On suppose qu'une feuille de papier, ou une feuille morte, devait être fixée sur sa pointe (B), et que l'objectif, pour la personne chargée de le manipuler, consistait à l'enflammer. L'exercice exigeait un bon niveau de contrôle, qui participait à l'entraînement du fuseau. La taille du dispositif suggère qu'il était destiné à des filles âgées de treize à quinze ans.
Découvert en Thaïlande.*

Documents d'archives relatifs
au courant électrostatique, à son
origine, à son mode de dispersion
et à un éventuel antidote.

1. Description du court-métrage de propagande
datant de la Seconde Guerre mondiale, *Protection contre
le gaz*. La copie originale a disparu.

Le film dure deux minutes et cinquante-deux
secondes. Il s'ouvre au son d'un orchestre de
cuivres, bientôt rejoints par des percussions, qui
entonnent une mélodie enjouée, puis apparaît un
carton avec le titre, «*Protection contre le gaz*», en
caractères calligraphiés qui vacillent légèrement
lorsque l'objectif fait la mise au point dessus. Suit
un plan de coupe montrant un groupe d'hommes
en blouses blanches, debout autour d'une grande
cuve remplie de liquide. Ils sourient et saluent la
caméra d'un geste.

«Dans les laboratoires du ministère de la
Guerre, énonce une voix masculine à l'accent
britannique, loin du regard du public, nos chercheurs travaillent nuit et jour sur leur dernière
idée de génie.»

Les hommes plongent une louche dans la cuve et,
au moyen d'une pipette, prélèvent quelques gouttes
de liquide qu'ils versent sur des bandelettes-tests.
Ils sourient. Ils ajoutent une goutte de ce liquide
dans le réservoir d'eau d'un rat blanc en cage, dont

le dos est marqué au tampon d'un X noir épais. L'orchestre de cuivres accélère son tempo tandis que le rat s'abreuve.

«Conserver une longueur d'avance sur l'ennemi est le seul moyen d'assurer la sécurité de la population. Ce rat s'est vu administrer une dose du nouveau fortifiant nerveux développé par nos chercheurs pour combattre les effets des attaques au gaz.»

Plan de coupe sur un autre rat, dans une autre cage. Lui n'a pas de X imprimé sur le dos.

«Ce rat-ci n'en a pas eu.»

On ouvre une boîte de gaz blanc dans la petite salle qui abrite les deux cages et les chercheurs, munis de masques à gaz, se retirent derrière une paroi vitrée. Le rat auquel on n'a pas administré de traitement succombe rapidement : il se débat, agite ses pattes avant en l'air, puis est pris de convulsions. Nous ne suivons pas son agonie jusqu'au bout. Le rat marqué d'un X continue à suçoter son goutte-à-goutte, à grignoter ses granules, et il fait même quelques tours de roue tandis qu'un panache de fumée passe devant l'objectif des caméras.

«Comme on peut le voir, le traitement fonctionne», commente la voix off à l'accent sec et cassant.

Un des chercheurs retire son masque et pénètre d'un pas décidé dans la pièce enfumée. Il salue la caméra et inspire à pleins poumons.

«Et il est sans danger pour les humains.»

L'image suivante montre un système hydraulique : un tuyau sort d'un petit camion-citerne et s'enfonce dans une valve d'écoulement, au sol.

« Ils l'ont baptisé Ange Gardien. Le remède miracle qui a protégé les forces alliées des attaques au gaz perpétrées par l'ennemi est désormais à disposition des populations civiles. »

Deux hommes d'un certain âge au crâne dégarni, dont l'un arbore un costume sombre et une épaisse moustache aux poils courts et drus, échangent une poignée de main tandis qu'une jauge permet de suivre le lent transvasement du contenu du camion-citerne.

« Une infime quantité de cet antidote dans les réserves d'eau potable de la ville suffit à protéger l'ensemble de la population. Le volume de cette seule citerne est en mesure de traiter cinq cent mille personnes. Coventry, Hull et Cardiff seront les premières villes à bénéficier de ce traitement. Et en continuant à travailler à ce rythme, nos chercheurs auront mis le pays tout entier à l'abri d'ici trois mois. »

Dans une rue, dans une ville du nord du pays, une mère sort son bébé du landau, le juche sur une serviette sur son épaule et lève un regard soucieux vers le ciel dégagé.

« Ainsi, maman peut être rassurée. Bébé n'a plus rien à redouter des attaques de gaz neurotoxiques. Soyez tranquilles, maman et bébé. »

La musique va crescendo. Puis l'écran devient noir. La bobine se termine.

2. Dossier de presse du documentaire *Aux origines du pouvoir*, produit par la BBC.

L'histoire de l'Ange Gardien tomba dans l'oubli à l'issue de la Seconde Guerre mondiale – comme tant d'autres idées qui avaient fait leurs preuves, il n'y avait aucune raison de la réexaminer. À l'époque, l'Ange Gardien rencontra un succès phénoménal et signa une victoire de la propagande. Les tests menés sur les populations civiles en Grande-Bretagne avaient prouvé que la substance s'accumulait dans l'organisme ; la consommation d'eau coupée à l'Ange Gardien ne serait-ce que pendant une semaine procurerait une protection illimitée dans le temps contre les gaz neurotoxiques.

L'Ange Gardien était fabriqué dans d'immenses cuves, dans le centre des États-Unis et dans les comtés du Royaume-Uni qui l'avait vu naître, avant d'être acheminé par tankers vers les nations alliées : jusqu'à Hawaï et au Mexique, en Norvège, en Afrique du Sud et en Éthiopie. Les U-Boote ennemis attaquèrent ces vaisseaux, comme ils le faisaient pour toute cargaison à destination ou en provenance des territoires alliés. Comme il fallait s'y attendre, par une nuit sans lune de septembre 1944, les sous-marins allemands coulèrent un tanker, qui sombra corps et biens à seize milles des côtes portugaises alors qu'il faisait route vers le cap de Bonne-Espérance.

Des recherches ultérieures démontrèrent qu'au cours des mois qui suivirent ce naufrage, dans les villes côtières d'Aveiro, d'Espinho et de Porto, la marée rejeta sur le rivage des poissons anormalement gros. Des bancs entiers vinrent s'échouer apparemment d'eux-mêmes sur les plages et firent le bonheur des populations locales. Une analyse réalisée en 1947 par un fonctionnaire portugais consciencieux révéla que l'Ange Gardien était détectable dans les nappes phréatiques jusqu'à Estrela, une ville reculée dans les terres, près de la frontière espagnole. Il suggéra que l'on procède à des analyses des nappes phréatiques partout en Europe – proposition qui fut rejetée, aucun pays ne disposant des ressources nécessaires pour mener à bien de telles investigations.

Certaines analyses laissent entendre que le naufrage de ce seul chargement d'Ange Gardien constitue le moment charnière. D'autres affirment que dès lors qu'il a pénétré dans le cycle de l'eau, en quelque point et en quelque endroit du monde que ce soit, sa dissémination est inévitable. Parmi les autres sources potentielles de contamination, on cite une fuite, plusieurs années après la fin de la guerre, dans un conteneur corrodé par la rouille à Buenos Aires, et une explosion dans un dépôt de munitions dans le sud de la Chine.

Reste que, les océans de la planète étant reliés les uns aux autres, le cycle de l'eau est infini. Bien qu'il soit tombé dans l'oubli après la fin de la Seconde Guerre mondiale, l'Ange Gardien a continué à se concentrer et à gagner en puissance dans l'organisme humain. Les recherches ont aujourd'hui établi que, lorsqu'un certain niveau de concentration a été atteint, il est responsable du développement du courant électrostatique chez les femmes.

Il se peut qu'une fillette âgée de sept ans ou moins pendant la Seconde Guerre mondiale ait possédé des bourgeons de fuseau à l'extrémité des clavicules – même si ce n'était pas le cas de toutes ; cela sera fonction de la dose d'Ange Gardien qu'elles ont reçue dans leur petite enfance, ainsi que d'autres facteurs génétiques. Ces bourgeons peuvent être « activés » par une explosion contrôlée du courant électrostatique par une femme plus jeune. Et ils sont présents chez de plus en plus de femmes tous les ans. Les femmes âgées de treize ou quatorze ans au moment de la Journée des filles en possèdent presque toutes un entièrement développé. Une fois que le courant y a été activé, le fuseau ne peut plus être retiré sans mettre gravement en danger la vie de la femme.

Une théorie veut que l'Ange Gardien n'ait fait qu'amplifier un ensemble de facteurs génétiques déjà présents dans le génome humain. Il se peut que, par le passé, plus de femmes encore en aient possédé un, mais que cette tendance ait été éradiquée au cours des siècles.

3. Échange de SMS entre le ministre de l'Intérieur et le Premier ministre, classé secret-défense et déclassifié en vertu de la règle des trente ans.

PM : Je viens de lire le rapport. Qu'en pensez-vous ?
MI : Nous ne pouvons pas le rendre public.

PM : Les US sont prêts à le rendre public dans un mois.

MI : Par pitié. Demandez-leur de repousser.

PM : Ils sont en train d'adopter une «politique de transparence radicale». Ils sont fanatiques à ce sujet.

MI : Comme d'habitude.

PM : On ne peut pas empêcher les Américains de se comporter en Américains.

MI : Ils sont à huit mille kilomètres de la mer Noire. Je parlerai au secrétaire d'État. On doit leur expliquer que le sujet relève de l'OTAN. Rendre ce rapport public portera préjudice à la stabilité de régimes fragiles. Des régimes qui pourraient facilement mettre la main sur des armes chimiques et biologiques.

PM : Il finira par fuiter de toute façon. On doit anticiper en quoi ça va nous impacter.

MI : Ça va provoquer une pagaille sans nom.

PM : Parce qu'il n'y a pas d'antidote ?

MI : D'antidote ? Vous vous foutez de ma gueule ? Ce truc ce n'est plus une crise sanitaire. C'est la nouvelle réalité.

4. Ensemble de publicités en ligne, conservées par l'Internet Archive Project.

4a) *Soyez toujours protégé grâce à votre Défenseur Personnel.*
Le Défenseur Personnel est sans danger, fiable et facile à utiliser. Le boîtier de la batterie, fixé à votre ceinture, est relié au taser monté en bracelet à votre poignet.

- Ce dispositif a été approuvé par des forces de police et testé par des organismes indépendants.
- Il est discret ; personne à part vous n'a besoin de savoir que vous êtes en mesure de vous défendre.
- Il est toujours à portée de main ; il vous dispense de fouiller dans votre holster ou dans une poche en cas d'attaque.
- Vous ne trouverez aucun autre produit aussi fiable et efficace sur le marché.
- Il est livré avec un chargeur de téléphone additionnel.

  NB : Le Défenseur Personnel s'est vu ultérieurement retiré de la vente, à la suite d'incidents ayant coûté la vie à leurs utilisateurs. Il a été établi qu'un corps de femme qui recevait un choc électrique puissant, et ce même si la femme s'était évanouie, renvoyait souvent un long arc électrique en direction de son attaquant. Les fabricants du Défenseur Personnel ont dû faire face à un recours collectif en justice des familles de dix-sept victimes.

4b) *Augmentez votre pouvoir avec cette astuce étonnante.*

En ce moment même, partout dans le monde, les femmes apprennent à augmenter la durée et la puissance de leur courant par ce secret bien gardé. Nos ancêtres le connaissaient déjà. Aujourd'hui, des chercheurs de l'université de Cambridge ont redécouvert cette astuce étonnante capable de booster vos performances. Ceux qui vous vendent à prix d'or leurs programmes d'entraînement ne veulent surtout pas que vous découvriez cette technique simple et infaillible ! Cliquez ici pour connaître cette astuce à 5 $ qui vous donnera une longueur d'avance sur tout le monde.

4c) Sous-chaussettes de défense.
Une façon naturelle de se protéger des attaques. Garantie sans produits toxiques, sans billes ni poudre chimiques ; une protection 100 % efficace contre l'électricité ! Il suffit d'enfiler ces chaussettes en caoutchouc sous vos chaussettes. Elles sont invisibles et adhérentes, ce qui empêchera votre assaillante de vous les retirer. Vendues par pack de deux paires. La doublure absorbante emprisonne l'humidité produite par la transpiration.

PLUS QUE SIX ANS

Tunde

Tatiana Moskalev avait dit vrai, les informations qu'elle lui avait fournies étaient fiables. Deux mois durant, Tunde a mené son enquête dans les montagnes au nord de la Moldavie – dans cette zone désormais en guerre avec ses anciens territoires du Sud. Il a consciencieusement interrogé tous les gens qu'il a rencontrés, en leur graissant la patte au besoin. L'agence Reuters avait accepté de le défrayer pour l'occasion. Tunde avait parlé de son tuyau à une rédactrice en chef en qui il avait confiance et elle lui avait débloqué une ligne de budget pour son reportage. S'il réussissait à confirmer ses informations, ce serait un coup retentissant. Dans le cas contraire, il pourrait toujours brosser un portrait de ce pays déchiré par la guerre, et Reuters ne l'aurait pas financé en pure perte.

Mais il a pu les confirmer. Un après-midi, dans un village frontalier, un homme a accepté de le conduire en jeep jusqu'à un endroit, sur les rives du Dniester, d'où l'on dominait la vallée. Là, ils ont vu un camp érigé à la hâte, avec des baraquements disposés autour d'un terrain d'entraînement. L'homme a refusé que Tunde descende de voiture et rien n'a pu le convaincre de se rapprocher du camp. Toutefois, de là où ils se trouvaient, Tunde avait tout de même pu prendre six photos. On y voyait des hommes à la peau brune, portant une barbe et un béret noir, s'entraîner avec une nouvelle arme, vêtus d'une combinaison en caoutchouc, avec un boîtier de batterie dans le dos, ils maniaient des aiguillons électriques pour bétail.

Ce n'était jamais que six clichés, mais cela avait suffi : Tunde avait fait les gros titres dans le monde entier. « AWADI-ATIF ENTRAÎNE UNE ARMÉE SECRÈTE », avait titré Reuters. « LES HOMMES SONT DE RETOUR », ou encore « RENVERSEMENT DE POUVOIR ! », avaient claironné d'autres organes de presse. Des débats angoissés avaient agité les conférences de rédaction et les plateaux de télévision : Quelles seraient les implications de ces nouvelles armes ? Pouvaient-elles fonctionner ? Et même gagner ? Si Tunde n'avait pas réussi à photographier le roi Awadi-Atif en personne, il ne faisait aucun doute qu'il travaillait main dans la main avec les forces de la défense moldave. Et alors que la situation avait commencé à se stabiliser dans de nombreux pays, cette information avait créé une nouvelle vague de déstabilisation. Peut-être les hommes étaient-ils en train de réaliser un retour en force, grâce à leurs armes et leurs armures.

À Delhi, les émeutes ont duré des semaines entières.

Elles ont commencé sous les autoponts, là où les populations les plus pauvres vivent sous des tentes de fortune ou des cabanes improvisées avec des cartons et du Scotch. C'est là aussi que les hommes viennent chercher une femme dont ils pourront abuser au mépris de la loi, puis se débarrasser sans encourir le moindre blâme. Le pouvoir s'y transmet depuis maintenant trois ans de paume en paume et, ici, toutes ces mains de femmes porteuses de mort ont un nom : Kali, l'éternelle. Kali, la divinité qui détruit pour apporter un nouveau souffle. Kali, grisée par le sang des massacres. Kali, qui éteint les étoiles d'un pincement du pouce et de l'index. Terreur est son nom, et la mort est son souffle vital. Sa venue ici-bas était depuis longtemps attendue. Sous les autoponts de la mégalopole, les femmes ont compris qu'elle était arrivée sans qu'il soit besoin de leur faire un dessin.

Le gouvernement a envoyé l'armée. Et les femmes de Delhi ont découvert une nouvelle riposte : une giclée d'eau électrifiée dirigée contre les assaillants. Elles plongeaient les mains dans les bouches d'arrivée d'eau et envoyaient la mort de leurs doigts, comme si la Déesse en personne était descendue sur Terre. Le gouvernement a interrompu l'alimentation en eau des bidonvilles au plus fort de l'été, quand les rues empestent la pourriture et que les chiennes grosses errent en tirant la langue, en quête d'endroits où s'abriter du soleil. Les médias du monde entier ont filmé ces indigents en train de mendier de l'eau, de prier pour une goutte, une seule. Et au troisième jour, les cieux se sont déchirés et ont libéré des pluies diluviennes inhabituelles pour la saison. Des trombes d'eau déchaînées ont récuré les rues, chassé la puanteur et ont formé des flaques un peu partout. Quand les soldats sont revenus, ils pataugeaient dedans, touchaient les rails métalliques mouillés, ou bien des fils pendaient de leurs véhicules et traînaient dans l'eau, et lorsque les femmes sont passées à l'action, ils se sont écroulés en bavant, comme si Kali elle-même les avait foudroyés.

Les temples dédiés à Kali sont remplis de fidèles. Des soldats ont rejoint les rangs des émeutières. Et Tunde est là lui aussi, avec ses caméras et son badge de CNN.

À l'hôtel qui grouille de journalistes étrangers, on le connaît. Il a déjà croisé certains de ces reporters, en d'autres lieux où la justice est passée – encore qu'il ne soit pas de bon ton de le dire. Officiellement, en Occident, il ne s'agit encore que d'une « crise », avec tout ce que ce mot implique : des événements exceptionnels, déplorables, passagers. L'équipe de l'*Allgemeine Zeitung* salue Tunde par son nom et le félicite, avec une pointe d'envie audible, pour son scoop sur les troupes d'Awadi-Atif. Il a rencontré les rédacteurs en chef et les producteurs les plus capés de CNN, et même une équipe du *Daily Times* du Nigéria, qui lui a demandé où il se cachait et comment ils avaient pu le louper. Tunde a maintenant sa propre chaîne YouTube, sur laquelle il diffuse ses séquences inédites tournées aux quatre coins du monde. Chaque vidéo s'ouvre sur son visage – le visage de l'homme qui s'aventure dans les régions les plus dangereuses de la planète pour rapporter des images qu'aucun média ne montrera. Il a fêté ses vingt-six ans en vol. Un des stewards l'a reconnu et lui a apporté du champagne.

À Delhi, il emboîte le pas à une horde de femmes qui saccagent tout sur leur passage dans le marché de Janpath. À une époque pas si lointaine, aucune femme ne pouvait s'y aventurer seule, à moins d'être au bas mot septuagénaire, et encore, cela restait risqué. Des années durant les protestations, les affiches et les slogans criés dans les rues sont allés bon train, mais ces rébellions ont toutes fait long feu. Aujourd'hui, les femmes font ce qu'elles appellent « une démonstration de force », par solidarité avec celles qui ont été massacrées sous les ponts, ou privées d'eau jusqu'à ce que mort s'ensuive.

Tunde interviewe une femme dans la foule. Elle était déjà là pour les grandes manifestations, trois ans plus tôt ; oui, elle avait brandi sa bannière, crié et signé les pétitions. « C'était comme faire partie d'une immense vague, lui raconte-t-elle. Une vague née dans l'océan se sent toute-puissante, mais elle est éphémère ; le soleil assèche les flaques, l'eau s'évapore et on peut avoir l'impression qu'il ne s'est jamais rien passé. Voilà comment ça se passait pour nous. La seule vague en mesure de changer quoi que ce soit ici, c'est un tsunami. Il faut abattre les maisons et saccager les terres si on veut être sûres que personne n'oubliera. »

Tunde sait très précisément où cette séquence trouvera sa place dans son livre. Dans l'histoire des mouvements politiques. Du lent et laborieux combat qui a précédé la survenue de ce bouleversement spectaculaire. Il est encore en train de bâtir son argumentation.

Au marché, les femmes s'en prennent essentiellement aux stands et aux étals.

« Maintenant, ils vont comprendre que ce sont eux qui devraient éviter de sortir de chez eux seuls la nuit, exulte une manifestante devant l'objectif de Tunde. Ce sont eux qui devraient avoir peur. »

Une brève échauffourée éclate quand quatre hommes armés de couteaux font irruption dans la foule, mais le problème est rapidement contenu, les assaillants en sont quittes pour quelques convulsions dans les bras, aucune blessure majeure n'est à déplorer. Tunde craint qu'il ne se passe rien de bien nouveau ici, rien qui n'ait déjà été vu, lorsqu'une rumeur se met à enfler : l'armée aurait dressé une barricade un peu plus haut, en travers de Windsor Place, pour tenter de protéger les hôtels fréquentés par les étrangers. Les troupes progressent lentement, armées de balles en caoutchouc et chaussées de bottes aux semelles épaisses et isolantes. Elles entendent faire une démonstration de force, et ainsi montrer au monde entier comment des soldats convenablement entraînés matent la populace.

Tunde ne connaît aucune des manifestantes. Si jamais l'armée chargeait, aucune ne serait susceptible de le recueillir chez elle. La foule est de plus en plus compacte, et cela s'est fait si progressivement que Tunde l'a à peine remarqué. Il comprend que l'armée fait tout pour acculer les manifestantes dans un espace clos. Et ensuite, que se passera-t-il ? Il va y avoir des morts, ici, aujourd'hui. Il le pressent, ce frisson qui lui remonte le long de la colonne vertébrale jusqu'au sommet du crâne ne trompe pas. Quelque part en tête du cortège, il entend des cris. Il ne parle pas suffisamment bien le hindi pour comprendre ce qui se dit. Le sourire décontracté qu'il arbore d'ordinaire s'efface. Il doit se tirer d'ici, et se trouver une position d'avantage.

Il regarde autour de lui. Delhi est un chantier permanent et la plupart des constructions sorties de terre n'offrent aucune sécurité. Il voit des bâtiments flanqués d'échafaudages qui n'ont jamais été démontés, des devantures de magasins qui penchent de manière inquiétante, et même des immeubles à moitié effondrés mais encore partiellement habités. Là. Deux rues plus haut. Il avise, derrière la carriole d'un vendeur de parathas, un commerce condamné par des planches qui forment un genre d'échafaudage fixé au flanc du bâtiment. Et ce dernier possède un toit plat. Tunde joue des coudes pour s'extraire de la foule. La plupart des femmes continuent d'avancer tant bien que mal en criant et en agitant des bannières. Il entend, quelque part dans les premiers rangs, le sifflement et le crépitement d'une décharge électrique, avant de la sentir dans l'air. Tunde connaît bien cette sensation : l'espace d'un instant, toutes les odeurs de la rue – les merdes de chiens et les pickles de mangue, les odeurs corporelles de la foule et les gombos frits avec de la cardamome – s'intensifient. Alentour, tout le monde marque un temps d'arrêt, mais Tunde s'acharne à avancer, en se disant : Ce n'est pas aujourd'hui que tu vas mourir, Tunde. Ce n'est pas aujourd'hui. Ça fera une bonne histoire à raconter aux amis, quand tu rentreras à la maison. Et elle trouvera sa place dans le livre, n'aie pas peur, continue d'avancer. Si tu parviens à te hisser sur ce toit, tu tourneras de bonnes séquences.

Il ne parvient pas à atteindre l'échelon le plus bas de l'échafaudage, même en sautant. Plus loin, Tunde remarque que d'autres ont eu la même idée que lui et sont en train de grimper sur les toits ou dans les arbres. Et que d'autres encore s'accrochent à eux pour les faire dégringoler. S'il échoue à atteindre ce toit, là, tout de suite, il pourrait subir le même traitement. Il rafle trois vieux cageots de fruits, les empile – s'enfonce une longue écharde dans le pouce – puis grimpe sur cet escabeau de fortune et saute. Il rate son coup. Retombe lourdement et ressent une douleur cuisante dans les genoux. Ces cageots ne résisteront pas longtemps. Il y a un nouveau mouvement de foule et des slogans qui retentissent. Tunde saute une deuxième fois, en mobilisant plus de puissance, et ça y est ! Il a réussi. Le voilà sur le plus bas échelon. Il se hisse à la force des bras sur l'échelon suivant, puis sur le troisième et de là, le plus dur est fait, il ne lui reste plus qu'à escalader la structure.

Mais cet échafaudage de fortune n'est pas fixé au mur en béton de ce bâtiment croulant, il branle et tangue sous son poids. Autrefois, il était arrimé par des cordes qui se sont effilochées et ont pourri. La pression qu'exerce l'ascension de Tunde déchire les fibres. *Ça*, ça serait une façon vraiment idiote de mourir. Pas dans une émeute, ni fauché par une balle de l'armée ou encore entre les mains de Tatiana Moskalev, non – juste écrasé sur le dos dans une rue de Delhi après une chute de quatre ou cinq mètres. Il grimpe un peu plus vite, atteint le parapet de béton rugueux pile au moment où la structure exhale un soupir et brinquebale de plus belle. Il se suspend d'un bras et, faisant abstraction de cette écharde qu'il sent s'enfoncer encore plus profondément dans la chair de son pouce, prend de l'élan avec ses jambes et réussit à hisser la droite sur le parapet. Des cris retentissent un peu plus loin dans la rue, suivis de claquements secs de coups de feu.

Il pousse de son pied gauche, et le mouvement lui donne juste ce qu'il faut de puissance pour tomber à la renverse sur le gravier qui recouvre le toit. Il roule dans une mare d'eau qui le trempe jusqu'aux os, mais il est sain et sauf. Il entend des craquements, avant que l'ersatz d'échafaudage ne cède et n'aille s'écraser au sol.

Et voilà, Tunde, tu es coincé ici. Plus aucun moyen de redescendre. D'un autre côté, cela réduit aussi à néant les risques de voir ce toit envahi par des gens qui tentent de fuir la bousculade. En fait, c'est parfait. C'est comme un signe du destin. Tunde retrouve le sourire et expire lentement. Ici, il va pouvoir installer sa caméra et filmer toute la scène. Maintenant que la peur s'est dissipée, il est excité. Il n'y a rien qu'il puisse faire, de toute façon, personne qu'il puisse prévenir, aucun patron à qui demander les directives. Il n'y a que lui et ses caméras, perchés ici, à l'abri, inatteignables. Et quelque chose va se passer.

Il s'assied et regarde autour de lui. Il remarque alors qu'il n'est pas seul sur le toit.

La femme a la quarantaine bien tassée, elle est maigre, sèche, avec des petites mains et une longue tresse, épaisse comme une corde huilée. Et elle le regarde. Ou, plus exactement, elle lui jette des regards rapides tout en donnant l'impression de surveiller ses arrières. Il sourit. Elle lui rend son sourire. Il comprend alors que quelque chose ne tourne pas rond. Cela tient à sa façon de garder sa tête de profil. De faire mine de ne pas le regarder et puis, soudain, de le dévisager.

« Êtes-vous… » Tunde regarde, en contrebas, la foule qui déferle dans la rue. Un bruit de fusillade éclate, plus proche cette fois. « Je suis désolé si c'est chez vous. J'attends juste que les rues soient sûres pour redescendre. D'accord ? »

La femme hoche la tête, lentement. Il tente un sourire. « Ça sent le roussi, en bas. Vous êtes montée ici pour vous cacher ?

— Je vous cherchais », répond-elle lentement en anglais, en butant sur les mots.

Son accent n'est pas si mauvais que ça, elle est peut-être plus saine d'esprit qu'il ne l'a cru de prime abord.

Elle a sans doute reconnu sa voix ou son visage. Il esquisse un sourire. Une fan.

Elle s'agenouille et trempe le bout des doigts dans la flaque d'eau dans laquelle Tunde est toujours assis. Il croit qu'elle cherche à se laver les mains jusqu'à ce que le choc percute son épaule et que tout son corps se mette à trembler.

C'est si bref et si soudain qu'il imagine qu'elle a fait ça par maladresse. La femme évite obstinément de le regarder. La douleur se répand dans son dos et le long de ses jambes, elle imprime un arbre sur son flanc, il éprouve de la difficulté à respirer. Il est à quatre pattes. Il faut qu'il sorte de cette flaque.

« Arrêtez ! crie-t-il. Ne faites pas ça. » Il est surpris par le son de sa propre voix – suppliante et véhémente. Tout va bien se passer. Il va s'en sortir.

Il commence à reculer. En bas dans la rue, la foule est déchaînée, ça crie, ça hurle. S'il parvient à la raisonner, il va faire des clichés incroyables.

La femme continue à agiter l'eau du bout des doigts. Ses pupilles roulent en tous sens.

« Je ne vais pas vous faire de mal, l'assure Tunde. N'ayez crainte. On peut juste attendre ici tous les deux. »

Et là, elle éclate de rire, des rires qui ressemblent à des aboiements.

Sans la quitter des yeux, Tunde roule sur lui-même et rampe à reculons pour s'éloigner de la flaque d'eau. Cela ne fait plus de doute à présent : il a peur.

La femme lui décoche un grand sourire malveillant. Elle a les lèvres humides. Tunde essaie de se dresser sur ses pieds, mais en vain ; il a les jambes en coton. Il s'effondre sur un genou. La femme le scrute en hochant la tête, comme si elle se disait : Il fallait s'y attendre, c'est normal.

Tunde regarde autour de lui. Il n'y a pas grand-chose, sur ce toit. À part ce pont de fortune, cette pauvre planche qui le relie au toit voisin, mais ne lui inspire pas confiance. S'il s'engage dessus, la femme pourrait l'envoyer valdinguer d'un coup de pied. En revanche, s'il s'en saisit, cette planche pourrait lui servir d'arme. Ou de bouclier, au moins. Il commence à ramper dans sa direction.

La femme lance quelques mots dans une langue que Tunde ne connaît pas, et puis, à voix très basse, elle demande : « Sommes-nous amoureux ? »

Elle humecte ses lèvres. Tunde voit son fuseau qui tressaille et s'agite comme un ver à l'extrémité de ses clavicules. Il se hâte d'arriver à portée de main de la planche. Il a vaguement conscience que des gens les observent depuis un autre toit, de l'autre côté de la rue, des spectateurs qui l'interpellent en tendant le doigt. De là où ils sont, ils ne peuvent pas faire grand-chose – à part filmer la scène, mais de quelle utilité cela lui sera-t-il ? Une nouvelle fois, Tunde tente de se hisser sur ses pieds, sans succès. Ses jambes flageolent à cause des répliques du choc – et la femme rit de le voir batailler ainsi. Soudain, elle plonge vers lui. Il

217

tente de lui décocher un coup de pied dans le visage, mais elle lui empoigne la cheville, et lui administre une nouvelle décharge. Un arc long et haut, cette fois, qui lui donne la sensation qu'une feuille de boucher brandie avec force et dextérité lui tranche la jambe de la cuisse jusqu'au mollet en séparant la chair de l'os. Il sent l'odeur de ses poils qui brûlent.

Une autre odeur monte de la rue, un parfum d'épices, un fumet de viande en train de rôtir, enveloppé des fumées de graisse animale et d'os calcinés. Tunde pense à sa mère, quand elle plongeait le bout des doigts dans la marmite pour vérifier la consistance des grains de riz blanchi. Trop chaud pour toi, Tunde, éloigne tes mains. Il sent l'arôme sucré et pimenté du riz wolof qui mijote à petit feu. Ton cerveau est à vif, Tunde. Souviens-toi de ce que tu as lu sur le sujet. Ton esprit n'est qu'une installation électrique dans de la matière organique. Ce truc est plus douloureux qu'il ne le devrait parce qu'il provoque des courts-circuits dans ton cerveau. Tu es désorienté. Tu n'es pas à la maison. Ta mère ne viendra pas à ton secours.

Elle l'a jeté au sol maintenant et s'agrippe à son jean. Elle essaie de le faire descendre sur ses hanches sans déboucler sa ceinture, or ce jean est trop près du corps. Tunde sent le gravier lui écorcher le dos ; l'angle d'un parpaing humide frotte au creux de ses reins et lui érafle la peau ; il n'arrête pas de penser : Si je lui résiste trop, elle va me mettre K-O, je vais perdre connaissance et là, elle pourra faire ce qu'elle veut de moi.

Il entend des cris qui retentissent, au loin. Le bruit est absorbé, comme s'il se trouvait sous l'eau. Il se prépare à recevoir une autre décharge ; tout son corps est crispé dans cette attente. Et quand il prend conscience qu'elle ne vient pas, qu'il lutte dans le vide, il ouvre les yeux et découvre que trois femmes ont ceinturé son agresseuse pour l'éloigner de lui. Sans doute ont-elles traversé sur la planche en bois, depuis l'immeuble voisin. Elles ont jeté l'autre femme à terre et lui envoient des décharges, sans relâche, mais pour l'instant, elle se débat toujours autant. Tunde remonte son pantalon et attend, jusqu'à ce que la femme à la longue et épaisse natte ait entièrement cessé de bouger.

Allie

Extrait du forum «Liberté de rayonnement»,
un site Internet nommément libertarien.

<u>Reponseatout</u>

Info CAPITALE en provenance de Caroline du Sud !
Regardez ces photos. En voilà une de Mère Ève: il
s'agit d'une capture d'écran extraite de la vidéo
«Vers l'amour», celle où sa capuche glisse un peu en
arrière et où on découvre une partie de son visage.
Regardez l'angle de sa mâchoire, notez l'écartement entre la bouche et le nez, et comparez-le avec
celui entre la bouche et le menton. Sur le diagramme,
j'ai calculé les ratios.

Maintenant, regardez cette photo. Quelqu'un, sur
le forum d'UrbanDox, a mis en ligne des photos
d'une enquête de police de l'Alabama qui remonte à
quatre ans. Tout indique que ces photos sont authentiques. Elles peuvent avoir été postées par quelqu'un
qui réclame justice, ou par une source interne aux
forces de police. Bref, ce sont des portraits d'une certaine «Alison Montgomery-Taylor», qui a assassiné
son père adoptif, et s'est évanouie ensuite dans la
nature. C'est hyper clair. La forme des mâchoires est

la même, le menton est identique, comme le ratio des distances bouche-nez et bouche-menton. Regardez bien, et osez me dire que ce n'est pas convaincant.

Zigouilleur

Putain le mec ! Il a découvert que tous les êtres humains ont une bouche, un nez, et un menton. Voilà qui va faire exploser les limites connues du champ de l'anthropologie – tapette !

Liberteaupoing

Ces photos ont très clairement été trafiquées. Regardez bien comment sur la photo d'Alison M-T. la lumière frappe sa joue du côté gauche, et son menton du côté droit. C'est un canular comme celui de l'homme de Pitdown. Quelqu'un a trafiqué ces photos pour faire tenir debout sa théorie. Pour moi, ça pue la magouille.

AngularMerkel

Il est de notoriété publique qu'il s'agit *bel et bien* d'Alison M-T. Cela a déjà été signalé à la police en Floride, mais elle leur a graissé la patte. Elle et sa bande d'illuminées extorquent de l'argent sous la menace sur toute la côte Est. Ève et ses adeptes se sont acoquinées avec la mafia juive, ce fait a été prouvé par UrbanDox et UltraD, jette un œil aux fils qui parlent des émeutes du 11 mai et des arrestations à Raleigh avant de poster ce genre de conneries, tête de nœud.

Hommedanslafoule

C'est toi la tête de nœud. Le compte d'UrbanDox a été suspendu pour insultes.

221

Abrahamique

Ouais, j'ai remarqué que tous tes putains de posts soutiennent UrbanDox ou ses avatars bien connus. Alors soit tu es toi-même UD, soit tu le suces en ce moment même.

SaintSebastien

C'est elle, ça ne fait aucun doute. C'est le gouvernement israélien qui finance ces nouvelles « églises » ; voilà des siècles qu'ils essaient de renverser la chrétienté, ils nous discréditent, ils se servent des Noirs pour empoisonner nos quartiers déshérités en les inondant de drogues. Cette nouvelle drogue n'est qu'une partie du plan ; vous savez que ces nouvelles « églises » sont en train de *distribuer* ces drogues sionistes à nos gamins. Secouez-vous, moutons de Panurge ! Tout est déjà ficelé par les mêmes vieux pouvoirs, les mêmes vieux systèmes. Vous vous croyez libres parce que vous pouvez vous exprimer sur un forum ? Vous ne pensez pas qu'ils surveillent ce qu'on dit ici ? Qu'ils ne savent pas qui est chacun de nous ? Ils s'en tapent qu'on discute, mais si jamais n'importe lequel d'entre nous semble sur le point d'*agir* ... ils en savent assez sur chacun de nous pour nous détruire illico.

Zigouilleur

Prière de ne pas nourrir les trolls.

AngularMerkel

Putains de tarés adeptes de la théorie de la conspiration.

Ventdanslesvoiles

C'est pas faux à cent pour cent. Pourquoi croyez-vous qu'ils ne sévissent pas plus fort contre le téléchargement illégal ? Pourquoi ils ne bloquent pas les sites pornos et les sites de streaming ? Ce serait simple comme bonjour, n'importe qui ici pourrait coder ça en un après-midi. Vous savez pourquoi ? Parce que si jamais ils ont besoin de nous éliminer, de nous envoyer en taule pour un million d'années, ils ont le pouvoir de le faire. Internet est juste un foutu pot de miel, et on se fait avoir comme des bleus. Tu te crois à l'abri parce que tu utilises des proxys chiadés ou que tu fais transiter ton IP par Bilhorod et Kherson ? La NSA a passé des deals avec ces gens, elle les a bien en main, elle a soudoyé la police, ils sont dans les serveurs.

Matheson

Ici le modérateur. Ce fil de discussion n'est pas l'endroit indiqué pour discuter de la sécurité d'Internet. Je suggère à son auteur de déplacer ce commentaire sur le fil /sécurité.

Ventdanslesvoiles

Je le trouve parfaitement à propos ici. Personne d'entre vous n'a vu la vidéo BB97 filmée en Moldavie ? Par *notre gouvernement*. Les États-Unis surveillent les mouvements des troupes d'Awadi-Atif. Vous pensez vraiment qu'ils peuvent voir ça et ne pas nous voir *nous* ?

Liberteaupoing

Dooooonc… Pour en revenir à nos moutons, selon moi, il ne peut pas s'agir de Mère Ève. On sait qu'Alison M-T a pris la fuite le soir où elle a assassiné son père adoptif, le 24 juin. Les premiers sermons d'Ève depuis Myrtle Bay datent du 2 *juillet*. Est-on vraiment en train de dire qu'Alison M-T a buté papa, braqué une voiture, traversé les frontières de l'État, été intronisée grande prêtresse d'une nouvelle religion et qu'elle a commencé ses prêches *huit jours* plus tard ? J'y crois pas une seconde. Des logiciels de reconnaissance faciale ont fait apparaître des similitudes, ça arrive, et les apôtres de la théorie du complot s'en sont emparés sur Reddit. Est-ce que je suis convaincu qu'il y a un truc pas net chez cette Ève ? Carrément. Mais ce qui est à l'œuvre ici, ce sont les mêmes schémas obscurs que ceux de la scientologie, ou des premiers temps du mormonisme. Double langage et compagnie pour créer une nouvelle pensée, et un nouveau sous-prolétariat. Mais un meurtre ? Il n'y a aucune preuve de ça.

Debout !

Hé, réveille-toi ! Ses adeptes ont trafiqué les dates de ces sermons pour qu'ils donnent l'impression d'être antérieurs à leur date réelle. Il n'existe aucune vidéo de ces premiers sermons, rien sur YouTube. Ils ont aussi bien pu être prononcés n'importe quand. Au contraire, je trouve que ce détail renforce sa culpabilité. Pourquoi aurait-elle besoin de faire croire qu'elle est à Myrtle Bay depuis le 2 juillet ?

Ventdanslesvoiles

Je ne vois pas en quoi les images satellites de Moldavie sont hors sujet. Mère Ève est justement en train de faire une tournée de conférences en Moldavie du Sud, et d'y établir une base. On sait que la NSA surveille tout, le terrorisme mondial n'a pas disparu de la surface de la terre. Dix-sept parents du Roi ont fui l'Arabie saoudite après le coup d'État avec plus de huit mille *milliards* de dollars de capital immobilier détenus à l'étranger. La maison des Saoud n'a pas disparu simplement parce qu'il y a désormais un centre pour femmes dans l'Al Faisaliyad. Vous ne pensez pas qu'un retour de bâton se prépare ? Vous ne pensez pas qu'Awadi-Atif veut récupérer son foutu royaume ? Qu'à l'heure où je vous parle, il est en train de distribuer sa thune à tour de bras à tous ceux qu'il croit susceptibles de l'aider ? Vous avez la moindre idée de ce que la maison des Saoud finance depuis toujours ? La terreur, mes amis – voilà ce qu'elle finance.

Et avec tout ça, vous croyez vraiment que personne ne s'intéresse au terrorisme national et au contre-terrorisme ? La NSA surveille tout ce qu'on raconte ici, soyez-en certains. Et ils surveillent forcément Mère Ève comme le lait sur le feu.

Hommedanslafoule

Ève sera morte d'ici trois ans, je le garantis.

Debout!

Mon pote, à moins que t'utilises une dizaine de VPN en même temps, attends-toi à les voir défoncer ta porte dans trois, deux, un…

AngularMerkel

Quelqu'un va lui envoyer un tueur à gages. L'électricité ne protège pas des balles. Malcolm X. Martin Luther King. JFK. Il y a déjà probablement un contrat sur sa tête.

Hommedanslafoule

Vu ses foutus sermons, je serais partant pour assassiner cette conne gratos.

LeSeigneurvousregarde

C'est le gouvernement qui est derrière tout ça, depuis des années, en administrant des injections d'hormones savamment dosées et appelées vaccins. Vaccins = assassins ! Cliquez ici pour lire la vérité qu'aucun journal ne publiera jamais.

Ascension229

L'heure des comptes viendra. Le Seigneur rassemblera Son peuple et lui enseignera Ses Voies et Sa Gloire et cela annoncera la fin des temps, quand les justes se rassembleront sous Sa bannière et que les pervertis périront dans les flammes.

Enchutelibre

Vous avez tous vu le reportage d'Olatunde Edo sur la Moldavie ? Sur l'armée saoudienne ? Je suis le seul à avoir eu envie d'aller rejoindre ces combattants ? De mener cette guerre avec les nouvelles armes dont ils disposent ? Pour que, quand nos petits-fils nous demanderont comment on a résisté, on ait quelque chose à leur répondre ?

Hommedanslafoule

Entièrement d'accord. Si seulement j'étais plus jeune ! Si mon fils voulait partir, je lui souhaiterais bonne route. Sauf que pour l'instant, il se fait baiser par une feminazi. Elle a planté ses griffes, et elle s'accroche.

Aimable

J'ai emmené mon fils au centre commercial, hier. Il a neuf ans. Je l'ai laissé seul au magasin de jouets pour qu'il se choisisse un cadeau – c'était son anniversaire la semaine dernière, il avait de l'argent et il est assez intelligent pour ne pas partir se balader sans moi. Quand je suis revenu le chercher, une fille était en train de lui parler. Une gamine de treize quatorze ans, avec un de ces tatouages dans la paume. Une main de Fatima. J'ai demandé à mon fils ce qu'elle lui avait dit, et il s'est mis à pleurer, sans pouvoir s'arrêter. Il m'a demandé si c'était vrai qu'il était mauvais et que Dieu voulait qu'il soit obéissant et humble. Cette morveuse essayait de convertir mon fils dans un foutu magasin de jouets !

Zigouilleur

Putain, merde. C'est dégueulasse. Cette sale petite conne, cette salope, cette menteuse. À ta place, je lui aurais foutu mon poing dans la gueule si fort qu'à l'heure qu'il est elle serait en train de sucer des bites avec ses orbites.

Ilpleutdesmerdes

Mec, je vois même pas ce que tu veux dire.

Hommedanslafoule

Une photo d'elle ? Son identité ? Il y a des gens qui peuvent t'aider à la retrouver.

Ventdanslesvoiles

Ça s'est passé dans quel magasin ? À quelle heure exactement ? On peut retrouver des enregistrements des caméras de surveillance. On peut lui envoyer un message qu'elle ne sera pas près d'oublier.

Hommedanslafoule

Envoie-moi par MP l'adresse et le nom du magasin. On va riposter.

Liberteaupoing

Les amis, du calme, c'est peut-être une opération sous fausse bannière. Avec une histoire pareille, les Frères Prêcheurs pourraient vous faire attaquer n'importe qui avec un minimum de preuves. Il pourrait s'agir d'une provocation pour nous inciter à des représailles, et pour nous faire passer pour les sales types.

Hommedanslafoule

Va te faire foutre. On sait bien que ce genre de truc arrive. C'est arrivé à chacun de nous. Ce qu'il nous faut, c'est une Année de la Colère. Ces salopes ont vraiment besoin que les choses changent. Faut qu'elles apprennent ce que justice veut dire.

UrbanDox933

Il n'y aura nulle part où se cacher, nulle part où s'enfuir, et il n'y aura aucune indulgence.

Margot

«Alors dites-moi, madame le maire, si vous étiez élue gouverneur de ce grand État, quelles mesures mettriez-vous en œuvre pour réduire le déficit budgétaire?»

La réponse tient en trois points. Margot le sait. Elle peut annoncer les deux premiers là, tout de suite.

«J'ai un plan simple en trois étapes, Kent. Première étape: Réduction des frais de fonctionnement de nos administrations.»

C'est bien ça, c'est l'argument massue avec lequel il faut frapper les esprits en premier.

«Saviez-vous que le service chargé des questions environnementales dans le cabinet de l'actuel gouverneur Daniel Dandon a dépensé l'an passé plus de trente mille dollars en…» En quoi, déjà? «En bouteilles d'eau.»

Elle marque une pause, pour laisser l'information s'imprimer dans les esprits.

«Deuxième étape: Suppression des allocations aux familles qui n'en ont pas réellement besoin – quand on dispose de plus de cent mille dollars de revenus annuels, l'État ne devrait pas débourser un seul *cent* pour envoyer nos gamins en colonie de vacances!» Cet argument-là est super tendancieux. Une telle disposition ne concernerait qu'environ deux mille foyers dans tout l'État – dont la plupart ont des enfants handicapés, ce qui les exempterait de toute façon d'un examen de ressources. Mais promettre de tailler dans les aides sociales indues fait toujours mouche, et mentionner les enfants rappelle aux électeurs qu'elle a beau avoir de la poigne, elle-même a une famille. Reste maintenant le troisième point.

Le troisième point donc.

« Troisième étape, commence-t-elle dans l'espoir que les mots vont venir naturellement si elle continue à parler. Troisième étape… », répète-t-elle d'un ton un peu plus résolu. Zut. Elle a un blanc. Allons, tailler, tailler… dans les frais de fonctionnement. Dans les allocations sociales indues, et… Et… Merde.

« Merde ! Alan, j'ai perdu le troisième. »

Alan s'étire. Se lève et se masse la nuque.

« Alan, dis-moi quel est le point numéro trois.

— Si je te le dis, tu vas juste de nouveau l'oublier une fois sur scène.

— Va te faire foutre !

— Hmm. Tu embrasses tes gamines avec cette même bouche ?

— Tu crois peut-être qu'elles voient une différence ?

— Margot, est-ce que tu *veux* décrocher ce poste ?

— Si je le *veux* ? Est-ce que je m'infligerais tout ça, si je ne le voulais pas ? »

Alan soupire. « Tu la connais, Margot. La troisième étape de ton programme de réduction du déficit budgétaire est quelque part dans ta tête. Cherche, Margot. Trouve-la. »

Elle contemple le plafond. Ils sont dans sa salle à manger et ils ont disposé un pupitre en carton à côté de la télé, devant les peintures au doigt de Maddy, encadrées sur le mur ; Jocelyn a déjà exigé qu'on retire les siennes.

« Ce sera différent, quand on sera en direct, répond-elle. L'adrénaline viendra à mon secours. J'aurai plus… de punch, dit-elle en agitant ses mains d'un air joyeux.

— Ouais, tu en auras même tellement que quand tu n'arriveras pas à te souvenir de la troisième étape de ta réforme budgétaire, tu gerberas sur scène. Ce sera super *punchy*. »

Bureaucratie. Allocations. Et. Bureaucratie… Allocations…

« INVESTISSEMENTS DANS LES INFRASTRUCTURES ! L'administration actuelle s'est refusée à investir dans nos infrastructures. Nos écoles tombent en ruine, nos routes sont mal entretenues, or nous avons besoin de dépenser de l'argent pour en gagner. J'ai montré que j'étais capable de diriger des projets à grande échelle : nos camps NorthStar pour filles ont déjà été copiés dans douze autres États. Ils créent des emplois ; ils empêchent nos filles de se promener sans surveillance dans les rues ; et nous avons grâce à eux l'un des taux de violence de rues parmi les *plus bas* du pays. Un investissement dans les infrastructures rendra nos concitoyens confiants dans l'avenir qui les attend. »

C'est ça. C'était ça. On y est.

« Mais, n'est-il pas vrai, madame le maire, que vous entretenez des liens inquiétants avec des sociétés militaires privées ? »

Margot sourit. «Inquiétant n'est un terme pertinent que si vous avez peur des initiatives qui font marcher les secteurs public et privé main dans la main, Kent. NorthStar Systems est l'une des entreprises les plus respectées au monde. Elle assure la sécurité rapprochée de nombreux chefs d'État. C'est en outre une entreprise américaine, ce qui est exactement ce qu'il nous faut pour procurer des emplois aux familles travailleuses. Et dites-moi, poursuit-elle avec un sourire qui pétille littéralement, enverrais-je *ma propre fille* dans un camp NorthStar si je pensais que cette entreprise n'est pas une bienfaitrice de l'humanité?»

Quelques applaudissements paresseux se font entendre dans la pièce. Margot n'avait même pas remarqué que Jocelyn était sur le seuil en train d'écouter.

«Super, maman. Vraiment super.»

Margot éclate de rire. «Si tu m'avais vue quelques minutes plus tôt… Je n'arrivais même plus à me souvenir du nom de tous les districts scolaires de l'État. Alors que je les connais par cœur depuis dix ans.

— Tu as juste besoin de te détendre. Viens boire un soda.»

Margot lance un coup d'œil à Alan.

«Ouais, ouais, prends dix minutes», dit-il, et Jocelyn sourit.

Jos va mieux. Enfin, disons qu'il y a une amélioration. Ces deux années à fréquenter un camp de jour NorthStar l'ont aidée. Là-bas, les filles lui ont appris comment atténuer ses pics d'intensité. Voilà des mois qu'elle n'a plus fait exploser une ampoule, et elle recommence à utiliser un ordinateur sans crainte de l'esquinter. Cela étant, les filles n'ont pas pu l'aider en ce qui concerne ses chutes d'intensité. Il y a encore certains jours – les crises peuvent même durer jusqu'à une semaine – où elle n'a plus aucun pouvoir. Ils ont essayé de chercher un lien avec son alimentation, son sommeil, ses règles, une activité sportive, sans réussir à dégager un schéma. Certains jours, certaines semaines, Jos est complètement à plat. En toute discrétion, Margot a suggéré à deux ou trois professionnels de l'assurance santé de financer des recherches. Le gouvernement fédéral leur en serait très reconnaissant. Et encore plus si elle est élue gouverneur.

Tandis qu'elles traversent le bureau en direction de la cuisine, Jos lui prend la main. Et la serre fort.

«Maman, euh… maman, je te présente Ryan.»

Il y a un garçon dans le couloir, l'air emprunté, les mains dans les poches. Des livres calés sur la hanche. Des cheveux blond cendré lui tombent devant les yeux.

Hmm… un garçon. Bon… D'accord. Être parent est une mission qui apporte chaque jour son lot de nouveaux défis. Margot tend la main :

«Bonjour, Ryan. Ravie de te rencontrer.

— Enchanté, maire Cleary», marmonne-t-il. Il est poli, c'est déjà ça. Ça pourrait être pire.

«Quel âge as-tu, Ryan ?

— Dix-neuf ans.»

Un an de plus que Jocelyn.

«Et comment as-tu rencontré ma fille, Ryan ?

— Maman !»

Ryan rougit. Rougit *vraiment*. Margot avait oublié combien certains garçons, à dix-neuf ans, restent immatures. Maddy a quatorze ans et elle s'entraîne déjà à des techniques militaires dans le cellier, elle reproduit des mouvements qu'elle a vus à la télé, ou que Jos a appris au camp et lui a enseignés. Son pouvoir n'est même pas encore éveillé, et elle paraît plus mûre que ce garçon, dans le couloir, qui contemple ses chaussures en rougissant.

«On s'est rencontrés au centre commercial, répond Jos. On a traîné ensemble, on a bu des sodas. On va juste faire nos devoirs ensemble.» Le ton est suppliant. «Ryan entrera à Georgetown à la rentrée. En prépa médecine.

— Toutes les filles rêvent de sortir avec un docteur, pas vrai? plaisante Margot en souriant.

— Maman!»

Margot attire Jocelyn contre elle et dépose un baiser sur le sommet de sa tête en lui chuchotant à l'oreille: «La porte de ta chambre reste ouverte, d'accord?»

Jocelyn se raidit. «Jusqu'à ce qu'on ait eu le temps de discuter un peu, toi et moi, ajoute Margot. Juste pour aujourd'hui, d'accord?

— D'accord, murmure Jos.

— Je t'aime.» Margot l'embrasse encore une fois.

Jos prend la main de Ryan. «Moi aussi, maman.»

Ryan redresse maladroitement sa pile de livres en s'aidant d'une seule main. «Ravi d'avoir fait votre connaissance, madame Cleary.» Une drôle d'expression passe subitement sur son visage, comme s'il savait qu'il venait de commettre un impair. «Je veux dire, maire Cleary, se reprend-il.

— Tout le plaisir était pour moi, Ryan. Dîner à 18 h 30, d'accord?»

Et les deux grimpent à l'étage. Une page vient de se tourner. Jos n'est plus une enfant.

Alan a observé la scène depuis la porte du bureau. «Premières amours?»

Margot hausse les épaules. «Premières quelque chose, en tous les cas. Premières hormones.

— C'est sympa de savoir que certaines choses sont immuables.»

Margot lève les yeux vers la cage d'escalier. «Tu sous-entendais quoi, tout à l'heure, quand tu m'as demandé si je le voulais vraiment?

— C'était juste pour te titiller un peu, Margot. Tu as besoin d'être offensive, sur ces questions-là. Tu dois montrer que tu veux ce poste – que tu en veux vraiment. Tu comprends?

— Je le veux et j'en veux.

— Pourquoi?»

Margot songe à Jocelyn qui se met à trembler quand son courant s'éteint. Au fait que personne ne sache d'où vient le problème, et combien elle pourrait faire bouger les lignes plus vite en tant que gouverneur, sans Daniel pour lui mettre perpétuellement des bâtons dans les roues.

«Pour ma fille, répond-elle. Je le veux pour aider Jos.»

Alan fronce les sourcils. «Bon, d'accord, dit-il. On se remet au travail.»

À l'étage, Jos rabat la porte de sa chambre et tourne la poignée délicatement. «Elle en a pour des heures», dit-elle.

Ryan est assis sur le lit. Il referme ses doigts autour du poignet de Jocelyn et tire sur son bras pour la faire asseoir à côté de lui. «Des heures? répète-t-il en souriant.

— Elle a tous ces *trucs* à mémoriser. Et Maddy est chez papa jusqu'à la fin de la semaine.»

Elle pose une main sur la cuisse de Ryan et y décrit lentement des cercles avec le pouce.

«Ça t'embête? demande Ryan. Qu'elle soit accaparée par son boulot, je veux dire?»

Jos secoue la tête.

«C'est tout de même bizarre, non? insiste-t-il. Avec la presse, tout ça…»

Jos gratte la toile du jean du bout de l'ongle. La respiration de Ryan s'accélère.

«On s'y habitue, répond-elle. Maman dit toujours que notre famille reste du domaine privé, et que tout ce qui se passe derrière notre porte ne concerne que nous.

— Cool. J'ai aucune envie qu'on parle de moi au JT, ce soir», plaisante-t-il avec un sourire.

Et Jos trouve ça tellement adorable qu'elle se penche tout contre lui et l'embrasse. Ce n'est pas la première fois, mais ça reste nouveau. Et jamais ils ne l'avaient fait dans un endroit où il y a une porte, et un lit. Jos a encore peur, aujourd'hui, de refaire du mal à quelqu'un; parfois, ce garçon qu'elle a envoyé à l'hôpital revient la hanter, elle revoit les poils qui se calcinaient sur ses bras, et la manière dont il écrasait ses mains sur ses oreilles, comme si le son était trop puissant. Elle a parlé de tout ça avec Ryan. Il comprend, comme aucun des garçons qu'elle a pu rencontrer à ce jour. Ils ont discuté et décidé qu'ils prendraient leur temps, qu'ils ne laisseraient pas les choses déraper.

La langue de Ryan est douce, sa bouche est tiède, humide. Il laisse échapper un gémissement et elle sent en elle une montée en puissance, mais tout va bien, elle a fait ses exercices respiratoires, elle sait qu'elle peut se contrôler. Ses mains descendent le long du dos de Ryan, glissent sur ses reins, puis au-delà de la ceinture. Celles de Ryan, d'abord hésitantes, s'enhardissent, elles effleurent un sein, puis Jos sent un pouce sur son cou, contre sa gorge. Un pétillement lui chatouille les clavicules et une douleur sourde se met à pulser entre ses jambes.

Ryan s'écarte un instant. Effrayé, excité.

«Je le sens, dit-il. Tu me le montres?»

Elle sourit, le souffle court. «Toi d'abord.»

Ça les fait rire. Jos défait un, deux, trois boutons de son chemisier, s'arrête juste à l'endroit où le haut du soutien-gorge se laisse deviner dans l'échancrure. Ryan a le sourire aux lèvres. Il retire son pull. Déboutonne sa chemise. Un, deux, trois boutons.

Du bout des doigts, il suit le tracé de sa clavicule, là où le fuseau frémit sous la peau, excité, prêt. Jos lui caresse le visage.

Il sourit toujours. «Vas-y.»

Elle lui effleure la clavicule. Elle ne sent rien, au début. Et puis elle finit par le discerner, faible, mais scintillant. Il a son fuseau, lui aussi.

Ils se sont rencontrés au centre commercial, cette partie de l'histoire est vraie. Ayant grandi sous le toit d'une femme politique, Jocelyn a appris qu'on ne ment jamais éhontément si on peut l'éviter. Donc, ils se sont bien *rencontrés* au centre commercial, comme convenu lors d'un chat. L'un et l'autre cherchaient des gens comme eux. Des gens bizarres. Des gens chez qui, d'une façon ou d'une autre, le truc n'avait pas bien *pris*.

Jocelyn avait été sur l'horrible site d'UrbanDox, qu'un inconnu lui avait indiqué dans un e-mail. Tout y tournait autour de l'idée que tout ça signifiait le commencement d'une guerre sainte entre hommes et femmes. Dans un de ses billets, UrbanDox évoquait des sites pour «les déviants et les anormaux». Des gens comme moi, avait pensé Jocelyn. C'est ces sites-là que je devrais consulter. Plus tard, elle s'était étonnée de n'y avoir pas pensé plus tôt.

Ryan, a priori, est un cas plus rare encore que Jocelyn. Il souffre d'une anomalie chromosomique; ses parents l'ont appris quelques semaines après sa naissance. Les garçons comme lui n'ont pas tous un fuseau. Certains d'entre eux meurent lorsque le fuseau tente de se développer. Chez d'autres, il se développe mais ne fonctionne pas. Mais dans tous les cas de figure, c'est motus et bouche cousue: sous d'autres cieux, moins cléments, des garçons ont été assassinés pour avoir possédé un fuseau.

Sur certains de ces sites «pour les déviants et les anormaux», des hommes s'interrogent: que se passerait-il s'ils persuadaient les femmes d'*essayer* d'éveiller leur pouvoir, et de leur enseigner comment le fortifier? Il existe des techniques, destinées aux femmes chez lesquelles il manque de vigueur, qui sont déjà employées dans les camps d'entraînement. Certains de ces internautes disent: Nous serions peut-être plus nombreux à l'avoir, si on *essayait*. Mais pour la plupart, ils ont renoncé à les convaincre, si tant est qu'ils aient essayé un jour. Ils répugnent à être associés à ça. À une *déviance*. Une anomalie chromosomique.

«Tu peux… le faire?
— Et *toi*?» demande Ryan.

Jos est dans un de ses bons jours. Son courant est régulier et mesuré. Elle peut le prodiguer à petites doses. Elle envoie une infime décharge dans le flanc de Ryan, l'équivalent d'un léger coup de coude dans les côtes. Il laisse échapper un gloussement de délectation. Elle lui sourit.

«À ton tour.»

Il prend la main de Jos dans la sienne. Il lui caresse le centre de la paume. Et puis, il le fait. Il a moins de contrôle que Jos. Son courant est beaucoup plus faible, aussi, et son intensité fluctue, même au cours des trois ou quatre secondes où il le maintient. Mais il est bien là.

La sensation lui arrache un soupir. Ce n'est pas une vue de l'esprit. Jos sent très distinctement le courant délinéer toutes les courbes de son corps. La pornographie s'en est déjà emparée. Le seul de nos désirs vraiment fiable s'avère aussi très adaptable; chez les êtres humains, ce qui existe est sexy. Et ce qui existe, maintenant, c'est ça…

En même temps qu'il lui envoie son courant dans la main, Ryan scrute le visage de Jos avec avidité. Elle laisse échapper un petit hoquet, qui le réjouit.

Quand il a épuisé son courant – et il n'en a pas, n'en a jamais eu beaucoup –, Ryan tombe à la renverse sur le lit, et Jos s'allonge à côté de lui.

«Maintenant? demande-t-elle. Tu es prêt?

— Oui. Vas-y.»

Du bout d'un doigt, elle effleure le lobe de son oreille. Fait pénétrer le crépitement dans la chair jusqu'à ce qu'il se trémousse, rie, la supplie d'arrêter et de continuer à la fois.

Jos aime bien les filles. Elle aime bien aussi les garçons qui ressemblent un peu à des filles. Et Ryan n'habitait qu'à un trajet de bus de chez elle; un coup de chance. Elle lui a envoyé un message privé. Ils se sont rencontrés au centre commercial. Ils se sont bien plu. Ils se sont revus deux ou trois fois. Ils ont parlé du truc. Ils se sont tenus par la main. Se sont un peu pelotés. Et elle l'a ramené à la maison. Elle se dit : J'ai un petit ami. Elle regarde le fuseau de Ryan; il n'est pas prononcé du tout, rien à voir avec le sien. Elle sait pertinemment ce que certaines filles du camp NorthStar diraient, mais elle, elle le trouve sexy. Elle pose les lèvres sur la clavicule de Ryan et le sent qui fredonne sous la peau. Elle sème tout du long des petits baisers. Ryan est comme elle, et différent à la fois. Elle sort la langue et lèche la peau, à l'endroit où elle a un goût de pile électrique.

En bas, Margot expose les mesures de soutien dont ont tant besoin les seniors vulnérables. Elle mobilise toute son attention pour n'en oublier aucune. Dans un coin, cependant, son cerveau continue à mouliner cette question qu'Alan lui a posée : le veut-elle ? En veut-elle ? Et pourquoi ? Margot pense à Jos, à l'aide qu'elle pourrait lui apporter si elle avait plus de pouvoir et d'influence, et à toutes les réformes bénéfiques pour l'État qu'elle pourrait mettre en œuvre. Cependant, tandis qu'elle s'agrippe à son pupitre en carton et qu'elle sent la charge monter en puissance le long de sa clavicule, presque malgré elle, elle pense surtout à la tête que ferait Daniel si elle gagnait l'élection. Oui, elle le veut – parce qu'elle veut le démolir.

Roxy

Mère Ève avait entendu une voix qui disait : Un jour, il existera un lieu où les femmes pourront vivre librement. Et aujourd'hui, dans ce nouveau pays où les femmes étaient jusqu'à très récemment enchaînées sur des matelas crasseux, dans des sous-sols, Mère Ève fait l'objet de centaines de milliers de recherches Internet. Ces femmes fondent de nouvelles églises en son nom, sans qu'on ait eu besoin de leur envoyer de missionnaire ni d'émissaire. Le nom de Mère Ève veut dire quelque chose en Bessapara ; un e-mail de sa part signifie encore plus.

Et le père de Roxy connaît des gens à la frontière moldave, des gens avec lesquels il fait des affaires depuis des années. Pas de la traite humaine – ça, c'est un sale business – mais du commerce de voitures, de cigarettes, d'alcool, d'armes, et même parfois d'œuvres d'art. Une frontière poreuse est une frontière poreuse. Et avec tout ce chambard dernièrement, c'est encore plus vrai que jamais.

Roxy dit à son père : « Envoie-moi dans ce nouveau pays – la Bessapara. Envoie-moi là-bas et je pourrai monter une affaire. J'ai eu une idée. »

« Hé, vous voulez essayer un nouveau truc ? » demande Shanti.

Ils sont huit, dans cet appartement en sous-sol de Primrose Hill – quatre femmes et quatre hommes, tous âgés d'environ vingt-cinq ans. Des banquiers. Un des types a déjà la main sous la jupe d'une des femmes, ce dont Shanti se serait bien passée.

Mais elle connaît sa clientèle. « Un nouveau truc » est leur cri de ralliement, leur chant d'accouplement, c'est leur réveil téléphonique de six heures du matin avec journal et jus de grenade bio, parce que la bombe glycémique du jus d'orange, c'est vraiment trop années 1980. Les « nouveaux trucs », ils adorent ça, encore plus que les obligations adossées à des actifs.

« Une dose d'essai gratuite ? » s'enquiert un des hommes en comptant les pilules qu'ils viennent d'acheter. Il vérifie qu'il ne s'est pas fait rouler. Connard.

« Hmm hmm, fait Shanti. Mais pas pour toi. Ceci est exclusivement réservé aux *dames*. »

L'information suscite fanfaronnades et sifflets. Shanti leur montre le petit sachet de poudre ; c'est blanc avec un discret scintillement violet, comme de la neige, du givre, comme les pistes de ski des stations à la mode que cette clique fréquente le week-end, pour boire des chocolats chauds à vingt-cinq livres la tasse et s'envoyer en l'air sur une fourrure d'une espèce animale en voie d'extinction, devant un feu de cheminée diligemment préparé à cinq heures du matin par le petit personnel sous-payé du chalet.

« Glitter », annonce-t-elle.

Elle humecte l'extrémité de son index, le plonge dans le sachet et y colle quelques cristaux brillants.

Elle ouvre la bouche, pointe la langue vers son palais pour qu'ils voient comment elle procède. Elle frotte la poudre sur l'une des épaisses veines bleues à la base de sa langue. Puis elle passe le sachet aux dames.

Qui ne se font pas prier et s'octroient de généreuses doses du «nouveau truc» offert par Shanti. Celle-ci patiente, le temps qu'elles en ressentent l'effet.

«Waouh! s'exclame une analyste en systèmes informatiques avec un carré au ras des oreilles – Lucy? Charlotte? Elles s'appellent toutes plus ou moins pareil. Oh là là, je crois que je vais…» Des crépitements fusent au bout de ses doigts. Pas suffisamment puissants pour blesser qui que ce soit, mais la fille a un peu perdu le contrôle.

Avec la plupart des substances, si une femme est ivre ou défoncée, son pouvoir s'en trouve affaibli. Elle peut toujours lâcher une décharge ou deux, mais rien qu'on ne puisse esquiver à moins d'être soi-même ivre. Avec le Glitter, il en va différemment. Ses effets sont calibrés. Il a été *conçu* pour accroître l'intensité de l'expérience. Cette poudre est un cocktail d'amphétamines coupé avec un peu de coke – il est prouvé que la cocaïne donne un coup de fouet au pouvoir – et de cet adjuvant qui lui confère son scintillement violet – que Shanti n'a jamais vu à l'état brut. Ce dernier ingrédient vient de Moldavie, a-t-elle entendu dire. Ou de Roumanie. Ou de Bessapara. Ou d'Ukraine. Bref, de ce coin-là. Shanti a un fournisseur, un type qu'elle rencontre dans un garde-meuble de l'Essex, sur la route qui mène vers la côte, et quand ce nouveau truc a débarqué, elle a tout de suite su qu'elle pourrait le dealer sans problème.

Les femmes commencent à rire. Renversées contre leurs dossiers, à la fois détendues et excitées, elles s'amusent à étirer des arcs de faible intensité entre leurs mains, ou vers le plafond. Shanti n'aurait rien contre le fait que l'un de ces arcs l'atteigne. Elle a réussi à convaincre sa copine de jouer à ce petit jeu. Pas pour se faire mal, juste pour sentir le pétillement, le chatouillement des terminaisons nerveuses, comme si on prenait une douche à la San Pellegrino. Ce que ces connards font probablement, de toute façon.

Un des types sort une liasse de billets de cinquante neufs et craquants, pas le genre de ceux qu'on extrait d'un trou dans le mur, et lui prend quatre sachets. Elle les lui fait payer le double du prix habituel, parce que ce sont des connards. Personne ne lui propose de la raccompagner jusqu'à sa voiture. Elle n'a pas refermé la porte qu'un des couples est déjà en train de forniquer, et chaque coup de reins s'accompagne d'une explosion d'étoiles.

Steve est sur les nerfs à cause de ce changement intervenu dans l'équipe de sécurité. Ça ne veut peut-être rien dire, c'est sûr ; une de ces têtes de lard a peut-être eu un bébé, ou un autre chopé mal au ventre. Mais quand on n'est pas dans la confidence, fatalement, on gamberge, même quand tout se passe bien et qu'on vous laisse passer, comme d'habitude, pour récupérer vos foutus sabliers, comme d'habitude.

Le problème, c'est que les journaux en ont parlé. Ils n'en ont pas fait leurs unes, ni même une pleine page mais il n'empêche que le *Mirror*, l'*Express* et ce torchon de *Daily Mail* ont parlé de cette « nouvelle drogue fatale » qui fauche « de jeunes hommes qui avaient la vie devant eux ». Cela dit, même si on parle de cette came dans le journal, aucune loi pour l'instant ne l'interdit, du moins tant qu'elle est coupée avec autre chose. Ce qui est le cas de celle contenue dans ces sabliers. Alors merde ! Il va faire quoi ? Rester planté là comme une asperge et attendre de savoir si monsieur le gendarme est en embuscade sur les quais ? De savoir si ce nouveau gardien, avec lequel il n'a jamais bavardé ni bu un coup, est un flic ?

Il enfonce sa casquette au ras des yeux et avance le camion devant la grille.

« J'ai des cartons à récupérer dans un conteneur…, commence-t-il, et il fait mine de lire le bordereau, même s'il connaît le numéro par cœur, comme s'il était tatoué à l'intérieur de ses paupières. A-G-21-FE7-13859D ? » Il y a un grésillement dans l'interphone. « Nom d'un chien ! ajoute Steve d'un ton faussement décontracté. Ces fichues références s'allongent de semaine en semaine ! »

Il y a un long silence. Si c'était Chris, ou Marky, ou même cette tête de nœud de Jeff, dans la loge, ils le reconnaîtraient et le laisseraient passer.

« Chauffeur, pouvez-vous venir vous garer devant la vitre ? demande une voix de femme dans l'interphone. Je dois vérifier votre identité et le bon d'enlèvement. »

Merde.

Il va se ranger devant la loge des gardiens – il n'a pas franchement le choix. Il est passé sans encombre des tas de fois. La plupart de ces chargements sont licites. Steve bricole dans l'import-export – il fait venir des jouets, qu'il refourgue à des revendeurs sur les marchés. Sa petite affaire tourne plutôt bien, les transactions se font souvent en espèces et n'entrent pas toutes dans la comptabilité. Steve passe des nuits entières à inventer des noms de commerçants ambulants auxquels il a vendu des marchandises. Bernie Monke lui a obtenu un stand au marché de Peckham ; il y fait un tour le samedi, pour donner l'impression que tout est réglo. Les jouets sont sympas, en bois, fabriqués en Europe de l'Est. Et puis il y a les sabliers, bien sûr. Jamais ils n'y ont regardé à deux fois quand il est venu réceptionner des petits robots en bois articulés avec des articulations en élastique, ou des canards à roulettes. Non, il faut que le contrôle tombe justement sur les sabliers.

Dans la loge, il découvre une femme qu'il n'a jamais vue, avec une paire de lunettes qui lui mange la moitié du visage, du milieu du front jusqu'au bout du nez. Des lunettes de chouette. Steve regrette de n'avoir pas pris un petit quelque chose, juste un chouïa, avant de partir. Il ne peut pas en trimbaler sur lui dans la camionnette, ce serait complètement idiot, ils ont des chiens renifleurs. C'est ça qui est bien, avec ces sabliers : ils ressemblent à s'y méprendre à des minuteurs à œufs. Même lui n'avait pas compris quand Bernie en avait retourné un devant lui, et que ce sable mou et doré avait commencé à s'écouler. « Fais pas ton crétin, s'était impatienté Bernie, qu'est-ce qu'il y a là-dedans, d'après toi ? Du sable ? » Sable ou pas, c'est hermétiquement scellé dans un tube à double paroi de verre. Il suffit de les laver avec de l'alcool dénaturé avant de les emballer dans les cartons, et le tour est joué. Pour que les chiens puissent se rendre compte de l'entourloupe, il faudrait qu'ils en brisent un.

«Bordereau?» demande la femme, et il s'exécute. Il fait une plaisanterie sur la météo pourrie, mais ça ne lui arrache pas l'ombre d'un sourire. Elle parcourt des yeux la liste des marchandises. À deux reprises elle lui demande de lire à haute voix un mot ou un numéro, pour s'assurer qu'elle a bien compris. Derrière elle, Steve aperçoit brièvement le visage de Jeff à travers la porte en verre Securit de la loge. Jeff se fend d'une grimace – *Navré, mec* – et secoue la tête dans le dos de la dure à cuire. Merde. Merde. Merde.

«Pouvez-vous me suivre, s'il vous plaît?» D'un geste, la femme lui indique un bureau, sur le côté.

«Y a un souci? Vous ne pouvez plus vous passer de moi?» lance Steve d'un ton badin et comme à la cantonade, bien qu'il n'y ait personne d'autre dans la pièce.

La femme ne sourit toujours pas. Merde merde merde. Il y a un détail, dans la paperasse, qui a éveillé sa suspicion. Steve les a tous remplis lui-même, ces papiers; il est bien placé pour savoir que tout est en ordre. Elle a été rencardée. Elle est envoyée par les stups. Elle sait quelque chose.

Elle lui indique la petite table, lui fait signe de s'asseoir et s'installe en face de lui.

«C'est à quel sujet? demande-t-il aimablement. Parce que c'est bien beau, tout ça, mais je dois être à Bermondsey dans une heure et demie.»

La femme lui saisit le poignet, pose le pouce pile entre les petits os, à la jointure de la main, et, d'un coup, un incendie lui ravage les os, les veines se ratatinent, s'enroulent sur elles-mêmes, noircissent. Elle va lui arracher la main!

«Pas un mot», dit-elle. De toute façon, il est bien incapable d'ouvrir la bouche.

«Roxy Monke a repris l'affaire. Tu sais qui c'est? Qui est son père? Ne dis rien, contente-toi de hocher la tête.»

Il s'exécute. Oui, il sait.

«Tu rabiotes, Steve.»

Il essaie de secouer la tête, de protester. Non, non, non, vous vous trompez, ce n'est pas moi, mais elle lui envoie une nouvelle décharge dans le poignet, plus puissante cette fois. Steve est convaincu qu'elle va le lui exploser.

«Chaque mois, un ou deux minuteurs disparaissent de tes registres. Tu me suis, Steve?»

Il hoche la tête.

«À compter de maintenant, tout ça c'est fini. Sinon, on te dégage. Compris?»

Il hoche la tête. Elle relâche son poignet. Steve le prend au creux de l'autre main. Il n'y a aucune marque sur la peau, pas la moindre trace de ce qui vient de se passer.

«Parfait. Parce que ce mois-ci, on a une marchandise spéciale. Mais tu n'en fais rien tant que tu n'as pas reçu de consignes, OK?

— Ouais. Ouais.»

Il repart avec huit cents minuteurs à œufs impeccablement emballés dans des cartons dûment enregistrés à l'arrière de sa camionnette, et une paperasse en ordre. Il n'y jette un œil qu'une fois de retour au garde-meuble, après avoir pris un petit quelque chose pour calmer la douleur. Ouais. Il voit la différence.

Dans ces sabliers-là, le « sable » a une petite coloration violette.

Roxy est en train de compter l'argent. Elle pourrait demander à une des filles de s'en charger, elles l'ont déjà fait une fois, ou appeler quelqu'un pour venir compter les billets devant elle. Mais elle aime le faire elle-même. Elle aime sentir le papier-monnaie sous ses doigts. Et contempler ses décisions se transformer en chiffre d'affaires, en pouvoir.

Bernie lui a dit plus d'une fois : « Le jour où quelqu'un d'autre sait mieux que toi où va ton fric, tu as perdu. » L'argent, c'est comme un tour de magie, on peut le transformer en ce qu'on veut. Abracadabra… ta-dam ! Le voilà transformé en drogue, qui se transforme à son tour en trafic d'influence auprès de Tatiana Moskalev, présidente de la Bessapara, puis en usine dans un pays où les autorités fermeront les yeux sur votre petite cuisine qui recrache une fumée aux reflets violets dans le ciel à minuit.

Quand Roxy était rentrée à la maison, Ricky et Bernie avaient déjà réfléchi à ce qu'elle pourrait faire, du recel, par exemple, ou encore s'occuper d'une de leurs sociétés écrans à Manchester, mais l'idée qu'elle avait soumise à son père était plus ambitieuse, beaucoup plus ambitieuse même que toutes celles que l'on avait proposées à Bernie depuis longtemps. Roxy savait depuis déjà pas mal de temps quelle substance prendre, et à quoi la mélanger pour décupler son pouvoir. Elle avait passé des jours et des jours complètement déchirée, à essayer différentes associations que les gars de son père avaient concoctées avec son approbation.

Le jour où ils avaient trouvé la bonne, ils l'avaient compris tout de suite : un cristal violet, de la taille d'un éclat de sel gemme, obtenu par des chimistes à partir de l'écorce du dhoni – une essence originaire du Brésil qui pousse assez bien ici aussi.

Une seule inhalation de cette came – du Glitter pur – et Roxy était capable d'envoyer des arcs électriques des centaines de mètres plus loin. Ce n'est pas ça qu'ils expédient : trop dangereux, trop précieux. Ils gardent la bonne came pour leur usage personnel, ou éventuellement pour le bon enchérisseur. La marchandise qui part de l'usine est déjà coupée. Ça marche du feu de Dieu. Roxy n'en a rien dit à sa famille, mais c'est grâce aux nouvelles églises de Mère Ève que soixante-dix ouvrières loyales travaillent sur leurs lignes de production. Des femmes qui pensent œuvrer pour la Toute-Puissante et apporter sur un plateau du pouvoir à Ses enfants.

Chaque semaine, Roxy annonce elle-même à Bernie le montant de la recette hebdomadaire – devant Ricky et Darrell s'ils se trouvent là, elle s'en fiche. Elle sait ce qu'elle fait. La famille Monke est l'unique fournisseur de Glitter en ce moment. Ce truc est une vraie planche à billets. Et les billets, ça peut se transformer en n'importe quoi.

Par e-mail, sur un compte privé qui transite par une dizaine de serveurs, Roxy indique également le chiffre d'affaires hebdomadaire à Mère Ève.

« Pas mal, dit Ève. Et tu en gardes un peu en réserve pour moi ?

— Pour toi et les tiennes, répond Roxy. Exactement comme convenu. C'est un peu grâce à toi, tout ça. Tu fais ma fortune. Tu nous protèges, et on te protégera. » Elle sourit en tapant ces mots. Prends tout ; tout ça t'appartient, songe-t-elle.

*Squelettes de sexe masculin découverts dans une fosse
commune lors d'une récente campagne de fouilles dans le
Conglomérat du Post-Londres. Les mains ont été tranchées
ante mortem. Ces crânes portant des marques sont typiques
de la période ; les cicatrices ont été incisées post mortem.
Datés approximativement de deux mille ans.*

PLUS QUE CINQ ANS

Margot

Le candidat bombe le torse devant le miroir. Roule les cervicales d'un côté, de l'autre. Ouvre grande la bouche : «Laaaa, la-la-la laaaaaaa.» Il croise le reflet de sa pupille bleu turquoise et ébauche un sourire, puis lui adresse un clin d'œil. Il articule silencieusement à l'intention de l'homme dans le miroir : «Tu vas y arriver, haut la main.»

Morrison rassemble ses notes et dit, en essayant de ne pas croiser directement le regard du candidat : «Monsieur Dandon? Daniel? Monsieur? Vous allez y arriver, haut la main.»

Le candidat sourit. «C'est la vérité, monsieur. Vous occupez déjà ce poste, il vous appartient.»

Ce genre de bons présages, c'est exactement ce dont a besoin le candidat, tout comme de s'imaginer qu'il bénéficie d'un alignement des planètes. Morrison ne dédaigne pas de recourir à ces petites astuces, quand il le peut. C'est pour cela qu'il est bon dans son job. Avec ce genre d'encouragements, il multiplie les chances que son poulain coiffe son rival au poteau.

Le rival, en l'occurrence, est une rivale, de presque dix ans la cadette du poulain de Morrison. Une femme dure, butée – deux traits de sa personnalité qu'ils ont fait en sorte de mettre en lumière pendant ces semaines de campagne. C'est de bonne guerre, non ? Sans compter qu'elle est divorcée et qu'elle a deux adolescentes à élever – où trouvera-t-elle le *temps* qu'exige l'exercice d'un tel mandat ?

Quelqu'un a demandé à Morrison si, selon lui, la politique avait changé depuis que, bon, vous savez bien… depuis le Grand Changement.

« Non, les fondamentaux sont demeurés les mêmes : savoir prendre les bonnes décisions, et rester mesuré et calme en toutes circonstances – ce qui est le cas de notre candidat, si je puis me permettre », a-t-il répondu, avant de ramener la conversation sur la route panoramique dûment bordée de garde-fous d'où l'on pouvait admirer le mont Éducation et le promontoire Services de santé, via un petit détour par le boulevard Valeurs et les gorges du Self-made-man. Pourtant, au fond de lui, il doit bien reconnaître que, si, un changement s'est bel et bien opéré. Et si Morrison avait laissé cette étrange voix dans sa tête prendre le contrôle opérationnel de sa bouche, ce qu'il n'aurait jamais fait – il n'est pas né de la dernière pluie –, cette voix aurait dit : On attend tous qu'il se passe quelque chose. On fait comme si de rien n'était uniquement parce qu'on ne sait pas quoi faire d'autre.

Les candidats font une entrée en scène digne de Travolta, ils en ont répété chaque mouvement, conscients que les projecteurs vont venir les cueillir et faire resplendir tout ce qui brille, les paillettes comme la transpiration. Leur adversaire frappe un grand coup d'entrée avec la première question, qui porte sur la Défense. Elle connaît le dossier par cœur – pas étonnant, elle gère ce projet NorthStar depuis maintenant des années. Son poulain devrait la pousser dans ses retranchements, mais il manque parfois de repartie.

« Allez, articule silencieusement Morrison, sans s'adresser à personne en particulier, puisque son candidat, ébloui par les projecteurs, ne peut pas le voir. Vas-y. Attaque. »

Le candidat trébuche sur sa réponse et Morrison a la sensation de recevoir un coup de poing dans le ventre.

Les deux questions suivantes portent sur des sujets plus généraux. Si le candidat de Morrison démontre qu'il maîtrise son sujet, il est en revanche soporifique au possible, et ça, ça ne pardonne pas. Quand arrivent les questions sept et huit, elle l'a acculé dans les cordes, et il ne riposte même plus lorsqu'elle lui assène le coup de grâce en lui disant qu'il lui manque la vision qu'exige le poste. À ce stade, Morrison se demande si son candidat peut essuyer une telle défaite en rase campagne sans l'entraîner, lui aussi, se vautrer dans le bourbier. Au train où ça va, ça pourrait donner l'impression qu'il a passé les quelques derniers mois à se tourner les pouces.

Quand arrive la longue coupure publicitaire, ils n'ont plus rien à perdre. Morrison accompagne son candidat aux toilettes. Il lui propose de se repoudrer le nez, passe en revue les sujets à venir et lui dit : « Vous vous débrouillez très bien, monsieur, mais vous savez… un peu d'agressivité ne peut pas nuire.

— Allons, allons, lui rétorque le candidat, je ne peux pas me montrer hargneux. »

Morrison l'empoigne par le bras et lui dit : « Monsieur, vous tenez vraiment à ce que cette femme vous mette une raclée ? Pensez à votre père, pensez à ce qu'il aurait voulu voir ce soir. Défendez haut et fort les valeurs auxquelles il croyait et l'Amérique qu'il voulait construire. Réfléchissez, monsieur, à la façon dont il aurait géré ceci. »

Le père de Daniel Dandon – un colosse, redoutable en affaires, avec un sérieux penchant pour la bouteille – a disparu dix-huit mois plus tôt. C'était un coup bas. Souvent, les coups bas, ça fonctionne.

Le candidat roule des épaules comme un boxeur professionnel et les voilà de retour sur le ring pour la reprise.

Le candidat n'est plus le même homme. Morrison hésite entre attribuer cette métamorphose à la coke ou à son petit discours de motivation, mais une seule conclusion s'impose à lui : Franchement, je suis un sacré bonhomme.

Son poulain est à l'offensive : les syndicats ? Ce sera leur âge d'or. Les droits des minorités ? On croirait entendre l'héritier naturel des Pères fondateurs. Il pousse son adversaire dans ses retranchements. C'est bon, ça. Vraiment bon.

C'est à ce moment-là que Morrison et le public remarquent que l'adversaire en question ferme et rouvre nerveusement ses poings, comme si elle essayait de s'empêcher de… Non, ça ne peut pas être ça. C'est impossible. Elle a passé le test.

Le candidat a le vent en poupe, à présent. « Et concernant ces subventions, assène-t-il, vos propres chiffres montrent que le dispositif est intenable. »

Un brouhaha monte du public, le candidat y voit une approbation de son attaque musclée. Il va porter l'estocade.

« Pour être honnête, non seulement il est intenable, mais il a quarante ans de retard. »

Elle a réussi son test haut la main. Ça ne peut pas être ça. Tandis qu'elle proteste d'une voix saccadée, comme si elle scandait chaque seconde qui passe : « Allons, allons, vous ne pouvez pas dire ça, allons, allons », ses mains sont cramponnées aux bords du pupitre, et tout le monde voit bien qu'elle essaie de se contenir, de s'empêcher de le faire. Tout le monde, sauf le candidat.

Qui enchaîne sur une passe dévastatrice.

« Bien entendu, on ne peut pas s'attendre à ce que vous compreniez ce que cela signifie pour les familles laborieuses. Vous avez laissé aux camps de jour NorthStar le soin d'élever vos filles. Vous souciez-vous seulement d'elles ? »

Trop, c'est trop. Elle tend le bras, poing serré ; ses articulations entrent en contact avec la cage thoracique du candidat et – *zou* !

Rien de bien méchant, franchement.

Ça ne l'assomme même pas. Le candidat vacille un peu sur ses jambes, écarquille les yeux, laisse échapper un hoquet, s'écarte d'un, deux, trois pas de son pupitre et croise les bras sur son ventre.

Le public, qu'il assiste au direct dans le studio ou qu'il soit devant sa télévision, a compris ; tout le monde a vu et compris ce qui vient de se passer.

Dans le studio, c'est le silence complet, comme si les spectateurs retenaient leur souffle ; puis, telles des bulles qui montent éclater à la surface, des murmures épars crèvent le silence, d'autres s'élèvent en écho, l'effervescence gagne en puissance et se transforme en bouillonnement.

En même temps que le candidat trébuche vers son pupitre pour venir délivrer sa réponse, le modérateur annonce qu'ils vont faire une pause. Et dans la seconde qui précède la coupure publicitaire, on voit l'expression de Margot changer du tout au tout, on voit le rictus triomphant et plein de suffisance balayé par la crainte soudaine que ce coup d'éclat ne soit irréversible, et on entend, dans le public, les grondements de colère, de peur et d'incompréhension se transformer en plainte.

Morrison veille à ce que le candidat retourne sur le plateau tiré à quatre épingles et en affichant un air impassible et calme, tout en laissant transparaître sa sidération et sa tristesse afin que le masque ne soit pas *trop parfait* non plus.

La campagne se poursuit sans accidents de terrain. Margot Cleary semble fatiguée. À cran. Au cours des jours suivants, elle s'excuse à maintes reprises de ce qui s'est passé et son équipe lui concocte une bonne ligne de défense : ce qu'elle a fait est impardonnable mais, explique-t-elle, c'est un sujet tellement sensible que lorsqu'elle a entendu Daniel Dandon mentir au sujet de ses filles, elle a perdu le contrôle.

Daniel, lui, gère l'incident en habile politicien. Il reprend la main. Certaines personnes peinent à conserver leur sang-froid quand elles sont mises en difficulté, dit-il, et s'il veut bien admettre que ses chiffres étaient erronés, reste qu'il existe une bonne, et une mauvaise façon de réagir – n'êtes-vous pas d'accord, Kristen ?

Il rit, l'animatrice en fait autant et pose la main sur la sienne. Tout à fait, acquiesce-t-elle, restez avec nous, après la page de publicité, nous verrons si ce cacatoès peut énumérer tous les présidents depuis Truman.

Les sondages parlent d'eux-mêmes, les électeurs sont choqués par le comportement de Cleary. Ce qu'elle a fait est impardonnable et immoral – sans compter que c'est la preuve d'un manque de jugeote évident. Non, ils ne peuvent pas s'imaginer voter pour elle. Le jour du scrutin, les premières estimations indiquent une forte participation, et la femme de Daniel se repenche sur ces plans de rénovation de l'arboretum de la Résidence du gouverneur. Ce n'est qu'après les sondages de sortie des urnes qu'ils commencent à se dire qu'il pourrait y avoir un hic, mais même là, ils demeurent confiants ; franchement, ils n'ont pas pu se tromper *à ce point*.

Eh bien si. Ces maudits électeurs, qui n'ont de cesse qu'ils ne traitent de menteurs des fonctionnaires dévoués et scrupuleux, ont menti à leur tour. Ils disaient respecter le travail acharné, l'engagement, le courage moral. Ils disaient que l'adversaire du candidat avait perdu leur voix à l'instant où elle avait abdiqué le discours de la raison et la voix de l'autorité calme et mesurée. Mais quand ils sont allés voter, par centaines, par milliers, par dizaines de milliers, une fois seuls et à l'abri des regards devant leur machine, ils se sont dit : Vous savez quoi ? Elle est tout de même solide. Elle en a fait la démonstration.

« Cette victoire aussi éclatante qu'inattendue, commente une journaliste, a autant surpris les experts que les électeurs... » Morrison ne veut pas en entendre davantage et pourtant il ne peut se résoudre à éteindre la télévision. Le candidat est interviewé une nouvelle fois – cela l'attriste que les électeurs de ce grand État ne lui aient pas renouvelé leur confiance, mais il s'incline devant le verdict des urnes. C'est bien, ça. Ne pas invoquer de raison ; ne jamais invoquer de raison. Quand les journalistes vous demandent à quoi vous attribuez votre défaite, évitez de leur répondre, ils ne cherchent qu'à vous pousser à l'autocritique. Le candidat battu adresse à son ex-adversaire tous ses vœux de réussite dans l'exercice de son mandat – et il sera attentif à chacun de ses pas tout au long du chemin, prompt à la critique si elle oubliait un seul instant l'intérêt des électeurs de ce bel État.

À l'écran, Morrison observe Margot Cleary, désormais gouverneur de ce bel État, se faire applaudir, promettre de servir ses administrés avec zèle et humilité et leur témoigner sa gratitude pour avoir accepté de lui offrir cette seconde chance. Elle non plus n'a rien compris à ce qui s'est passé. Elle croit qu'il lui faut demander pardon. Elle se trompe.

Tunde

« Dites-moi, quelles sont vos revendications ? »
demande Tunde.

Un des hommes dans le cortège agite sa banderole.
Il y est écrit : « Justice pour les hommes ». Ses copains
poussent une acclamation discordante et vont se chercher une nouvelle tournée de bières dans la glacière.

« On réclame ce qui est écrit là : la justice, fait remarquer un des manifestants. Nous réclamons justice.
C'est le gouvernement qui est responsable de tout ça,
c'est à lui d'y mettre bon ordre. »

C'est un après-midi qui se traîne en longueur, l'air
est lourd, poisseux, et la température va atteindre les
quarante degrés à l'ombre, dans ce coin. Ce n'est pas
la journée la mieux indiquée pour couvrir une mani-
festation dans un centre commercial de Tucson, en
Arizona. Tunde n'a fait le déplacement qu'à cause de
ce tuyau qu'il a reçu. D'après cet anonyme, il devrait se
passer quelque chose ici, aujourd'hui. Sur le moment,
ça semblait plutôt convaincant mais, au train où ça va,
il ne se passera rien du tout.

« Certains d'entre vous fréquentent-ils des forums
Internet – Badshitcrazy.com, BabeTruth, Urban-
Dox… ? »

Les hommes font non de la tête. L'un d'eux – qui apparemment a décidé de ne raser qu'une moitié de son visage, ce matin – déclare : « J'ai lu dans le journal que dans ce nouveau pays, la Bessapara, ils font des castrations chimiques. Tous les hommes y ont droit. Et c'est ce qui nous pend au nez à tous.

— Je... je ne pense pas que ce soit vrai, pondère Tunde.

— Regardez, j'ai découpé l'article. » L'homme commence à farfouiller dans sa sacoche. Une poignée de vieux reçus et de paquets de chips vides dégringolent sur l'asphalte. Il jure et ronchonne en ramassant ses détritus, et Tunde le filme nonchalamment avec son téléphone.

Il y a tant d'autres sujets sur lesquels il pourrait être en train de travailler à l'heure qu'il est ! Il aurait dû partir en Bolivie, qui vient de proclamer son propre pape – une papesse, en l'occurrence. En Arabie saoudite, le gouvernement progressiste commence à montrer des signes de vulnérabilité face à la montée de l'extrémisme religieux. Tunde pourrait y retourner pour écrire la suite de son premier article. Même en matière de ragots il y a des histoires plus captivantes que cette manif : la fille d'un gouverneur récemment élu de Nouvelle-Angleterre a été photographiée en compagnie d'un garçon – apparemment doté d'un fuseau parfaitement visible. Tunde a déjà entendu parler de cette anomalie. Pour un de ses articles, il a interrogé des médecins sur les traitements disponibles pour les filles souffrant d'une malformation ou d'un dysfonctionnement du fuseau. Toutes les filles n'en possèdent pas, contrairement à ce que l'on pensait dans les premiers temps, environ cinq filles sur mille naissent sans. Certaines n'en veulent pas et essaient de s'en débarrasser par elles-mêmes ; l'une d'elles, lui a confié un médecin, a essayé de le découper avec une paire de ciseaux. Une gamine de onze ans. Aux ciseaux. À se taillader comme si elle était une poupée en papier. Et on rencontre parfois des garçons qui, en raison d'une anomalie chromosomique, en ont un. Parfois, ça leur plaît, parfois pas. Certains demandent à se le faire retirer. Le médecin est contraint de leur répondre, non, on ne sait pas faire ça. Dans plus de cinquante pour cent des cas, l'ablation du fuseau se solde par le décès du patient. On ignore pourquoi, dans la mesure où ce n'est pas un organe vital. L'hypothèse qui tient la corde en ce moment est la suivante : le fuseau est connecté au rythme électrique du cœur, et son ablation provoque un dérèglement à ce niveau-là. On peut le désépaissir en retirant quelques filaments, pour amoindrir sa puissance ou le rendre plus discret, mais quand on l'a, on le garde.

Quand Tunde essaie d'imaginer ce que cela ferait d'en avoir un, de posséder un pouvoir que l'on ne peut ni céder ni échanger, il est partagé entre envie dévorante et répulsion. Il navigue sur des forums Internet où des hommes affirment que s'ils en possédaient un eux aussi, tout rentrerait dans l'ordre. Ce sont des hommes en colère, des hommes qui ont peur. Tunde les comprend. Depuis Delhi, lui aussi a peur. Il s'est inscrit sur UrbanDoxSpeaks.com sous un pseudonyme, il poste quelques commentaires, pose quelques questions. Il tombe sur une discussion relative à son travail. Les internautes l'y traitent de traître à son genre parce qu'il a publié ce reportage sur Awadi-Atif au lieu de le garder secret, parce qu'il ne parle jamais du mouvement des hommes, ni de leurs théories conspirationnistes. Quand il a reçu cet e-mail lui annonçant qu'il se passerait quelque chose ici, aujourd'hui, Tunde a pensé… Il ne sait pas trop ce qu'il a pensé, à vrai dire. Peut-être s'est-il dit qu'il y aurait quelque chose pour lui. Pas seulement de l'actu, mais quelque chose susceptible d'expliquer un sentiment qui le hante depuis quelque temps. Ce n'est rien. Il a cédé à la peur, rien de plus. Depuis Delhi, il fuit les sujets de reportage plus qu'il ne court après. Ce soir, en rentrant à l'hôtel, il se connectera à Internet pour voir s'il est encore temps de rapporter un bon papier de Sucre, et à quelle heure décolle le dernier vol pour s'y rendre.

Il y a un bruit semblable à un coup de tonnerre. Tunde lève les yeux vers les montagnes, s'attend à voir un ciel gris, chargé. Mais ce n'est pas un orage, ni même le tonnerre. Le bruit se répète, plus fort, et un énorme nuage de fumée apparaît brusquement à l'autre extrémité du centre commercial, accompagné de cris.

« Merde ! s'exclame l'un des manifestants venus avec leurs bières et leurs banderoles. Une bombe ! »

Tunde se précipite en direction de l'explosion, en tentant de garder sa caméra la plus stable possible. Il entend des craquements et des murs qui s'écroulent. Il contourne le bâtiment. Le restaurant de spécialités savoyardes est en flammes. Plusieurs autres commerces sont en train de s'effondrer. Des gens s'échappent en courant du bâtiment.

« Il y avait une bombe », affirme l'un d'eux face à la caméra. Son visage est couvert de poussière de brique, du sang coule d'entailles superficielles et tache sa chemise blanche. «Il y a des gens piégés à l'intérieur.»

Tunde aime bien cette version de lui-même, celle qui court pour se rapprocher du danger, non pour le fuir. C'est bien, je n'ai pas changé, se félicite-t-il chaque fois qu'il fait ça. Pourtant, ce besoin de se rassurer, lui, est bel et bien nouveau.

Il contourne les décombres. Deux adolescentes sont à terre. Il les aide à se relever, encourage l'une d'elles à s'appuyer sur l'autre pour marcher car d'impressionnants hématomes se forment déjà sur sa cheville.

«Qui a fait ça? sanglote-t-elle devant l'objectif de Tunde. Qui?»

C'est effectivement la question. Quelqu'un a fait sauter un restaurant savoyard, deux magasins de chaussures et un dispensaire pour femmes. Tunde se tient à distance du bâtiment et filme quelques plans larges. C'est drôlement impressionnant. À sa droite, les flammes ravagent le centre commercial. À gauche, toute la façade du bâtiment a été soufflée par l'explosion. Alors qu'il filme, un tableau blanc mentionnant les rotations de personnel dégringole du premier étage. Quand il s'écrase au sol, Tunde zoome dessus: «Kayla, 15 h 30 - 21 heures; Debra, 7 heures».

Une voix appelle à l'aide. Elle n'est pas loin, mais c'est difficile de la localiser derrière ce rideau de poussière. Là, une femme enceinte, piégée sous les gravats. Gisant, face contre terre, sur son énorme ventre – elle ne doit plus être loin du terme. L'une de ses jambes est coincée sous un pilier en béton. Et il y a quelque chose qui sent l'essence. Tunde pose sa caméra – dans un endroit sûr, où elle pourra continuer de filmer – et, en rampant, il essaie de se rapprocher de la blessée.

« Ça va aller, lui dit-il en voulant y croire. Les ambulances arrivent. Ça va aller. »

La femme lui répond par une bordée de hurlements. Sa jambe droite est broyée, réduite à un amas de chair ensanglantée. Elle s'acharne à vouloir la dégager, en poussant de son autre pied contre le pilier qui la retient prisonnière. La réaction instinctive de Tunde est de lui tenir la main, mais une décharge d'une formidable intensité ponctue chacun de ses coups de pied.

C'est probablement involontaire. Les hormones de grossesse augmentent la magnitude du courant – ce qui est peut-être un effet secondaire de tous les bouleversements biologiques à l'œuvre pendant la gestation – bien que pour le moment, on dise que c'est pour protéger le bébé. On a vu des femmes mettre des infirmières K-O pendant l'accouchement. La douleur et la peur neutralisent le contrôle sur le pouvoir.

Tunde crie à l'aide. Il n'y a personne alentour.

« Comment vous appelez-vous ? demande-t-il. Moi, c'est Tunde. »

La femme grimace et répond : « Joanna.

— Joanna, respirez avec moi. Inspirez… (il bloque sa respiration et compte jusqu'à cinq)… expirez. »

Elle essaie. En grimaçant, en plissant le front, elle inspire et vide ses poumons d'un coup.

« Les secours vont arriver, Joanna. Ils vont vous dégager de là. Continuez à respirer. »

Inspirer, expirer. Encore une fois. Inspirer, expirer. Les spasmes se sont calmés.

Un craquement résonne dans le béton au-dessus d'eux. Joanna tente d'étirer le cou pour voir ce qui se passe.

« C'est juste des néons qui se détachent », la rassure Tunde. Il les voit qui pendouillent retenus par un ou deux fils.

« On dirait que le toit est en train de s'effondrer.

— Ce n'est pas le cas.

— Ne me laissez pas ici, ne m'abandonnez pas toute seule là-dessous.

— Le toit n'est pas en train de s'effondrer, Joanna. C'est juste les néons. »

L'un des tubes se balance au bout d'un fil, qui finit par rompre. Quand il s'écrase dans les décombres, Joanna sursaute et un nouveau spasme la secoue ; elle retombe dans ce cercle vicieux qui la pousse à lutter pour extraire sa jambe de sous le pilier et à décharger de douleur.

« Tout va bien, tout va bien, répète Tunde. S'il vous plaît, continuez à respirer, s'il vous plaît.

— Ne m'abandonnez pas ici, le supplie-t-elle. Ça va s'effondrer. »

Elle envoie son courant dans les décombres. Là-dessous, un fil électrique se connecte à un autre, puis à un autre. Une ampoule explose dans un jaillissement d'étincelles qui enflamme ce fluide à l'odeur d'essence. Et soudain, tout s'embrase autour d'elle. Elle crie encore lorsque Tunde empoigne sa caméra et s'enfuit.

C'est l'image qu'ils ont figée sur l'écran. Ils ont prévenu qu'il y aurait des images dérangeantes, après tout. Personne ne devrait être surpris, mais n'est-ce pas horrible ? Kristen arbore une mine sombre. Quiconque verra cette séquence sera obligé d'admettre que les responsables de cet attentat appartiennent à la lie du genre humain.

Dans une lettre adressée à cette chaîne d'infos, un groupuscule terroriste du nom de Male Power a revendiqué l'attaque qui a détruit d'un même coup un dispensaire pour femmes et un centre commercial très fréquenté de Tucson, en Arizona. Ils affirment que cette attaque marque uniquement la première «journée de revendications» destinée à contraindre le gouvernement à agir contre les «ennemis des hommes». Un porte-parole du gouvernement termine tout juste une conférence de presse et son message est clair, sans ambiguïté : les États-Unis ne négocient pas avec les terroristes, les revendications de ce «groupuscule dissident acquis aux théories du complot» sont un ramassis d'inepties.

«Sait-on d'ailleurs seulement contre quoi ils protestent, Tom ?» Tom se renfrogne mais revêt aussitôt le masque du présentateur, avec son sourire lisse comme le glaçage d'un cupcake. «Ils réclament l'égalité, Kristen.»

«Coupure pub dans trente secondes», leur annonce-t-on dans l'oreillette, et Kristen fait de son mieux pour conclure la séquence, mais Tom ne semble pas décidé à s'arrêter là.

«Enfin, Tom, ce qui est fait est fait, on ne peut pas remonter le temps, encore que – sourire – après la pause, nous allons rembobiner le fil de l'histoire et vous faire revivre l'engouement pour cette danse qu'on appelait le swing.

— Non», assène Tom.

«Coupure pub dans dix secondes», annonce un producteur, très calmement et d'un ton égal. Ces petits dérapages n'ont rien d'exceptionnel; crises conjugales, stress, surmenage, soucis de santé, d'argent – ils ont tout vu, franchement.

«Le Centre pour le contrôle et la prévention des maladies nous cache des choses, poursuit Tom, et c'est pour cela qu'ils manifestent. Avez-vous vu ce qu'on raconte sur Internet? On nous cache volontairement des informations, les fonds investis le sont à mauvais escient, aucun budget n'est alloué au financement de cours d'autodéfense ou de vêtements de protection pour hommes, tout l'argent part dans ces camps NorthStar pour filles, pour l'amour de Dieu – c'est quoi ce bordel? Et va te faire foutre, Kristen, on sait très bien tous les deux que tu peux le faire, toi aussi, et ça t'a changée. Ça t'a rendue dure; tu n'as plus rien d'une vraie femme. Il y a quatre ans, Kristen, tu savais qui tu étais, et ce que tu avais à offrir à cette chaîne, tu peux me dire qui tu es, maintenant?»

Tom sait qu'ils ne sont plus à l'antenne depuis un bon moment, qu'en régie ils ont lancé la pub, probablement juste après son «Non». Ils ont dû estimer que quelques secondes de temps mort étaient préférables à ça. À l'issue de sa diatribe, Tom reste assis sans bouger, regard braqué droit dans l'œil de la caméra trois. Elle a toujours été sa préférée, elle met en valeur sa mâchoire volontaire et la fossette de son menton. Il est Kirk Douglas, presque, sur la caméra trois. Il est Spartacus. Il a toujours pensé qu'à terme il pourrait devenir acteur, se contenter de petits rôles dans un premier temps, commencer par jouer un présentateur de journal télé, puis pourquoi pas un prof, dans une comédie qui se déroulerait dans un lycée, un prof dont on découvrirait qu'il comprend mieux les jeunes que ne le soupçonnaient ses élèves parce que, vous savez, lui-même était assez déchaîné, à l'époque. Bon, c'est fini tout ça maintenant. Lâche l'affaire, Tom, sors-toi ces idées de la tête.

« Tu as fini ? demande Kristen.

— Ouais. »

Ils l'exfiltrent du plateau avant la reprise d'antenne. Il n'oppose aucune résistance, si ce n'est qu'il n'apprécie guère cette main sur son épaule et qu'il la chasse sans ménagement. Il ne supporte pas qu'on le touche – qu'on le laisse tranquille ! Ça fait longtemps qu'il travaille ; s'il ne fait pas d'esclandre, sa pension de retraite n'est peut-être pas perdue.

« Tom a été victime d'un malaise, annonce Kristen en fixant la caméra deux, l'œil brillant et le regard empreint de sérieux. Rien de grave, il sera très bientôt de retour parmi nous. À suivre tout de suite, votre bulletin météo. »

Tunde suit les développements de cette affaire depuis son lit d'hôpital. Il prend aussi des nouvelles par e-mails et via Facebook de sa famille et de ses amis restés à Lagos. Sa sœur, Temi, fréquente un garçon de deux ou trois ans son cadet. Elle veut savoir si Tunde, avec tous ces voyages, a une copine quelque part.

Il lui répond qu'il n'a pas trop de temps à consacrer à ça. Il y a eu une femme blanche, pendant un petit moment, une consœur rencontrée à Singapour et avec laquelle il a voyagé jusqu'en Afghanistan. Elle ne vaut pas la peine d'être mentionnée.

«Rentre à la maison, lui écrit Temi. Reviens pour six mois, et on te trouvera une gentille fille. Tu as vingt-sept ans, tu te fais vieux ! Il est temps de te caser.»

La femme blanche – elle s'appelait Nina – lui avait demandé : «Tu ne crois pas que tu souffres de SPT?»

Et ce parce qu'elle avait dégainé son truc pendant qu'ils étaient au lit, et qu'il s'était reculé pour se mettre à l'abri. Qu'il lui avait demandé d'arrêter. Puis s'était mis à pleurer.

«Je me retrouve échoué loin de chez moi, et il n'y a pas de retour possible, avait-il dit.

— C'est notre cas à tous», avait-elle répondu.

Il n'a pas connu de pires mésaventures qu'un autre. Il n'a aucune raison d'avoir plus peur qu'un autre. Depuis qu'il est à l'hôpital, Nina le bombarde de textos pour lui demander si elle peut venir le voir. Non, pas encore, répond-il.

C'est pendant ce séjour à l'hôpital qu'il reçoit l'e-mail. Quelques lignes à peine, mais l'adresse de l'expéditeur est fiable – Tunde a vérifié qu'elle n'avait pas été usurpée.

De : info@urbandoxspeaks.com
À : olatundeedo@gmail.com

Nous avons vu ton reportage sur le centre commercial en Arizona, nous avons lu ton récit sur ce qui t'est arrivé à Delhi. Nous sommes sur le même bateau ; embarqués aux côtés de tous les hommes. Si tu as suivi l'élection de Cleary, tu as dû voir ce qui s'est passé et comprendre ce que nous combattons. Viens en discuter avec nous, officiellement. On veut que tu rejoignes notre équipe.

UrbanDox.

Pour Tunde, la question ne se pose même pas. Son livre reste à écrire ; *le* livre, ces neuf cents pages de chroniques et d'analyses. Il le suit partout, en permanence, sur son ordinateur portable. Non, la question ne se pose pas. Rencontrer UrbanDox ? Évidemment qu'il est partant.

La mise en scène qui entoure le rendez-vous est ridicule. Tunde n'est pas autorisé à apporter son propre équipement. « Nous te fournirons un smartphone pour enregistrer l'interview », lui dit-on. « Je comprends, répond-il. Vous ne pouvez pas vous compromettre. » Ce qui n'est pas pour déplaire à son correspondant. Cette réponse le conforte dans son culte de la personnalité. « Tu es le seul journaliste en qui nous ayons confiance. Tu rapportes la vérité. Tu as vu le chaos tel qu'il est. On t'a invité à l'action en Arizona, et tu es venu. Nous te voulons toi et toi seul. » UrbanDox a un style carrément messianique. « Oui, écrit-il. Ça fait longtemps que je veux vous rencontrer. »

Comme il fallait s'y attendre, on lui fixe rendez-vous sur le parking d'un Denny's. S'ensuit un trajet en voiture que Tunde fait avec un bandeau sur les yeux ; à son arrivée, il est attendu par des hommes – tous des Blancs – vêtus de noir et encagoulés. Ils ont visiblement regardé trop de films. C'est la grande mode, maintenant : des ciné-clubs réservés à un public strictement masculin organisent des séances dans le salon de particuliers ou des arrière-salles de bar ; on y regarde en boucle des films avec des explosions, des crashs d'hélicoptères, des armes à feu, du muscle, de la castagne. Des films de mecs.

Tout ce cirque pour se retrouver dans un box de garde-meuble. C'est poussiéreux. Dans un coin, il y a de vieux boîtiers de cassettes VHS étiquetés « *A team* ». Et, assis sur une chaise, se trouve UrbanDox, souriant.

Il ne ressemble pas tout à fait aux photos de ses profils. Il a la cinquantaine bien sonnée. Des cheveux peroxydés, presque blancs. Des yeux d'un bleu très pâle. Tunde a lu quelques portraits de cet homme ; au dire de tous, il a connu une enfance terrible, marquée par la violence et la haine raciale. Il a créé plusieurs entreprises qui ont toutes capoté, et laissé des ardoises de plusieurs milliers de dollars auprès de dizaines de fournisseurs. Puis il y a eu des cours du soir, un diplôme en droit, et l'homme s'est réinventé blogueur. Il a le teint légèrement cendreux mais il est bien bâti, pour un type de son âge. Le changement spectaculaire dans la marche du monde a été bénéfique pour UrbanDox. Il lui permet de distiller depuis des années et à longueur de blog ses plaidoyers vils et mesquins, intolérants, hargneux et truffés de fautes, mais ce n'est que récemment que de plus en plus de gens – des hommes surtout mais aussi quelques femmes – ont commencé à prêter attention à ses diatribes. Il n'a eu de cesse qu'il ne nie avoir un quelconque lien avec ces groupuscules violents qui ont fait sauter des centres commerciaux et des jardins publics dans une demi-douzaine d'États. Il dit peut-être vrai, en revanche ces groupuscules, eux, aiment bien se réclamer de lui. Une des dernières menaces à la bombe qui s'était avérée fondée mentionnait simplement un lieu, une heure, et le lien Internet du dernier laïus en date d'UrbanDox sur l'avènement de la guerre des sexes.

Il parle d'une voix calme et posée. Mais plus haut perchée que Tunde ne s'y attendait.

«Tu sais qu'on va essayer de nous tuer», annonce-t-il.

Tunde s'était dit : Tu écoutes, c'est tout.

«Qui ça, "on" ?

— Les femmes.

— Aaah... Vous pourriez développer ?»

Un sourire rusé passe sur le visage de l'homme. «Tu as lu mon blog. Tu sais ce que je pense de tout ça.

— J'aimerais l'entendre de vive voix. Et vous enregistrer. Je suis sûr que des gens aimeraient entendre vos explications. Donc, vous pensez que les femmes sont en train d'essayer de tuer...

— Oh, je ne le pense pas, fils, je le sais. Rien de tout ça n'est accidentel. On nous raconte que l'"Ange Gardien", ce produit qu'ils ont introduit dans les réserves d'eau, s'est accumulé dans les nappes phréatiques et que personne n'aurait pu le prévoir. À d'autres. C'est des conneries. Tout ça a été planifié. Décidé. Après la fin de la Seconde Guerre mondiale, quand tous ces pacifistes et bons Samaritains de mes deux faisaient la loi, ils ont *décidé* d'empoisonner l'eau avec ce truc. Ils considéraient que les hommes avaient eu leur tour et qu'ils avaient tout foiré – deux guerres mondiales en deux générations. Ces foutus mâles bêta, ces pédés – ils se sont tous aplatis devant les bonnes femmes.»

Tunde a déjà lu cette théorie quelque part. Dans toute bonne intrigue conspirationniste, il faut des personnages de conspirateurs. Il s'étonne simplement qu'UrbanDox n'ait pas mentionné les juifs. «Les sionistes se sont servis des camps de concentration pour faire du chantage affectif et obtenir qu'on contamine l'eau avec ce truc.»

Nous y voilà.

«C'était une déclaration de guerre. Silencieuse, furtive. Ils avaient armé leurs troupes avant même de sonner le tocsin. Les traîtres étaient parmi nous avant qu'on se sache envahis. Notre gouvernement détient l'antidote, tu sais, mais ils le gardent sous clé, seuls quelques précieux élus y auront droit et le dénouement de tout ça... tu le connais. Elles nous haïssent tous. Elles veulent notre mort.»

Tunde pense aux femmes qu'il a connues. À des consœurs avec lesquelles il était à Bassora, à des femmes qu'il a rencontrées au Népal pendant le siège. Il y en a eu des femmes, ces dernières années, pour faire rempart de leur corps afin que Tunde puisse filmer et diffuser ses images à travers le monde.

«Non, c'est faux», s'exclame-t-il. Mince, ce n'est pas du tout la réaction qu'on attendait de lui.

UrbanDox rigole. «Elles te mènent par le bout du nez, fils, et toi, tu cours. Je parie qu'une ou deux fois une femme a volé à ton secours, pas vrai? Qu'elle a veillé sur toi, qu'elle t'a aidé, protégé quand tu étais en mauvaise posture?»

Prudemment, Tunde fait oui de la tête.

«Ben tiens, c'est le coup classique. Elles nous veulent dociles, indécis. C'est une tactique militaire vieille comme le monde ; si tu ne montres que le visage de l'ennemi, le peuple saura qu'il doit te combattre. Alors que si tu distribues des bonbons aux enfants et des médicaments aux malades, tu sèmes la confusion dans l'esprit des populations et elles ne savent plus comment te haïr. Tu comprends ?

— Oui, je crois.

— Ça a déjà commencé. As-tu vu les chiffres des violences domestiques faites aux hommes ? Des hommes morts sous les coups de leur compagne ? »

Oui, il a vu ces chiffres. Effectivement, c'est une réalité difficile à avaler.

«Ça commence comme ça, poursuit UrbanDox. Elles nous amollissent, elles nous transforment en êtres affaiblis et apeurés. Et ensuite, elles n'ont plus qu'à faire de nous ce qu'elles veulent. Tout ça participe du plan. Et elles le suivent à la lettre parce qu'on leur a dit de le faire. »

Non, ce n'est pas ça la raison, songe Tunde. Elles agissent ainsi parce qu'elles le peuvent. « Êtes-vous financés par Awadi-Atif, le roi d'Arabie saoudite en exil ? » demande-t-il.

UrbanDox sourit. « Bien des hommes s'inquiètent de ce sur quoi tout ça va déboucher, mon ami. Certains sont faibles et trahissent leur sexe et leurs frères. D'autres veulent croire que les femmes seront magnanimes envers eux. Mais beaucoup connaissent la vérité. Nous n'avons pas eu besoin d'aller mendier.

— Et vous parliez de… du dénouement ?

— Comme je te l'ai dit… elles veulent nous tuer tous, répond-il dans un haussement d'épaules.

— Mais… *quid* de la perpétuation de l'espèce humaine ?

— Les femmes sont juste des animaux. Exactement comme nous, elles veulent s'accoupler, se reproduire et avoir une descendance en bonne santé. Cela dit, une femme passe neuf mois en gestation. Elle ne peut par conséquent s'occuper que de… disons cinq à six enfants au cours de sa vie.

— Et donc… ? »

UrbanDox fronce les sourcils, comme si la réponse tombait sous le sens. « Donc, elles ne laisseront la vie sauve qu'aux plus performants d'entre nous – génétiquement parlant. Tu vois, c'est pour ça que Dieu avait décidé de mettre le pouvoir entre les mains des hommes. Peu importent les mauvais traitements qu'on inflige à une femme – une femme, c'est comme un esclave. »

Tunde sent ses épaules se raidir. Ne dis rien, contente-toi d'écouter, filme la séquence, sers-t'en et vends-la. Fais du fric sur le dos de cette ordure, trahis-le, montre au monde qui il est.

« Tu vois, l'esclavage a toujours été mal compris. Un esclave, c'est ta propriété, tu ne veux pas l'endommager. Une femme, c'est pareil. Même si un homme la traite mal, il a besoin qu'elle reste en bonne santé pour enfanter. Mais maintenant… Un seul homme génétiquement parfait peut engendrer mille, cinq mille enfants, alors à quoi bon s'encombrer des autres ? Elles vont tous nous tuer. Écoute bien ce que je te dis : il n'en survivra pas un sur cent. Peut-être même pas un sur mille.

— Et la preuve de ce que vous avancez est…

« — Oh, j'ai vu des documents. Et surtout, je peux utiliser mon cerveau. Et tu le peux toi aussi, fils. Je t'ai observé, tu es intelligent. » UrbanDox pose une main humide et moite sur le bras de Tunde. « Rejoins nos rangs. Nous serons là pour toi, fils, quand tous ou presque auront péri, parce que nous sommes du même côté. »

Tunde hoche la tête.

« Il faut promulguer des lois qui nous protègent, sans attendre. Il faut imposer un couvre-feu aux femmes. Il faut que le gouvernement débloque tous les financements nécessaires pour lancer des "recherches" sur ce remède. Il faut que les vrais hommes trouvent le courage de clamer haut et fort ce qu'ils pensent. Nous sommes dirigés par des pédales en adoration devant les femmes. Nous devons en finir avec elles.

— Est-ce là le but de vos attaques terroristes ? »

UrbanDox se fend là encore d'un sourire. « Tu sais pertinemment que je n'ai jamais ni initié, ni encouragé aucune attaque terroriste. »

Oui, il est très prudent.

« Mais si j'étais en contact avec l'un de ces hommes, reprend-il, je supposerais qu'ils n'en sont qu'au début de leurs actions. Tu sais, des stocks d'armes se sont perdus dans la nature, lors de la dislocation de l'Union soviétique. Des trucs qui peuvent faire de gros dégâts. Il se pourrait que ces hommes aient récupéré deux ou trois bricoles.

— Attendez, dit Tunde. Êtes-vous en train de proférer une menace d'attaque terroriste sur notre sol avec des *armes nucléaires* ?

— Je ne profère aucune menace », répond Urban-Dox, l'œil livide et glacial.

Allie

« Mère Ève, acceptez-vous de me bénir ? »

Il est ravissant, ce garçon. Cheveux blonds soyeux, teint crémeux semé de taches de rousseur. Seize ans grand maximum. Il parle anglais avec cet accent charmant propre aux habitants d'Europe centrale et de la Bessapara. Elles ont eu la main heureuse.

Allie elle-même n'a que vingt ans à peine et, en dépit de ses grands airs – dans le portrait que lui a consacré le *New York Times*, plusieurs disciples célèbres la décrivent comme une *vieille âme* –, elle craint parfois de ne pas dégager toute la prestance et la dignité requises.

Les jeunes sont proches de Dieu, dit-on, et les jeunes femmes tout particulièrement. Notre-Dame n'avait que seize ans lorsqu'Elle a enfanté et offert Son sacrifice au monde. Il n'empêche – c'est souvent aussi bien de débuter les cérémonies de bénédictions avec quelqu'un qui semble incontestablement *plus jeune*.

« Approche, dit Allie, et dis-moi comment tu t'appelles. »

Des caméras zooment sur le visage du blondinet. Il tremble et pleure déjà. La foule est silencieuse, seuls quelques « Louée soit la Mère », ou tout simplement

«Louée soit-Elle» interrompent de temps à autre le ronronnement produit par trente mille souffles humains.

«Christian», répond l'adolescent à voix très basse.

Le stade reprend sa respiration.

«C'est un très bon prénom, dit Allie. N'aie nulle crainte à cet égard.»

Christian est une vraie fontaine, de longs sanglots jaillissent de sa bouche ouverte.

«Je sais que ceci est difficile, dit Allie, mais je vais te tenir la main et, ce faisant, la paix de Notre Mère va entrer en toi.»

La magie opère toujours quand on énonce avec conviction ce qui va se passer. Christian hoche la tête. Allie lui prend la main. La caméra s'attarde longuement sur cette main pâle retenue dans cette autre à la peau plus sombre. Christian s'apaise, sa respiration est moins saccadée. Quand la caméra effectue un travelling arrière, il a le sourire, il est calme, il est prêt.

«Ainsi, Christian, tu ne peux plus marcher depuis que tu es petit, c'est bien ça?

— C'est ça.

— Que s'est-il passé?»

Christian désigne la couverture qui emmaillote la partie inférieure de son corps. «Je suis tombé d'une balançoire quand j'avais trois ans, et je me suis cassé le dos.» Il sourit, débordant de confiance. Il fait un mouvement de ses mains, comme s'il rompait un crayon à papier.

«Tu t'es brisé le dos. Et les médecins t'ont dit que tu ne remarcherais jamais plus, n'est-ce pas?»

Christian hoche la tête lentement. «Mais je sais qu'ils se sont trompés, affirme-t-il, les traits apaisés.

— Moi aussi, je sais que tu remarcheras un jour, Christian, parce que la Mère me l'a montré.»

Et parce que les personnes chargées d'organiser ces événements se sont, au préalable, assurées que les lésions neurologiques de Christian ne sont pas irréversibles. Christian a un ami, à l'hôpital où il est suivi – un gamin adorable, encore plus croyant que lui –, dont les fractures étaient malheureusement trop sérieuses et n'offraient aucune garantie de succès. Il n'aurait pas fait l'affaire, de toute façon, compte tenu de la présence des télévisions. Acné.

Allie applique sa paume sur la colonne vertébrale de Christian, juste sous les cervicales.

Un grand frisson le secoue; la foule frémit, puis le silence se fait.

Allie dit dans son cœur: Et si je n'y arrive pas, cette fois?

La voix dit: Petite, tu dis ça à chaque fois. N'aie crainte, tu es parée.

Mère Ève parle par la bouche d'Allie. Elle dit: «Sainte Mère, guidez-moi maintenant, comme vous m'avez toujours guidée.»

Et la foule entonne: «Amen.»

Mère Ève dit: «Que, non pas ma volonté, Sainte Mère, mais la Vôtre soit faite. Si c'est Votre volonté de guérir cet enfant, faites qu'il en soit ainsi, et si c'est Votre volonté qu'il souffre en ce bas monde pour que la récolte soit plus abondante dans le suivant, alors qu'il en soit ainsi.»

Mieux vaut se couvrir et introduire cet avertissement le plus tôt possible.

«Amen», dit la foule.

Mère Ève poursuit : « Mais il y a ici, Sainte Mère, une impressionnante multitude qui prie pour ce jeune homme humble et obéissant. Une foule immense qui Vous implore, et aspire ardemment à ce que Votre grâce divine tombe sur lui, et que Votre souffle l'élève comme Vous avez élevé Marie pour Votre service. Sainte Mère, entendez nos prières. »

Dans la foule, ce ne sont que corps qui oscillent d'avant en arrière, pleurs et marmottements. Les mots de Mère Ève jaillissent de plus en plus précipitamment de la bouche d'Allie, et les interprètes en charge de la traduction simultanée, postées de part et d'autre du stade, font de leur mieux pour ne pas se laisser distancer.

Dans le même temps, Allie déploie les vrilles de son pouvoir et sonde à tâtons la colonne vertébrale de Christian, sent qu'il y a un blocage *ici* et *ici*, cherche où une stimulation ferait réagir les muscles. Elle l'a presque trouvé.

Mère Ève dit : « Nous qui menons des vies bienheureuses, qui chaque jour nous efforçons de notre mieux d'écouter Votre voix, qui honorons nos mères et la lumière sacrée qui brille dans chaque cœur humain, qui Vous vénérons et Vous aimons et nous prosternons devant Vous, s'il Vous plaît, Sainte Mère, entendez la force de nos prières. S'il Vous plaît, Sainte Mère, servez-Vous de moi pour révéler Votre gloire et guérir ce garçon maintenant ! »

Un grondement secoue la foule.

Allie délivre trois piqûres d'épingle dans la colonne vertébrale de Christian, ressuscitant par ces brèves impulsions les cellules nerveuses dans les membres inférieurs.

Sous la couverture, la jambe gauche semble littéralement vouloir s'envoler.

Christian la regarde, perplexe et un peu effrayé.

L'autre jambe s'agite aussi et donne des coups de pied.

Il pleure à chaudes larmes, à présent. Ce pauvre gamin, qui n'a plus marché ni couru depuis l'âge de trois ans. Qui a enduré les escarres et la fonte musculaire, qui en était réduit à ne compter que sur ses bras pour se transporter du lit au fauteuil roulant, et du fauteuil au siège des toilettes. Ses jambes ont repris vie jusqu'en haut des cuisses et elles s'agitent, elles frétillent, elles lancent des coups de pied.

À la force des bras, il se soulève du fauteuil. Malgré les contractions et les spasmes qui fragilisent son équilibre, il s'accroche à la rampe installée à cet effet et fait un, deux, trois pas raides et maladroits, avant de s'immobiliser, cramponné à la rampe, à la verticale, en larmes.

Deux disciples de Mère Ève viennent l'encadrer pour l'escorter en bas de la scène, et il s'éloigne en répétant à l'envi : « Merci, merci, merci. »

Parfois, ça marche ; l'effet est durable. Parmi les personnes qu'elle a guéries, certaines conservent encore l'usage de leurs jambes, de leurs bras, de leurs mains ou de leurs yeux des mois plus tard. La communauté scientifique commence même à manifester un certain intérêt pour sa pratique et à s'interroger sur la nature de ce qu'elle fait réellement.

Parfois, en revanche, ça ne marche pas ; l'effet n'est qu'éphémère. Mais ces gens-là auront au moins connu ce moment sur scène. Ils auront senti ce que ça fait de remarcher, ou d'attraper quelque chose avec un bras paralysé. Et ça, après tout, c'est un cadeau qu'elle leur fait.

La voix dit : Va-t'en savoir… S'ils avaient eu un peu plus la foi, ça aurait peut-être duré un peu plus long-temps.

Mère Ève confie à ceux qu'elle aide : « Dieu vous a offert un avant-goût de ce dont Elle est capable. Persévérez dans vos prières. »

Un interlude est prévu à l'issue de la guérison. Allie peut ainsi se désaltérer dans les coulisses. Cela permet aussi de faire retomber le pic de fièvre dans la foule, et de rappeler aux fidèles que tout ça a été financé par des personnes de bonne volonté, comme eux, qui ont ouvert leur cœur et leur portefeuille. Les écrans géants diffusent des vidéos qui illustrent les bonnes œuvres de l'Église. On y voit Mère Ève réconforter les malades. Sur l'une des plus importantes, Mère Ève tient la main d'une femme qui a été battue et abusée sexuellement sans que jamais son fuseau réagisse. Mère Ève essaie de réveiller le pouvoir de cette malheureuse, mais elle a beau implorer à l'aide, ses prières restent lettre morte. C'est pour cette raison, explique-t-elle, que l'Église s'intéresse à des transplantations de fuseaux prélevés sur des cadavres. Des équipes travaillent déjà dessus. Votre argent peut aider.

Il y a aussi des messages amicaux émanant de salles capitulaires dans le Michigan et le Delaware qui annoncent que des âmes ont été sauvées, et d'autres en provenance de missions à Nairobi et à Sucre, où l'Église catholique est en train de s'entre-dévorer. Quelques autres vidéos ont été tournées dans les orphelinats fon-dés par Mère Ève. Au commencement, maintes filles très jeunes étaient lâchées dans la nature, abandonnées par leur famille, elles vagabondaient, seules et désorientées, tels des chiens errants et grelottants. Tandis que son pouvoir grandissait, Mère Ève avait dit aux femmes adultes : « Prenez vos cadettes sous votre aile. Créez des foyers pour les accueillir, comme j'ai moi-même été accueillie quand j'étais affaiblie et que j'avais peur. Tout ce que vous faites pour elles, vous le faites pour notre Sainte Mère. » Aujourd'hui, à peine quelques années plus tard, ces orphelinats ont essaimé partout dans le monde. Ils accueillent également de jeunes hommes, auxquels ils offrent un refuge et des avantages que les institutions gérées par l'État sont incapables de leur procurer ; Allie, qui a été ballottée toute son enfance d'un endroit à l'autre, s'y entend pour traiter ce genre de questions. Dans la vidéo, Mère Ève visite ces établissements dans le Delaware et dans le Missouri, en Indonésie et en Ukraine. Partout, des grappes de fillettes et de garçonnets l'y accueillent comme une mère.

La vidéo s'achève sur une prière mise en musique ; Allie éponge la transpiration de son visage et remonte sur scène.

« Alors, je sais, dit Mère Ève à cette foule en pleurs et en transe qui l'acclame, je sais que depuis tous ces longs mois une question taraude certains d'entre vous, et c'est d'avoir l'opportunité d'y répondre qui me rend si heureuse d'être parmi vous aujourd'hui. »

La déclaration provoque une autre salve d'acclamations ponctuées de « Louée soit-Elle ».

« Être ici en Bessapara, sur la terre où Dieu la Toute-Puissante a montré Sa sagesse et Sa miséricorde, est pour moi une immense bénédiction. Car, vous n'êtes pas sans le savoir, Notre-Dame m'a dit que les femmes devaient se rassembler et unir leurs forces ! Accomplir des merveilles ! Et être une bénédiction et une consolation les unes pour les autres ! Et où les femmes se sont-elles mieux rassemblées qu'*ici*, en Bessapara ? » lance-t-elle en détachant chaque mot pour un effet d'emphase.

C'est un tonnerre d'applaudissements et de hurlements d'extase.

« Nous avons démontré ce qu'une foule puissante a pu accomplir en priant ensemble pour ce jeune Christian, n'est-ce pas ? Nous avons démontré que la Sainte Mère se soucie pareillement des hommes et des femmes. Qu'Elle ne refuse à personne Sa miséricorde. Elle n'enverra pas Sa bonté uniquement aux femmes, mais à toute personne qui croit en Elle.

« Et je sais, poursuit-elle en baissant la voix, je sais que certains parmi vous ont demandé : "Mais qu'en est-il de la Déesse qui a signifié tant pour nous ? Qu'en est-il de Celle qui a pour symbole un œil dans la paume de la main ? Qu'en est-il de cette foi simple qui a jailli du sol dans ce bon pays ? " Qu'en est-il de ça ? »

Allie laisse le silence s'installer dans la foule ; elle attend, bras croisés. Il y a des pleurs, des gens qui se balancent sur leurs talons, des banderoles que l'on agite. Elle attend un bon moment, en respirant régulièrement.

Elle dit dans son cœur : Suis-je prête ?

La voix dit : Tu étais faite pour ça, mon enfant. Prêche-le.

Allie décroise les bras et présente ses paumes au public. Au centre de chacune d'elles est tatoué un œil d'où partent des vrilles.

Cela déclenche une explosion de cris, d'acclamations et de piétinements. La foule, hommes et femmes pareillement, déferle subitement en direction de la scène, et Allie sait gré de leur présence aux glissières de sécurité et aux ambulanciers en faction dans les allées. Des gens haletant, sanglotant, escaladent les sièges pour l'approcher, respirer son souffle. Ils veulent la dévorer toute crue.

Mère Ève parle posément au-dessus du vacarme. Elle dit : « Tous les dieux sont un seul Dieu. Votre Déesse n'est qu'une des voix par lesquelles Dieu l'Unique s'est exprimée au monde. Elle est venue à vous comme Elle est venue à moi, pour prêcher la compassion et l'espoir, pour nous apprendre à nous venger de ceux qui nous ont fait du mal, et à aimer ceux qui nous sont proches. Votre Déesse est Notre-Dame. Elles ne sont qu'une. »

Derrière Allie, le rideau de soie dont les ondoiements ont servi de toile de fond tout au long de la soirée tombe lentement au sol et dévoile au public une peinture de six mètres de hauteur représentant une femme tout de bleu vêtue, à la poitrine plantureuse, aux yeux empreints de bonté, arborant fièrement son fuseau proéminent le long des clavicules, et avec un œil qui voit tout tatoué au centre de chaque paume.

Plusieurs personnes s'évanouissent à cet instant, et certaines commencent même à parler en langues.

Beau travail, dit la voix.

Il me plaît bien, ce pays, dit Allie dans son cœur.

En quittant le bâtiment pour rejoindre la voiture blindée, Allie consulte les messages de Sœur Maria Ignacia, sa fidèle et loyale amie restée au bercail. L'une et l'autre suivent de près tout ce qui se dit sur Internet concernant « Alison Montgomery-Taylor ». Sans lui en avoir jamais expliqué les raisons précises, Allie a demandé à Sœur Maria Ignacia si elle pouvait se débrouiller pour faire disparaître tous les articles relatifs à cette affaire. Plus les mois et les années passeront, plus ce sera difficile, car il se trouvera toujours quelqu'un qui cherchera à la faire chanter pour lui soutirer de l'argent ou se faire mousser avec cette histoire, et même si elle pense que n'importe quel tribunal un tant soit peu raisonnable l'acquitterait, Allie ne voit pas la nécessité de s'infliger pareille épreuve. La nuit est déjà bien avancée en Bessapara, mais il n'est encore que seize heures sur la côte Est et, heureusement, il y a un message. Quelques membres loyaux de la Nouvelle Église, à Jacksonville, leur font savoir qu'avec l'aide d'une influente sœur-en-Dieu ils vont s'occuper de tous les documents et toutes les pages Internet se rapportant à cette « Alison Montgomery-Taylor ».

« Tout disparaîtra », est-il assuré dans l'e-mail.

Celui-ci ne mentionne pas le nom de l'influente sœur-en-Dieu, mais Allie ne voit qu'une seule femme capable de faire disparaître des dossiers de police d'un claquement de doigts en décrochant son téléphone. Roxy. Il ne peut s'agir que d'elle. « Tu veilles sur nous, et on veillera sur toi », avait-elle dit. Bon, parfait. Tout va disparaître.

Plus tard, Allie et Tatiana Moskalev soupent ensemble. Même en ces temps de guerre, avec les combats contre les troupes moldaves qui font rage sur le front nord et l'impasse avec la Russie à l'est, la nourriture reste plutôt bonne. En l'honneur de Mère

Ève de la Nouvelle Église, la présidente Moskalev de Bessapara fait servir du faisan rôti accompagné de pommes de terre Hasselback et de chou braisé, et les deux femmes portent un toast avec un bon vin rouge.

«Il nous faut une victoire rapide», dit Tatiana.

Allie mastique lentement, elle est pensive. «Une victoire rapide est-elle possible après trois ans de guerre?»

Tatiana éclate de rire. «La vraie guerre n'a même pas encore commencé! Ils se battent encore avec des armes conventionnelles, là-haut dans les montagnes. Ils essaient de nous envahir, on les repousse. Ils lancent des grenades, on riposte.

— Le courant électrique n'est d'aucune utilité contre les missiles et les bombes.»

Tatiana redresse le dos, croise les jambes. Dévisage Mère Ève et fronce les sourcils, l'air amusé.

«Vous croyez ça? Primo: On ne gagne pas une guerre avec des bombes, on la gagne au sol. Secundo: Savez-vous ce que peut faire une dose entière de cette drogue?»

Oui, Allie l'a vu. Roxy le lui a montré. Les effets sont difficiles à contrôler – Allie a refusé d'en prendre; le contrôle a toujours été sa spécialité – mais donnez une dose entière de Glitter à trois ou quatre femmes, et elles pourraient priver d'électricité toute l'île de Manhattan.

«On doit tout de même approcher l'ennemi d'assez près pour le toucher. Pour établir une connexion.

— Ça peut s'arranger. Nous avons vu des clichés qui montrent qu'eux-mêmes y travaillent.»

Ah oui, dit la voix, elle parle de ce roi d'Arabie saoudite, celui qui est en exil…

«Awadi-Atif, dit Allie.

— Il se sert juste de notre pays comme d'un banc d'essai, vous savez, l'informe Tatiana en avalant une autre gorgée de vin. Il nous envoie quelques-uns de ses hommes en combinaison de caoutchouc, avec leurs batteries à la noix dans le dos pour montrer que le changement ne signifie rien. Il s'accroche encore à son ancienne religion et croit qu'il va récupérer son pays. »

Tatiana fait jaillir un arc entre ses deux paumes, elle le déploie, l'étire paresseusement, le réduit puis le brise d'un claquement de doigts. Elle sourit. « La coiffeuse était loin de se douter de ce qu'elle initiait. Awadi-Atif se croit investi de la mission de mener une guerre sainte, et je pense qu'il a raison. Dieu m'a choisie pour cela. »

Elle veut que tu le lui confirmes, dit la voix. Dis-lui que c'est bien le cas.

« C'est le cas, approuve Allie. Dieu a une mission spéciale pour vous.

— J'ai toujours su que j'étais au service de quelque chose de grand, de mieux. Et quand je vous ai vue parler aux gens, quand j'ai vu cette force… Je vois bien que vous êtes Sa messagère, et c'est pour cette raison que nous nous rencontrons à ce moment précis. Pour apporter ce message au monde. »

La voix dit : Ne t'avais-je pas annoncé que j'avais quelques surprises en réserve pour toi ?

« Donc, quand vous dites vouloir une victoire rapide… vous entendez par là que lorsque Awadi-Atif enverra ses troupes électriques, vous comptez les anéantir ? »

Tatiana agite une main. « J'ai des armes chimiques. De vieux restes de la guerre froide. Si je voulais "les anéantir", je le pourrais. Non, poursuit-elle en basculant le buste vers Allie. Je veux les humilier. Leur montrer que ce… courant mécanique ne vaut rien comparé à celui que nous avons en nous.»

La voix dit : Tu vois le plan ?

Et d'un coup d'un seul, Allie le voit : Awadi-Atif d'Arabie saoudite a armé des troupes en Moldavie du Nord. Ces troupes projettent de reprendre la Bessapara, la république des femmes. Pour eux, ce serait la démonstration éclatante que ce changement n'était rien qu'une aberration mineure et passagère, et que l'ordre initial va se réimposer de lui-même sans tarder. Et si jamais ils échouent, et échouent dans les grandes largeurs…

Allie commence à sourire. «La Voie de la Sainte Mère fera école partout dans le monde, femme après femme, pays après pays. Cette guerre sera terminée avant même d'avoir commencé.»

Tatiana lève son verre pour porter un toast. «Quand nous vous avons invitée ici… Je savais que vous comprendriez. Le monde entier a les yeux rivés sur cette guerre.»

Elle veut que tu bénisses sa guerre, dit la voix. Délicat.

Délicat si elle la perd.

Je pensais que tu voulais être en sécurité, rétorque la voix.

Tu as dit que je ne pourrais être en sécurité qu'en étant maîtresse des lieux.

Oui, et je t'ai aussi dit que la route serait longue.

De quel côté es-tu, au juste ?

Mère Ève parle lentement et prudemment. Mère Ève soupèse ses mots. Rien de ce que dit Mère Ève n'est sans conséquence. Elle fixe la caméra et attend que le voyant rouge s'allume.

« Inutile de nous demander ce que fera la famille royale saoudienne si jamais son souverain gagne cette guerre, déclare-t-elle. Nous l'avons déjà vu. Nous savons ce qui s'est passé en Arabie saoudite pendant des décennies, et nous savons que Dieu la Toute-Puissante en a détourné ses yeux à force d'épouvante et de dégoût. Inutile de nous demander qui est du côté de la justice quand nous rencontrons les courageuses guerrières de Bessapara, dont un grand nombre étaient des victimes du trafic humain, des femmes enchaînées, des femmes qui seraient mortes seules et dans le noir si la Toute-Puissante n'avait pas envoyé Sa lumière pour les guider.

« Ce pays est le pays de Dieu, et cette guerre est Sa guerre. Avec l'aide de la Toute-Puissante, une éclatante victoire nous attend au bout du chemin. Avec l'aide de la Toute-Puissante, tout sera renversé. »

Le voyant rouge s'éteint. Le message part aux quatre coins du monde. Mère Ève et ses millions de fidèles followers sur YouTube, Instagram, Facebook et Twitter, ses mécènes et ses amis, soutiennent la Bessapara et la république des femmes. Elles ont fait leur choix.

Margot

«Je ne suis pas en train de te dire que tu dois casser avec lui.

— Si, maman, c'est précisément ce que tu es en train de dire.

— Non. Je dis juste : lis les rapports et vois par toi-même.

— Si tu me les donnes, je sais déjà ce que je vais y trouver.

— Lis-les, tranche Margot en montrant la liasse de documents sur la table basse. C'est tout ce que je te demande. »

Bobby a refusé d'avoir cette conversation. Maddy est à son entraînement de taekwondo. C'est donc à elle de s'y coller, comme de bien entendu. Les paroles exactes de Bobby ont été : « C'est pour ta carrière politique que tu t'inquiètes. Donc, à toi de gérer ça. »

« Quoi que disent ces rapports, maman, Ryan est une bonne personne. Il est gentil avec moi.

— Il fréquente des sites extrémistes, Jos. Il poste des commentaires sous pseudonyme sur des sites où il est question d'organiser des attaques pour terroriser les populations. Des sites qui ont des liens avec certains de ces groupuscules. »

Jocelyn est en larmes, à présent. Des larmes de frustration, de colère. « Jamais il ne ferait une chose pareille. Il a dû aller voir ce qui s'y racontait. Maman, on s'est rencontrés en ligne, il nous arrive à l'un comme à l'autre d'aller sur des sites de tarés. »

Margot prend une page au hasard et lit à voix haute les passages surlignés. « Zigouilleur – charmant pseudo qu'il s'est choisi – a écrit : "C'est devenu incontrôlable. Pour ne parler que de ces foutus camps NorthStar – si les gens savaient ce qu'on leur y apprend, ils colleraient une balle dans la tête de chacune de ces filles." » Elle marque une pause et regarde Jocelyn.

« Comment savent-ils qu'il s'agit de lui ?

— Ça, je n'en sais rien. Ils ont leurs méthodes. »

C'est le point délicat. Margot retient son souffle. Jos va-t-elle gober ça ?

Jos la dévisage, lâche un court sanglot. « Le département de la Défense est en train de vérifier tous tes antécédents, c'est ça ? Parce que tu vas être élue sénatrice, et qu'ils veulent que tu intègres le comité de défense, comme tu m'as dit. »

Elle a tout gobé. L'appât, l'hameçon et les plombs.

« Oui, Jocelyn. Et c'est comme ça que le FBI est tombé sur ces trucs. Parce que j'ai un poste important – et je ne vais pas m'en excuser. » Elle marque une pause. « Je pensais qu'on se serrerait les coudes, toi et moi, ma chérie. Ce Ryan n'est pas celui que tu penses.

— Je suis sûre que c'est juste de la provoc. Ces billets datent d'il y a trois ans ! On raconte tous des trucs stupides sur Internet. Pour faire réagir. »

Margot soupire. « Je ne sais pas si on peut être certaines de ça, ma chérie.

— Je lui parlerai. Il va… »

Jos pleure à chaudes larmes.

Margot se rapproche d'elle sur le canapé. Passe avec circonspection un bras autour de ses épaules.

Jos se laisse aller contre elle, enfouit le visage dans sa poitrine et pleure, pleure, exactement comme elle le faisait petite.

«Il y aura d'autres garçons, ma chérie. Des mieux. »

Jos redresse la tête. «On n'était pas censées se serrer les coudes ?

— Mon cœur, je sais qu'à cause de ton… (Margot hésite sur le choix du mot) … à cause de ton problème, tu voulais être avec quelqu'un qui comprenne. »

Si seulement ils avaient pu trouver cette aide dont Jos a besoin ! Ils continuent à chercher, mais plus elle avance en âge, plus le problème semble difficile à régler. C'est toujours pareil, parfois elle a du courant à ne savoir qu'en faire, et d'autres fois c'est la panne sèche.

Les sanglots de Jos s'espacent. Margot lui apporte une tasse de thé et l'enlace. Elles restent un long moment ainsi, sans parler, puis Margot dit : «Je ne désespère pas de trouver quelqu'un qui puisse t'aider. Et après ça, tu seras capable d'apprécier des garçons normaux. »

Jos repose sa tasse sur la table, lentement. «Tu le crois vraiment ?

— Je le sais, ma chérie. Tu peux être exactement comme toutes les autres filles. Je sais qu'on peut arranger ça. »

Voilà ce que signifie être une bonne mère. Parfois, vous voyez ce dont vos gamins ont besoin mieux qu'ils ne le voient eux-mêmes.

Roxy

« Rentre à la maison. Ricky est blessé. »

Roxy est censée s'envoler pour la Moldavie, pour entraîner les femmes à utiliser le Glitter à des fins de combat. Mais avec un SMS pareil, elle ne peut pas partir.

Depuis son retour d'Amérique, elle s'est tenue à l'écart du chemin de Ricky, la majorité du temps. Elle mène sa propre barque avec le Glitter, qui leur rapporte un maximum. Il fut un temps où Roxy se languissait d'être invitée dans cette maison. Aujourd'hui, Bernie lui a donné une clé, et elle y dispose d'une chambre d'invité pour les périodes où elle n'est pas en déplacement sur les bords de la mer Noire – mais ce n'est pas comme elle se l'était imaginé. Barbara ne va pas bien, depuis la mort de Terry. Elle a posé une grande photo de lui sur le manteau de la cheminée, avec un bouquet de fleurs qu'elle renouvelle tous les trois jours. Darrell vit encore chez ses parents. Il a repris les paris, parce qu'il a la tête bien faite pour ça. Ricky, lui, a pris un appartement, à Canary Wharf.

Lorsqu'elle lit ce message, Roxy pense immédiatement aux différentes bandes susceptibles de s'en prendre à eux et se demande ce que signifie « blessé » au juste. Si la guerre est déclarée, c'est clair qu'ils ont besoin d'elle à la maison.

Mais c'est Barbara qui l'attend dans le jardin devant la maison en fumant cigarette sur cigarette. Bernie n'est même pas là. Donc, ce n'est pas la guerre. C'est autre chose.

«Ricky est blessé.

— C'est qui? Une autre bande? demande Roxy, même si la réponse coule de source. Les Roumains? Papa connaît des gens. Tu n'avais pas besoin de m'appeler.»

Barbara secoue la tête, et ses mains tremblent.

«Non, ce n'est pas à eux de régler ça. Ça doit rester en famille. Elles ont fait ça juste pour s'amuser.»

Roxy comprend sur-le-champ et sans la moindre ambiguïté ce qui est arrivé à Ricky.

Il est devant la télé, allumée, mais sans le son. Il a un plaid sur les genoux, et des bandages en dessous; le docteur est déjà passé.

Il arrive que des filles qui travaillent pour elle, en Moldavie, se fassent coincer par des types. Roxy a vu ce que l'une d'elles avait fait aux trois hommes qui s'étaient relayés pour la violer. Sous la ceinture, ce n'était plus que des chairs calcinées et des motifs de fougère sur les cuisses, dans des tons de rose, marron, rouge vif et noir. Comme un rôti du dimanche. Ricky ne paraît pas si mal en point. Il s'en tirera probablement. Ce genre de blessure finit par cicatriser. Roxy a cependant entendu dire qu'ensuite les choses pouvaient s'avérer compliquées. Que ça pouvait être dur de s'en remettre.

«Raconte-moi ce qui s'est passé», dit-elle.

Ricky la regarde, avec gratitude, et cette gratitude est poignante. Roxy a envie de le serrer dans ses bras, mais elle sait que, quelque part, sa compassion ne ferait qu'empirer les choses. On ne peut pas être à la fois celle qui blesse et celle qui console. Tout ce qu'elle peut promettre à Ricky, c'est que justice soit faite.

Il lui raconte ce qui s'est passé.

Il était bourré, c'est évident. Il était sorti danser avec des copains. Il a deux ou trois régulières, Ricky, mais il n'a rien contre un petit extra juste pour une nuit, et ses copines savent qu'il ne faut pas l'embêter avec ça, qu'il est comme ça, point barre. Roxy est comme lui, ces derniers temps ; parfois il y a un mec dans le paysage, parfois pas, et dans les deux cas, ça lui convient très bien.

Cette fois, Ricky avait levé trois filles, qui disaient être sœurs – même si c'était pas flagrant ; il pense qu'elles se sont fichues de lui. Une des filles l'a sucé à côté des bennes à ordures, devant la porte des cuisines du club ; il ne sait pas comment elle s'y est prise, mais ça lui a fait tourner la tête, dit-il, la mine piteuse. Quand elle a eu terminé, les autres attendaient, et Ricky leur a dit : « Laissez-moi souffler une minute, les filles. Je peux pas vous prendre toutes à la fois. » Et là, elles lui ont fondu dessus.

Il y a un truc qu'on peut faire à un mec. Roxy elle-même l'a déjà fait. Une petite étincelle de rien du tout à l'entrée des artistes, et le type bande direct. C'est drôle, quand on est partant. Ça fait un peu mal, mais c'est drôle. Si on n'est pas partant, en revanche, ça fait très mal. Ricky leur a dit et répété qu'il n'était pas partant.

Elles se sont amusées avec lui chacune à son tour. Elles cherchaient uniquement à lui faire mal. Il n'avait de cesse qu'il ne leur demande ce qu'elles voulaient : de l'argent ? Autre chose ? Quoi ? Mais l'une d'elles l'a attrapé à la gorge, et ça lui a coupé le sifflet jusqu'à ce qu'elles en aient fini avec lui.

L'affaire a duré une demi-heure. Ricky a cru qu'il allait mourir, là, entre ces sacs-poubelle noirs, sur ces pavés encroûtés de graisse. Il imaginait déjà quelqu'un en train de découvrir son corps – le visage plus blême que de la chair de poisson, les lèvres bleues, une paire de jambes blanches brûlées de cicatrices écarlates. Il imaginait un flic retournant ses poches et disant à ses collègues : « Vous n'allez jamais croire qui est notre client – Ricky Monke en personne ! » Ricky était resté immobile jusqu'à ce que tout soit terminé, il n'avait rien dit, rien fait. Il avait juste attendu que ça se passe.

Roxy sait pourquoi ce n'est pas Bernie que Ricky et Barbara ont appelé en urgence. Il aurait eu beau s'en défendre, leur père aurait haï Ricky pour ça. Ce genre de mésaventure n'arrive pas à un homme. Sauf que maintenant, si.

Le truc idiot, c'est qu'en plus il les connaît, ces filles. Plus il y pense, plus il en est sûr. Il les a déjà vues traîner dans le coin ; selon lui, elles ne savaient pas à qui elles s'attaquaient – sinon, elles auraient réfléchi à deux fois, pas vrai ? – mais il les a déjà vues avec des gens qu'il connaît. L'une d'elles s'appelle Mandy, il en est presque certain, et une autre, Sam. Roxy a une idée. Elle fait défiler des profils Facebook et montre les photos à Ricky, jusqu'à ce qu'il commence à trembler.

Ce n'est pas bien compliqué de les localiser. En cinq coups de fil, Roxy trouve quelqu'un qui connaît quelqu'un qui connaît quelqu'un, et l'affaire est pliée.

Roxy ne précise pas pourquoi elle les recherche; elle est Roxy Monke, les gens ne demandent qu'à l'aider. Les filles sont en train de picoler dans un pub de Vauxhall, elles sont bourrées, elles s'éclatent, elles n'en bougeront pas avant la fermeture.

Roxy a désormais une bonne équipe de filles, ici à Londres. Des filles qui font tourner la boutique pour elle, qui collectent l'argent, mettent un coup de pression si nécessaire. Non pas qu'un homme ne pourrait pas s'en charger – certains feraient ça très bien – mais c'est mieux de ne pas avoir besoin de recourir aux armes. Les armes à feu, ça fait du bruit, ça attire l'attention; une algarade qui se termine par un double meurtre, et c'est trente ans de placard. Pour ce type de boulot, on prend des filles. Sauf que lorsque Roxy, une fois changée, redescend, elle découvre Darrell qui l'attend à côté de la porte d'entrée. Avec un fusil à canon scié.

«C'est quoi, ça? demande-t-elle.

— Je viens avec toi», l'informe-t-il.

Roxy songe brièvement à répondre : Pas de souci, puis à l'assommer sitôt qu'il tournera les talons. Mais après la tuile qui vient d'arriver à Ricky, ce serait moche.

«Tu feras gaffe à toi, dit-elle.

— Ouais, je resterai derrière toi.»

Darrell est plus jeune qu'elle. De quelques mois à peine. C'est l'un des détails qui lui a toujours fait mal : que Bernie ait mis en cloque leurs mères respectives au même moment.

Elle lui serre l'épaule. Elle appelle deux autres copines pour les accompagner : Vivika apportera l'une de ces longues matraques conductrices hérissées de piquants, et Danni viendra avec une résille métallique

– un accessoire que Roxy apprécie tout particulièrement. Avant de partir, ils s'octroient tous un petit trait pour se mettre en jambes, et Roxy prend le sentier de la guerre avec de la musique plein la tête. Ça fait du bien, parfois, de partir en guerre, de savoir qu'on peut le faire.

Depuis le pub, ils filent le train à cette petite grappe de filles jusqu'au parc, qu'elles traversent en riant et en buvant. Il est une heure du matin passée, c'est une nuit chaude, l'air est lourd, moite, comme s'il se préparait un orage. Roxy et sa bande portent des vêtements sombres et se déplacent avec souplesse, sans bruit. Parvenues à la hauteur du terrain de jeu, les filles galopent vers le manège et grimpent s'allonger sur la plate-forme ; elles contemplent les étoiles en se passant la vodka.

Roxy dit : « Maintenant. »

Le manège est en acier. Roxy, Vivika et Danni l'illuminent, et l'une des filles dégringole à terre, prise de convulsions, la bave aux lèvres. Les voilà quatre contre deux. Fastoche.

La fille en bomber bleu foncé les apostrophe. En voyant sa photo, Ricky l'a désignée comme la meneuse. « C'est quoi ce plan ? Vous vous prenez pour qui ? Je ne vous *connais* même pas. » À titre d'avertissement, elle fait jaillir un arc crépitant entre ses paumes.

« Ah bon ? lance Roxy. Mais mon frère, lui, tu le connais. Ricky ? Tu l'as levé dans un club hier soir. Ricky *Monke* ?

— Oh merde, lâche l'autre fille, celle qui porte un cuir.

— Ferme-la, lui ordonne la première. On ne connaît pas ton foutu *frère*, d'accord ?

— Sam, putain, arrête, proteste sa copine, et elle se tourne vers Roxy. On ne savait pas que c'était votre frère, plaide-t-elle. Il n'a rien dit.»

Sam marmonne dans sa barbe et Roxy croit entendre: «Ce connard a adoré.»

La fille avec le cuir lève les mains en signe de reddition et recule d'un pas. Darrell l'assomme d'un coup de crosse sur l'arrière du crâne. Elle s'affale en avant, les dents dans la terre et les broussailles.

Quatre contre une. Ils la tiennent. Danni fait bruisser sa résille métallique.

«C'est lui qui a *demandé*, proteste Sam. Il nous a suppliées. Je le jure! Il nous a suivies et il nous a dit ce qu'il voulait qu'on lui fasse. Ce sale petit pervers – il avait une idée bien précise derrière la tête, il n'en avait jamais assez, il voulait qu'on lui fasse mal, il aurait léché ma pisse si je le lui avais demandé. Voilà qui c'est, ton putain de frère. On lui donnerait le bon Dieu sans confession, mais c'est un sale petit vicieux.»

Bon. Admettons. Elle dit peut-être vrai. Après tout, Roxy en a vu d'autres. Mais ça ne change rien – cette fille n'aurait jamais dû s'en prendre à un Monke. Une fois le problème réglé, Roxy sondera discrètement les copains de Ricky. Peut-être devra-t-elle lui dire d'arrêter de jouer au con, s'il tient à ce genre de gâterie, elle peut lui trouver quelqu'un de confiance.

«Ne parle pas de mon frère comme ça!» vocifère subitement Darrell en lui assenant un violent coup de crosse dans le visage.

Mais la fille est plus leste que lui, et il est en métal, ce fusil. Quand elle l'empoigne, Darrell lâche un hoquet et sent ses genoux se dérober.

Sam le rattrape avant qu'il ne s'effondre. Elle n'y a pas été de main morte : Darrell est secoué de tremblements des pieds à la tête, il a les yeux révulsés. Merde. Maintenant, si elles la foudroient, elles le foudroient avec.

Merde.

Sam s'éloigne à reculons. «Je ne vous conseille pas de me suivre, lance-t-elle. N'approchez pas, ou je l'achève, comme j'ai fait à ton Ricky. Je peux même faire pire que ça.»

Darrell est au bord des larmes. Roxy sait très précisément ce que la fille est en train de lui infliger : une onde de courant continu dans la nuque, la gorge, les tempes. Le plus douloureux, c'est les tempes.

«On ne va pas en rester là, prévient calmement Roxy. Tu peux t'en tirer, là tout de suite, mais on reviendra, et on réglera ça.

— Peut-être que je vais me le faire tout de suite, histoire de rigoler, riposte Sam avec un sourire éclatant qui laisse entrevoir des marques de sang.

— Je te le déconseille, parce que alors, on serait obligés de te tuer», réplique Roxy.

D'un hochement de tête, elle donne le top départ à Viv, qui s'est faufilée derrière Sam à la faveur de toute cette agitation. Viv imprime un mouvement de balancier à sa matraque, et le coup part.

Sam l'a vu venir mais n'a pas eu le temps de lâcher Darrell pour l'esquiver. La matraque, tel un coup de masse dans une cloison en placo, lui percute le coin de l'œil dans un geyser de sang. Sam lâche un cri, un seul, et s'écroule à terre.

« Mais t'es tarée ! se récrie Darrell, qui pleure et tremble toujours autant. Si elle avait vu ce que tu allais faire, elle m'aurait tué !

— Tu es vivant, non ? » lui rétorque Roxy. Elle s'abstient d'ajouter qu'il l'a bien cherché, qu'il n'aurait jamais dû menacer Sam avec son fusil.

Roxy prend tout son temps pour les marquer. Hors de question qu'elles oublient, jamais. Ricky ne pourra pas oublier, lui. Quand elle en a terminé, des toiles d'araignée rouge vif se déploient sur leurs joues, leur bouche et leur nez. Elle prend une photo avec son téléphone, afin que Ricky puisse voir ce qu'elle leur a fait. Les cicatrices, et l'œil de Sam, désormais aveugle.

Seule Barbara est encore debout lorsqu'ils rentrent à la maison. Darrell file au lit, mais Roxy s'assied à la petite table dans l'arrière-cuisine et Barbara fait défiler les photos sur son téléphone en approuvant du chef, lèvres crispées.

« Elles sont vivantes ? Toutes ? demande-t-elle.

— J'ai même appelé les urgences pour elles.

— Merci, Roxanne. Je te suis très reconnaissante. Tu as fait du bon travail.

— Ouais. »

On entend l'horloge égrener les secondes.

« Je regrette que nous n'ayons pas été gentils avec toi », reprend Barbara.

Roxy arque un sourcil. « Pas gentils, c'est un euphémisme, Barbara. »

La remarque est plus rude qu'elle ne le voulait, mais elle en a gros sur le cœur. Toutes ces fêtes dont elle a été privée enfant, tous ces cadeaux qu'elle n'a jamais reçus,

306

ces dîners de famille auxquels elle n'a jamais été conviée, sans parler de la fois où Barbara est venue chez sa mère asperger les fenêtres de peinture.

«Rien ne t'obligeait à faire ça, ce soir, pour Ricky. Je ne pensais pas que tu le ferais.

— Tout le monde n'est pas rancunier, d'accord?»

À sa tête, Barbara donne l'impression d'avoir reçu une gifle.

«Tout va bien», la rassure Roxy, parce que de l'eau a passé sous les ponts, parce que la mort de Terry, peut-être, les a tous rapprochés. Elle se mordille la lèvre. «Tu ne m'as jamais aimée parce que j'étais la fille de ma mère. Je ne me suis jamais attendue à ce que tu m'apprécies. Pas de problème. On reste chacune dans son coin. C'est juste du business.» Elle s'étire et sent son fuseau se tendre; ses muscles, soudain, sont lourds, fatigués.

Barbara la regarde, paupières légèrement plissées. «À ce propos, Bern ne t'a toujours pas dit certaines choses. Sur la façon dont ça fonctionne. Je ne sais pas pourquoi.

— Il gardait ça en réserve pour Ricky.

— Sans doute. Mais Ricky ne prendra plus la relève, maintenant.»

Barbara se lève, se dirige vers le placard de la cuisine. Elle sort les sachets de farine et les boîtes de biscuits de la troisième étagère et là, tout au fond, elle plante l'ongle dans une fente à peine visible et ouvre un compartiment secret, pas plus grand que la main. Elle en retire trois petits carnets noirs retenus ensemble par un élastique.

«Les contacts, dit-elle. Agents des stups. Flics ripoux. Docteurs marrons. Ça fait des mois que je dis à Bern

307

qu'il devrait te donner tout ça. Pour que tu puisses t'organiser et vendre le Glitter toi-même. »

Roxy tend la main et soupèse ces carnets, lourds et compacts au creux de sa paume. Tous les arcanes de leur business en une seule brique.

« Cadeau, ajoute Barbara. En remerciement de ce que tu as fait aujourd'hui. Pour Ricky. Je m'arrangerai avec Bernie. »

Sur ce, elle prend sa tasse de thé et va se coucher.

Roxy consacre le reste de la nuit à éplucher les carnets, prendre des notes, échafauder des plans. Il y a là-dedans des contacts qui remontent à des années, des connexions que son père a travaillées, des noms de personnes qu'il a fait chanter ou qu'il a achetées – le second n'étant généralement que le prélude au premier. Barbara est loin de se douter du trésor qu'elle lui a donné – avec les informations contenues dans ces carnets, Roxy va pouvoir diffuser le Glitter dans toute l'Europe, sans problème. Les Monke vont gagner des fortunes comme on n'en a plus vu depuis la prohibition.

Elle est en train de parcourir une rangée de noms, sourire aux lèvres, un genou tressautant d'excitation, quand ses yeux butent sur l'un d'entre eux.

Il lui faut un petit moment pour comprendre pourquoi il l'a fait tiquer. Elle lit et relit cette liste, jusqu'à ce que cela fasse tilt. *Là*. Un nom. Un flic ripoux. Inspecteur Newland. Newland.

Roxy se rappelle les derniers mots de Primrose avant de mourir. Comment pourrait-elle les oublier ?

« Newland avait dit que tu ne serais pas à la maison. »

Ce Newland, Roxy savait qu'il était de mèche avec les assassins de sa mère, mais elle ignorait qui il était – jusqu'à maintenant. Elle pensait que trop d'eau avait passé sous les ponts, mais en voyant ce nom, elle se dit : Un flic pas net qui fait des affaires avec mon père. Qui fait des affaires avec Primrose. Qui surveille notre maison et prévient à quel moment je ne serai pas à la maison – elle est où, l'embrouille ?

Une petite recherche rapide sur Internet suffit à le localiser. L'inspecteur Newland vit aujourd'hui en Espagne. Un policier en retraite. Dans une petite ville. Il ne s'attend pas à ce que l'on vienne l'y chercher, manifestement.

Roxy n'avait pas l'intention de mettre Darrell dans la confidence. Mais il se trouve qu'il est venu la remercier de ce qu'elle avait fait pour Ricky et de lui avoir sauvé la vie à lui aussi.

« On sait ce qui va se passer, maintenant. Ricky est sur la touche. Si je peux faire quoi que ce soit pour t'aider, Rox, dis-moi. »

Peut-être Darrell commençait-il à songer, lui aussi, qu'il était temps d'avancer dans le sens du vent, d'accepter ce changement et de trouver sa place.

Elle a donc confié à Darrell pour quelle raison elle partait en Espagne. Et il a répondu : « Je viens avec toi. »

Roxy voit très bien ce qu'il lui demande. Pour Ricky, la vie ne reprendra pas de sitôt et, si tant est qu'elle reprenne un jour, il ne sera plus jamais celui qu'il était. Il ne reste plus grand monde, dans la famille. Darrell veut être sa famille.

L'endroit n'est pas bien difficile à trouver. Un GPS, une voiture de location, et ils sont sur place moins d'une heure après avoir quitté l'aéroport de Séville. L'étape suivante est à la portée du premier venu : une paire de jumelles et deux trois jours de planque, le temps de s'assurer que l'homme vit bien seul. Ils sont descendus dans un hôtel à une cinquantaine de kilomètres. Si vous étiez la police locale, vous iriez chercher jusque-là, pour une enquête de routine ? Il se débrouille bien, Darrell. Il est sérieux, mais rigolo. Il la laisse prendre les décisions, tout en apportant quelques bonnes idées. Ouais, songe-t-elle, si Ricky est hors jeu, ça pourrait marcher. Elle pourrait l'emmener à l'usine, la prochaine fois.

Le troisième jour, aux premières lueurs de l'aube, ils lancent une corde autour d'un des poteaux de la clôture, l'escaladent puis attendent, cachés dans les buissons, que l'homme sorte de chez lui, en short et vieux tee-shirt déchiré, un sandwich à la main – un sandwich à la saucisse, compte tenu de l'heure. Il entreprend de consulter son téléphone.

Elle s'attendait à être paralysée de peur ou à se faire pipi dessus, à se mettre à pleurer, ou bien à être submergée de rage. Mais quand elle regarde le visage de cet homme, elle ne ressent rien de tout ça. C'est juste une boucle qui se ferme : deux bouts de ficelle noués ensemble. L'homme qui a rencardé les assassins de sa mère. Le dernier petit relief qu'on élimine sur le bord de l'assiette.

Elle émerge des buissons et se plante devant lui. « Newland, dit-elle. C'est bien votre nom, Newland ? »

L'homme la fixe, bouche bée, son sandwich à la saucisse dans la main. Il faut une seconde avant que la peur ne s'empare de lui, et Darrell profite de cette seconde pour jaillir à son tour des buissons, donner la charge, l'assommer et le pousser dans la piscine.

Lorsque Newland revient à lui, le soleil est haut dans le ciel, et il flotte sur le dos au milieu de la piscine. Il se débat, réussit à se mettre debout, tousse, se frotte les yeux.

Roxy, assise sur le bord, promène le bout des doigts dans l'eau. « L'eau est un excellent conducteur pour l'électricité. Ça circule vite », observe-t-elle, et Newland se pétrifie.

Elle penche la tête d'un côté, de l'autre, pour étirer ses muscles. Son fuseau est chargé à bloc.

Newland commence à dire quelque chose : « Je ne… » peut-être, ou bien « Qui êtes… » mais Roxy libère une légère décharge, juste ce qu'il faut pour qu'il sente des picotements sur son corps mouillé.

« Tout ça promet d'être ennuyeux, si vous commencez à nier absolument tout, inspecteur Newland.

— Putain, je ne sais même pas qui vous êtes ! Si c'est au sujet de Lisa, elle a eu son fric – d'accord ? Elle l'a eu il y a deux ans, jusqu'au dernier penny, je suis quitte, maintenant. »

Roxy envoie une nouvelle décharge dans l'eau. « Réfléchis bien, dit-elle. Regarde bien mon visage. Je ne te rappelle pas quelqu'un ? Je ne serais pas la fille de quelqu'un ? »

Et là, subitement, il comprend. Roxy le voit à son expression. « Merde, lâche-t-il. Christina.

— C'est ça.

— S'il vous plaît… »

Elle envoie une autre décharge, puissante celle-là – si puissante que Newland se met à claquer des dents. Son corps se raidit et une nuée de particules ocre se répandent d'un coup autour de lui, comme si elles avaient giclé d'un tuyau d'arrosage.

«Rox…», dit Darrell à mi-voix dans son dos. Il est assis en retrait, sur une chaise longue, la main sur la crosse de son fusil.

Elle sort la main de l'eau. Newland s'effondre sur lui-même en sanglotant.

«Arrête de dire *s'il vous plaît*, le prévient-elle. C'est ce que disait ma mère.» Et le voyant se frictionner les avant-bras pour tenter de les ranimer, elle ajoute : «C'est sans issue pour toi, Newland. Tu as indiqué à Primrose où trouver ma mère. C'est à cause de toi qu'elle est morte, et maintenant c'est moi qui vais te tuer.»

Newland tente de s'élancer vers le bord de la piscine. Elle lui assène un nouveau choc. L'homme est fauché ; il tombe tête la première dans l'eau, et reste là, inerte, à flotter sur le ventre.

«Putain de merde», peste Roxy.

Darrell rattrape le coup et hale Newland vers le bord de la piscine, puis le hisse à côté d'eux.

Quand Newland rouvre les yeux, Roxy est assise sur sa poitrine.

«Tu vas mourir, Newland, explique Darrell très posément. C'est fini, mec. Aujourd'hui est le dernier jour de ta vie et rien de ce que tu pourras dire n'y changera quoi que ce soit, d'accord ? Mais si on se débrouille pour que ça ait l'air d'un accident, ton assurance-vie casquera. Elle est au nom de ta maman, pas vrai ? Et de ton frère ?

On peut faire ça pour toi. Faire en sorte que ça ait l'air d'un accident. Pas d'un suicide. D'accord?»

Newland tousse et recrache un plein poumon d'eau trouble.

«Primo, tu fais tuer ma mère. Deuzio, tu m'asperges avec ton eau dégueu. Si tu continues comme ça, Newland, tu vas souffrir comme tu n'imagines même pas, le prévient Roxy. Alors je te conseille de répondre à mes questions.»

Il est tout ouïe maintenant.

«Qu'est-ce que Primrose t'a donné en échange du tuyau au sujet de ma mère? Qu'est-ce qui a bien pu t'inciter à te mettre les Monke à dos? Pourquoi tu as cru que le jeu en vaudrait la chandelle?»

Newland les regarde en clignant des paupières, d'abord elle, puis Darrell, comme s'ils se payaient sa tête.

Roxy lui prend le menton dans une main et lui assène l'équivalent d'un coup de pioche dans la mâchoire.

Il pousse un hurlement.

«Réponds, Newland, c'est tout ce que je te demande.
— Vous vous fichez de moi, pas vrai? halète-t-il. Vous savez très bien.»

Roxy approche la main de son visage.

«Non! se récrie-t-il. Non! Non, tu sais très bien ce qui s'est passé, sale garce, tu sais que c'était ton père. Primrose ne m'a jamais payé, c'est Bernie, Bernie Monke qui m'a dit de le faire. Je n'ai jamais travaillé que pour Bernie; c'est Bernie qui m'a demandé de vendre l'info à Primrose, de lui dire à quel moment trouver ta maman toute seule. Tu n'étais pas censée voir ça. Bernie voulait que ta mère disparaisse de la circulation, et moi, je ne pose pas de question. Je l'ai aidé. C'était Bernie. Ton père. Bernie.»

Il continue à marmotter son nom, comme si c'était là le sésame qui pousserait Roxy à lui laisser la vie sauve.

Ils ne tirent pas grand-chose d'autre de lui. Il savait que la mère de Roxy était la nana de Bernie, ouais, évidemment. On lui avait dit qu'elle l'avait fait cocu et que c'était un motif suffisant pour qu'elle le paie de sa vie – bon, c'était logique.

Une fois qu'ils se sont tout dit, ils refont basculer Newland dans la piscine et Roxy y envoie une dernière décharge. Cela donnera l'impression qu'il a fait un malaise cardiaque, qu'il est tombé dans l'eau, et qu'il s'est noyé. Ils ont tenu leur promesse. Ils se changent et ramènent la voiture de location à l'aéroport. Ni vu ni connu.

«Et maintenant? demande Roxy, une fois dans l'avion.

— Et maintenant tu veux quoi, Rox?» répond Darrell.

Roxy reste un moment silencieuse, à savourer la sensation que lui procure la perfection cristalline de son pouvoir. Ça a été une sacrée expérience de tuer Newland. De le voir devenir tout raide, et puis plus rien.

Elle repense à ce que lui a dit Ève – qu'elle savait que Roxy viendrait. Qu'elle avait vu sa destinée. Qu'elle était celle qui permettrait à ce monde nouveau d'éclore. Qu'elle aurait dans ses mains le pouvoir de tout changer.

Elle le sent frémir au bout de ses doigts, ce pouvoir, comme si elle pouvait trouer le monde d'un seul coup de poing.

« Je veux que justice soit faite, dit-elle enfin. Et ensuite, je veux tout. Tu préfères être avec moi ? Ou contre moi ? »

Quand ils arrivent, Bernie est dans son bureau, le nez dans des registres. Roxy lui trouve l'air vieux. Il s'est rasé à la va-vite ; des touffes de poils dépassent encore sous son menton et le long de sa gorge. Et puis il sent, depuis quelque temps ; il sent le fromage qui pue. C'est la première fois qu'elle s'aperçoit que son père est vieux. Darrell et elle sont ses petits derniers. Ricky a trente-cinq ans.

Il savait qu'ils viendraient. Barbara a dû lui dire, pour les carnets. Quand Roxy passe la porte, Darrell sur ses talons avec un pistolet chargé, Bernie lui sourit.

« Rox, il faut que tu comprennes, dit-il. J'aimais ta maman, mais elle, elle ne m'a jamais aimé – du moins je ne crois pas. Elle cherchait juste à profiter de moi.

— C'est pour ça que tu l'as tuée ? »

Il inspire par le nez, comme s'il était surpris d'entendre la question posée aussi crûment. « Je ne vais pas te supplier, dit-il en regardant les mains, les doigts de Roxy. Je sais ce qui m'attend, et je ne vais pas me défiler. Mais il faut que tu comprennes une chose : ça n'avait rien de personnel, c'était lié aux affaires.

— C'était la famille, papa, murmure Darrell. La famille, c'est toujours personnel.

— C'est vrai, concède Bernie. Mais elle avait donné Al et Big Mick aux Roumains. Ils l'avaient payée, et elle

315

les avait rencardés. J'ai pleuré quand on m'a dit que c'était elle, mon cœur. Je t'assure. Mais je ne pouvais pas laisser passer ça. Je ne peux laisser personne me doubler – il faut que tu le comprennes. »

Roxy a déjà fait ce genre de calculs elle-même, plus d'une fois à l'heure qu'il est.

« Tu n'étais pas censée être là, mon cœur.

— Tu n'as pas honte, papa ? » demande Roxy.

Il pointe le menton et se mordille la lèvre. « Je regrette qu'on en soit arrivés là. Que ça se soit passé comme ça. Jamais je n'ai voulu que tu assistes à ça. J'ai toujours veillé sur toi. Tu es ma petite fille.

« Ta maman m'a fait plus de mal que je ne peux le dire, poursuit-il après une pause, et il expire une fois de plus par le nez, puissamment, comme un taureau. C'est une foutue tragédie grecque, mon cœur. Même si j'avais su ce qui allait se passer, je l'aurais laissée faire, je ne peux pas le nier. Et si tu me tues… quelque part, ce n'est que justice. »

Il ne bouge pas, il attend que celle-ci soit rendue, très calmement. Sans doute s'est-il demandé une centaine de fois comment tout finirait pour lui, qui d'un ami, d'un ennemi ou d'une tumeur à l'estomac aurait sa peau, ou s'il parviendrait au contraire jusqu'à un âge vénérable. Sans doute a-t-il déjà imaginé que Roxy pourrait être celle qui siffle la fin de partie ; c'est pour cette raison qu'il est si serein et comme en paix avec cette idée.

Roxy connaît la chanson. Si elle le tue, ce sera l'engrenage et, à l'arrivée, les querelles se régleront dans un bain de sang. Exactement comme avec Primrose. Si elle continue à éliminer toutes les personnes qui

316

se dressent en travers de son chemin, tôt ou tard, quelqu'un viendra lui régler son compte à elle aussi.

« Tu sais quelle va être la justice, papa ? Je veux que tu dégages. Tu vas annoncer à tout le monde que tu me passes la main. Personne ne va venir contester ce qui me revient, personne n'aura à te venger, il n'y aura pas de bain de sang, pas de tragédie grecque. On va procéder de façon pacifique. Tu prends ta retraite. Tu débarrasses le plancher et je te protégerai. On te trouvera un endroit où tu seras à l'abri. Trouve-toi un endroit avec une plage. »

Bernie hoche la tête. « Tu as toujours été une fille intelligente. »

Jocelyn

Ils ont déjà reçu des menaces de mort, il y a déjà eu des alertes à la bombe, mais jamais avant ce soir le camp NorthStar n'avait été confronté à une véritable attaque.

Jocelyn est de surveillance nocturne. Elles sont une équipe de cinq à scruter le périmètre du camp aux jumelles. Si vous faites vos heures sup, dormez sur place et acceptez de travailler pour eux pendant les deux années qui suivent l'obtention de votre diplôme universitaire, NorthStar paiera vos frais de scolarité. Plutôt cool, comme marché. Margot aurait pu financer les études de Jocelyn, mais ça fait bon effet que sa fille soit logée à la même enseigne que les autres. Maddy est entrée en possession de son pouvoir, son courant est stable, puissant, elle n'a jamais rencontré aucun des problèmes qui ont affecté sa sœur. Elle n'a que quinze ans mais elle parle déjà de s'enrôler dans les cadettes d'élite. Deux filles militaires – c'est comme ça qu'on se présente à la présidentielle.

Jocelyn est à son poste, à moitié assoupie, lorsque l'alarme se déclenche dans la guérite. Ce n'est pas la première fois, cela se produit de temps à autre à cause d'un renard ou d'un coyote ; un soir, c'étaient deux adolescents ivres qui s'étaient lancé un défi et essayaient d'escalader la clôture. Une autre nuit, Jocelyn avait eu la peur de sa vie quand un cri perçant avait fusé des poubelles derrière le mess ; finalement, il ne s'agissait que de deux énormes ratons laveurs, qui avaient jailli de l'intérieur des conteneurs métalliques en se mordant et en se poursuivant, mais Jos s'était fait une belle frayeur.

Les autres s'étaient moquées d'elle, comme souvent. Au début, grâce à Ryan, tout était excitant, drôle, intense, et leur secret concernant son fuseau rendait tout spécial. Puis, sans que Jos sache trop comment, quelqu'un avait eu vent de leur secret et ces photos prises au téléobjectif s'étaient retrouvées dans la presse, et les journalistes avaient fait le siège devant leur porte, une fois de plus. Les filles, au camp, avaient suivi toute l'histoire dans les médias, et quand Jocelyn entrait dans une pièce, les messes basses et les rires s'interrompaient net. Jocelyn avait lu des articles écrits par des femmes qui regrettaient de pouvoir le faire, et d'autres écrits par des hommes qui regrettaient le contraire. Pour elle qui n'aspirait qu'à être normale, tout cela était complètement déroutant. Quand elle avait cassé avec Ryan, il avait pleuré et elle, elle avait gardé les yeux secs, comme s'il y avait un bouchon qui retenait tout à l'intérieur. Sa mère l'a envoyée consulter un médecin ; il lui a prescrit un traitement pour l'aider à se sentir plus « normale ». Et c'est le cas, d'une certaine façon.

Jocelyn et les quatre autres filles de garde cette nuit-là prennent leurs matraques, de longs bâtons coiffés d'un bouquet de fils métalliques tranchants, et partent voir de quoi il retourne, convaincues de trouver un spécimen quelconque de la faune locale en train de malmener la clôture. Sauf qu'une fois là-bas, elles aperçoivent trois hommes, encagoulés ou le visage peinturluré de noir, munis de battes de base-ball. Ils se trouvent à côté du générateur et l'un d'eux tient un énorme coupe-boulons. C'est une attaque terroriste.

Tout se passe très vite. Dakota, l'aînée du groupe, chuchote à Hayden, l'une des plus jeunes, de courir chercher les vigiles. Jocelyn, Dakota et Samara restent là, groupées. Dans d'autres camps victimes d'intrusions, les hommes avaient des couteaux, des armes à feu, et parfois même des grenades et des bombes artisanales.

« Lâchez vos armes ! » crie Dakota.

Les hommes ont les paupières étrécies, des regards indéchiffrables. Ils sont venus ici avec de mauvaises intentions.

Dakota balance sa lampe torche de gauche à droite. « C'est bon, les gars, reprend-elle. Vous vous êtes bien amusés, mais on vous a repérés. Alors, posez vos armes. »

L'un d'eux jette quelque chose – une grenade d'où s'échappe un panache de fumée. Celui qui tient le coupe-boulons sectionne une des gaines du générateur. Un *bang* retentit. Au centre du camp, toutes les lumières s'éteignent. On ne voit plus que les étoiles dans le ciel d'encre, et ces hommes qui sont venus pour les tuer.

Jocelyn balaie nerveusement l'obscurité de sa lampe torche. Un des hommes se précipite sur Dakota et Samara en poussant un cri éraillé et en balançant sa batte de base-ball. Qui heurte de plein fouet la tête de Samara. Il y a du sang. Merde, du sang. Elles ont été entraînées, pourtant, elles savent toutes comment réagir face à ce genre d'incidents. Comment une telle agression peut-elle encore se produire, en dépit de leur pouvoir ? Tegan se jette sur l'homme et lui envoie une décharge dans le genou, il a le temps de riposter avec son autre jambe, et de lui assener un coup de pied en plein visage. Et… c'est quoi ce truc qui luit, sous sa veste, c'est quoi, là, merde ? Jocelyn fond à son tour sur lui, pour le jeter à terre et lui arracher ce truc qu'elle a vu, mais une main lui empoigne la cheville ; elle perd l'équilibre, et s'étale de tout son long dans la terre sablonneuse.

Elle se redresse tant bien que mal et rampe à quatre pattes vers sa torche mais elle se fait prendre de vitesse, quelqu'un la ramasse et la braque sur elle. Jocelyn attend le coup. Heureusement, ce n'est que Dakota ; un hématome lui barre la joue. À côté d'elle se tient Tegan ; un des hommes est agenouillé à ses pieds – sans doute celui qui l'a fait tomber. Sa cagoule a été arrachée ; il est jeune. Plus jeune que Jos ne l'aurait cru, il n'a probablement qu'un ou deux ans de plus qu'elle. Sa lèvre est fendue et une cicatrice semblable à une fougère se déploie en travers de sa mâchoire.

« Je l'ai eu, dit Dakota.

— Allez vous faire foutre, crache l'homme. On défend la liberté ! »

Tegan l'empoigne par les cheveux pour l'obliger à relever la tête, puis lui assène une décharge juste sous l'oreille, un endroit particulièrement sensible.

« Qui vous envoie ? demande Dakota, et comme la question demeure sans réponse, elle ajoute : Jos, montre-lui qu'on ne rigole pas. »

Jocelyn ne sait pas où sont passées Samara et Hayden.

«On ne ferait pas mieux d'attendre les renforts? demande-t-elle.

— Foutue gogole, va.»

Le garçon est recroquevillé par terre. Elle n'a pas besoin de faire quoi que ce soit ; ni elle, ni personne.

«Il a un fuseau? Elle veut peut-être se le taper, raille Tegan et elle rigole, imitée par Samara.

— Ouais, marmonnent-elles, c'est son truc – les mecs bizarres, les monstres de foire, les types répugnants.»

Si jamais elle craque devant elles, ça la poursuivra toute sa vie. Et puis ce n'est pas si grave, Jocelyn sait que tout ça n'est qu'un tissu d'âneries. Avec Ryan, elle n'aimait même pas vraiment ça. Elle a réfléchi, depuis qu'ils ont cassé, et elle pense que les autres filles ont raison, que c'est mieux avec un garçon qui ne peut pas le faire – un garçon plus normal, en tout cas. Elle est sortie avec deux autres garçons depuis, qui aimaient bien se faire chatouiller par une petite décharge à l'occasion, qui le lui demandaient même, au creux de l'oreille. C'est beaucoup mieux ainsi, et elle aimerait bien que ces filles oublient cette histoire avec Ryan ; elle, elle l'a oubliée, c'était juste une passade d'ado, et le traitement fonctionne, il a régulé son pouvoir qui est désormais stable et continu. Quant à elle, elle est parfaitement normale, maintenant.

Et que ferait une fille normale, dans pareille situation?

«Dégage, Cleary, je m'en charge, tranche Dakota.

— S'il vous plaît, murmure le garçon à terre, de ce ton implorant qu'ils savent tous si bien prendre.

— Non, toi dégage», riposte Jocelyn en écartant sans ménagement Dakota.

Elle se penche vers le type, pose la main sur sa tête et lâche une décharge. À titre d'avant-goût de ce qui l'attend si jamais il leur cherchait des poux.

Malgré ses progrès, Jos reste émotive. Ça provoque des pics de surtension dans son corps; son entraîneur lui a dit de s'en méfier. Les hormones et les électrolytes, ça détraque tout.

À la seconde où le courant quitte sa main, Jos sent qu'il est trop puissant, elle essaie de le retenir, mais c'est trop tard.

Le garçon pousse un hurlement et elle sent son scalp grésiller sous sa paume. Dans la boîte crânienne, les fluides sont en ébullition; des matières délicates entrent en fusion et coagulent. Et les vrilles du courant sont en train d'imprimer leurs marques, plus vite qu'attendu.

Ce n'est pas bon, ça. Elle n'a pas pu se maîtriser. Ce n'est pas ce qu'elle voulait.

Il y a une odeur de cheveux et de chair brûlés.

«Merde», lâche Tegan.

Soudain, elles discernent un rai de lumière en même temps qu'apparaissent deux vigiles NorthStar, un homme et une femme. Jos les a déjà rencontrés – Esther et Johnny. Il était temps. Sans doute ont-ils rétabli l'éclairage avec un générateur de secours. L'esprit de Jocelyn mouline très vite, mais ses réflexes sont lents. Sa main est toujours posée sur la tête du garçon. Un filet de fumée s'échappe d'entre ses doigts.

«Seigneur! s'exclame Johnny.

— Il y en avait d'autres ? demande Esther. La fille a dit qu'ils étaient trois. »

Dakota a toujours les yeux rivés sur le garçon. Jocelyn décolle ses doigts du crâne un par un, en s'interdisant de penser à ce qu'elle a fait. Si elle commence à y penser, elle va prendre la mesure de sa situation et ce sera la dégringolade en eau profonde, dans cet océan noir qui l'attend, maintenant, et qui l'attendra toujours. Elle détache ses doigts du crâne, sans y penser, puis elle détache sa paume gluante, sans y penser davantage, et le corps du garçon bascule en avant, son visage s'écrase contre terre.

« Johnny, va chercher un toubib. Tout de suite », ordonne Esther.

Johnny lui aussi contemple fixement le corps. Il lâche un petit rire et répète : « Un toubib ?

— Oui, Johnny. Va chercher un foutu médecin. Tout de suite. »

Il déglutit. Son regard passe de Jocelyn à Tegan, puis à Esther. Quand il croise le regard de cette dernière, il opine et recule de quelques pas. Il pivote sur ses talons, se met à courir et s'enfonce dans le noir.

« Ce qui s'est passé, c'est que…, commence Dakota, mais Esther secoue la tête.

— On va voir ça », la coupe-t-elle.

Elle s'agenouille près du corps, le retourne d'une main, entreprend de fouiller la veste du garçon. Les filles ne voient pas trop ce qui se passe. Esther sort des poches des chewing-gums, un paquet de prospectus émanant d'une faction contestataire d'hommes. Puis on entend un tintement métallique, sourd et familier.

Esther passe la main sous le dos du garçon, la retire, et en sort un pistolet ; un gros calibre, genre matériel militaire. « Il t'a menacée avec son arme », annonce Esther.

Jocelyn fronce les sourcils. Elle comprend immédiatement, mais c'est plus fort qu'elle, elle commence à protester : « Non, pas du tout. Il était…, et puis elle s'interrompt quand sa bouche finit par rattraper son cerveau.

— Il avait un pistolet dans la poche de sa veste, et tu as vu qu'il s'apprêtait à le sortir », dit Esther, d'un ton calme et posé. Un sourire perce même dans sa voix, comme si elle guidait Jos dans le maniement d'un système de maintenance : D'abord, tu coupes l'électricité, puis tu appliques le lubrifiant, ensuite tu ajustes l'écartement de la vis de serrage, une chose après l'autre, un, deux, trois, c'est comme ça qu'il faut procéder. « Il s'était déjà montré violent envers nous. Tu as perçu un danger imminent. Il a porté la main à son arme et tu as fait usage de ton pouvoir, d'une force proportionnée pour l'en empêcher. »

Esther ouvre le poing du garçon et enroule les doigts autour de la crosse du pistolet. « C'est plus évident à comprendre comme ça, reprend-elle. Il avait la main sur son arme, il s'apprêtait à tirer. » Elle fixe chacune des filles dans les yeux, comme pour enfoncer le clou.

« Oui, c'est bien ce qui s'est passé, acquiesce Tegan. Je l'ai vu porter la main à son arme. »

Jocelyn regarde ce pistolet glissé entre les doigts déjà en train de se figer. Certains employés de NorthStar portent toujours sur eux une arme de poing personnelle et non enregistrée. Jocelyn le sait parce que sa mère a dû convaincre le *New York Times* de renoncer à publier un article à ce sujet, au motif que cette information constituerait une menace pour la sécurité intérieure. Peut-être le garçon avait-il ce pistolet dans sa poche arrière. Peut-être comptait-il s'en servir pour les menacer. Mais s'ils avaient des armes à feu, pourquoi s'encombrer de battes de base-ball ?

Esther referme une main sur l'épaule de Jocelyn. «Tu es un héros, soldat.

— Oui», acquiesce Jocelyn.

Plus elle raconte l'histoire, plus ça devient facile. Jocelyn commence même à y croire, si bien que, quand vient le moment de l'évoquer à la télévision, sur une chaîne nationale, elle est convaincue qu'il s'agit d'authentiques réminiscences, du moins en partie. N'a-t-elle pas aperçu un scintillement métallique dans une poche ? Ne pouvait-il pas s'agir d'un pistolet ? Peut-être est-ce pour cette raison qu'elle a déchargé. Sans doute, même.

Face aux caméras, elle est souriante. «Non, dit-elle. Je n'ai pas la sensation d'être un héros. N'importe qui aurait fait pareil.

— Allons, allons, proteste Kristen. Moi, je n'aurais pas pu. Vous auriez pu, Matt ? »

Matt rigole et assure qu'il n'aurait même pas pu regarder la scène. C'est un homme très séduisant, de dix ans le cadet de Kristen. C'est la chaîne qui l'a découvert. Ils font un essai, on verra bien ce que ça donne. Et tant qu'on y est, Kristen, pourquoi ne garderais-tu pas tes lunettes à l'antenne, elles te donnent un air sérieux. On tente et on voit ce que disent les mesures d'audience, d'accord?

«En tout cas, Jocelyn, ta maman doit être très fière de toi.»

Elle l'est. Margot connaît l'histoire, mais en partie seulement. Grâce à cet incident, elle a pu peser auprès du département de la Défense et obtenir la généralisation du programme de camps d'entraînement NorthStar à l'ensemble des cinquante États. C'est un programme bien géré, avec d'excellentes passerelles vers les universités, et NorthStar se fait grassement rémunérer par l'armée pour chacune de leurs filles qui peuvent s'engager directement dans le service d'active, sans suivre l'entraînement de base. L'armée a beaucoup d'affection pour Margot Cleary.

«Avec tout ce qui se passe dans l'actualité, dit Matt, cette guerre en Europe de l'Est, par exemple – c'est à n'y rien comprendre. D'abord on nous dit que les Moldaves du Sud sont en train de gagner, maintenant, on nous dit que ce sont les Moldaves du Nord, sans compter les Saoudiens qui sont impliqués dans l'histoire sans qu'on sache trop pourquoi ni comment…, ajoute-t-il avec un haussement d'épaules impuissant. C'est génial de savoir qu'on peut compter sur des jeunes femmes comme vous, prêtes à défendre notre pays.

— Ah oui, mais jamais je n'aurais été capable de faire tout ça sans l'entraînement que j'ai reçu au camp NorthStar», souligne Jocelyn, exactement comme elle l'a répété.

Kristen lui serre le genou. «Allez-vous rester encore un peu avec nous, Jocelyn? Après la pause, nous testerons quelques recettes à la cannelle épatantes pour l'automne.

— Naturellement ! »

Matt sourit à la caméra. « Personnellement, je me sens plus en sécurité de vous savoir dans les parages.

« Et tout de suite, c'est l'heure de votre bulletin météo. »

Statuette représentant la «Reine Prêtresse» découverte dans un trésor à Lahore. La statue est sensiblement plus vieille que le socle, qui procède d'une technologie recyclée de l'Ère du Cataclysme.

L'analyse du socle, bien qu'il soit fortement érodé, a révélé qu'il était à l'origine gravé du motif du Fruit Mordu.

On retrouve des objets frappés de ce motif un peu partout dans le monde de l'Ère du Cataclysme, dont l'usage fait débat. L'uniformité du motif suggère qu'il s'agit d'un symbole religieux, mais rien n'exclut qu'il s'agisse d'un glyphe indiquant que l'objet devait être réservé au service de la nourriture ; les différentes tailles dans lesquelles il était décliné peuvent correspondre à différents repas.

Cet artefact Fruit Mordu présente, comme souvent, un assemblage de métal et de verre. Chose exceptionnelle pour un objet de ce type, le verre est intact, lui conférant par là même une très forte valeur dans les années post-Cataclysme. On suppose que l'artefact Fruit Mordu témoignait d'un hommage rendu à la Reine Prêtresse et servait à magnifier la majesté de sa statue.

Les deux objets ont été soudés il y a environ deux mille cinq cents ans.

Statue de «Jeune Serviteur» découverte dans le même trésor que celle de la «Reine Prêtresse». Compte tenu de l'apparence extrêmement soignée du sujet et de ses traits sensuels, on suppose que cette statue représente un travailleur sexuel. Elle s'orne d'incrustations de verre datant de l'Ère du Cataclysme, d'une composition similaire au socle de la «Reine Prêtresse»; ces fragments de verre proviennent très certainement d'un artefact Fruit Mordu cassé, et leur ajout sur cette statue est probablement contemporain de l'adjonction du socle à la «Reine Prêtresse».

PLUS QU'UN AN

La Présidente et son gouvernement seraient
honorés de la présence de Madame
la Sénatrice Margot Cleary
à la réception et au dîner qui se tiendront
le mercredi 15 juin à 19 heures

La Présidente et son gouvernement seraient
honorés de la présence de Ms. Roxanne
Monke à la réception et au dîner qui
se tiendront le mercredi 15 juin à 19 heures

La Présidente et son gouvernement seraient
honorés de la présence de Mère Ève
à la réception et au dîner qui se tiendront
le mercredi 15 juin à 19 heures

La Présidente et son gouvernement seraient
honorés de la présence de Mr. Tunde Edo
à la réception et au dîner qui se tiendront
le mercredi 15 juin à 19 heures

Margot

«Un commentaire sur les raisons de votre présence ici, sénatrice Cleary?

— La présidente Moskalev a été chassée par un coup d'État militaire du pays dont elle était la dirigeante démocratiquement élue, Tunde, et ce sont là des choses que le gouvernement des États-Unis prend très au sérieux. Et j'ajouterai, si vous me le permettez, que je suis absolument ravie de vous voir éveiller l'intérêt de la jeune génération en traitant d'importants sujets d'ordre géopolitique.

— C'est la jeune génération qui devra vivre dans le monde que vous êtes en train de construire, sénatrice.

— Vous avez raison, c'est pourquoi je me réjouis de la présence de ma fille Jocelyn à mes côtés dans cette visite, que je fais au titre de membre de la délégation des Nations unies.

— Auriez-vous un commentaire sur la récente défaite que les troupes de la Moldavie du Nord ont infligée aux forces de la République de Bessapara?

— C'est une réception, mon jeune ami, pas une réunion de stratégie de défense.

— Si vous le dites, sénatrice Cleary. Vous êtes bien placée pour le savoir. À la date d'aujourd'hui, vous siégez à… cinq comités stratégiques – c'est bien ça ? Défense, relations extérieures, sécurité intérieure, budget et renseignement, énumère Tunde en les comptant sur ses doigts. Qu'est-ce qui justifie la présence d'une sommité de l'appareil d'État à une telle *réception* ?

— Je vois que vous avez préparé votre sujet.

— Tout à fait, m'dame. Les Moldaves du Nord sont financés par la maison des Saoudites en exil, n'est-ce pas ? Cette guerre avec la Bessapara serait-elle un galop d'essai avant une tentative de reconquête de l'Arabie saoudite ?

— L'actuel gouvernement d'Arabie saoudite a été démocratiquement élu par son peuple. Le gouvernement des États-Unis soutient la démocratie et les changements de régime pacifiques dans quelque région du monde que ce soit.

— La présence ici d'une représentante du gouvernement des États-Unis signifie-t-elle que ces derniers cherchent à sécuriser les oléoducs ?

— Il n'y a pas de pétrole en Moldavie, ni en Bessapara, Tunde.

— Mais un nouveau changement de régime en Arabie saoudite ne risquerait-il pas d'affecter votre approvisionnement en pétrole ?

— Ce genre de préoccupations ne peut pas peser dans la balance quand il est question de la liberté d'une démocratie.»

Tunde réprime un éclat de rire et ne laisse échapper qu'un infime rictus ironique et fugace. «Très bien, les États-Unis préfèrent encourager la démocratie plutôt que les exportations de pétrole, reprend-il. D'accord. Et quel message votre présence ce soir, à cette réception, envoie-t-elle à votre pays en termes de terrorisme intérieur ?

— Soyons clairs, répond Margot en fixant l'objectif de Tunde d'un regard perçant. Le gouvernement des États-Unis n'a pas peur de ses terroristes intérieurs, ni de ceux qui les financent.

— Et par "ceux qui les financent", vous voulez parler du roi Awadi-Atif d'Arabie saoudite ?

— Je n'ai rien d'autre à déclarer à ce sujet.

— Sénatrice, un dernier commentaire peut-être concernant votre présence ici ? Pourquoi est-ce vous qui avez été choisie ? Cela tient-il à vos liens privilégiés avec les camps d'entraînement NorthStar ? Faut-il y voir un rapport ? »

Margot lâche un rire qui semble parfaitement sincère. « Je ne suis qu'un petit poisson, vous savez, Tunde, du menu fretin. Je suis ici parce que j'ai été invitée, rien de plus. Et maintenant, j'aimerais juste profiter de cette soirée, et je suis sûre qu'il en va de même pour vous. »

Elle tourne les talons, s'éloigne de quelques pas et attend d'entendre le déclic de la caméra que l'on éteint.

« Ne viens pas me chercher des poux, fiston, dit-elle sans bouger les lèvres. Je suis ton amie, ici. »

Tunde remarque ce « fiston ». Ne réagit pas. Le garde au chaud contre sa poitrine. Il se félicite d'avoir laissé l'enregistrement audio allumé.

« J'aurais pu vous malmener deux fois plus », répond-il.

Margot le regarde en plissant les yeux. « Je vous aime bien, Tunde. Votre interview d'UrbanDox, c'était du bon boulot. Ces menaces de bombes nucléaires ont eu le mérite de réveiller le Congrès et de l'obliger à voter le budget nécessaire pour la défense de notre pays. Vous êtes toujours en contact avec ces gens?

— À l'occasion.

— Si jamais vous entendez parler de quoi que ce soit d'important, faites-moi signe, d'accord? Vous n'aurez pas à le regretter. Il y a de l'argent en jeu – *beaucoup* d'argent. Vous feriez un formidable conseiller en communication pour nos camps d'entraînement.

— Aha… Je vous tiendrai au courant.

— N'oubliez pas.»

Elle lui adresse un sourire rassurant – ou qu'elle voulait tel, du moins. Margot n'exclut pas qu'en se formant sur ses lèvres il ait plutôt pris une connotation lubrique. Le problème, c'est que ces maudits journalistes sont trop séduisants. Elle a vu les vidéos de Tunde avant de le rencontrer; Maddy est complètement fan, et de fait ce jeune homme a une véritable influence sur les électeurs de la tranche des 18-35 ans.

C'est tout de même incroyable que, dans l'avalanche de commentaires élogieux sur son style décontracté et accessible, aucun ne mentionne jamais que si les vidéos d'Olatunde Edo font un tel carton, c'est parce que leur auteur est archi-canon. Dans certaines d'entre elles, on le voit commenter ses sujets sur une plage, vêtu d'un simple maillot de bain. Comment est-elle censée le prendre au sérieux après avoir vu ses épaules larges et carrées, sa taille fine, ses abdominaux dessinés et ses pectoraux… Merde! Elle a vraiment besoin de s'envoyer en l'air, songe-t-elle.

Doux Jésus… Bon, il y a quelques petits jeunes, dans sa délégation. Après la réception, elle offrira un verre à l'un d'entre eux – hors de question que son esprit batte la campagne chaque fois qu'un journaliste sexy l'interviewe. Elle rafle un verre de schnaps sur un plateau qui passe justement par là ; le vide d'un trait. Une conseillère intercepte son regard depuis l'autre bout de la salle et lui désigne sa montre. Il faut y aller.

« Force est de reconnaître que dans ce pays, ils ont l'art de savoir choisir un château », chuchote Margot à Frances, sa conseillère, tandis qu'elles grimpent l'escalier de marbre.

Celui-là donne l'impression d'avoir été transporté brique par brique depuis Disneyland. Du mobilier doré. Un toit hérissé de sept flèches pointues, toutes de forme et de taille différentes, certaines striées, d'autres lisses, d'autres encore coiffées d'or. Une forêt de pins en toile de fond, des montagnes au loin. C'est bon, c'est bon, vous avez une histoire et une culture. On a compris, vous n'êtes pas nés de la dernière pluie. D'accord.

Quand Margot entre dans la pièce, Tatiana Moskalev est assise – non, ce n'est pas une blague – sur un trône. Un énorme machin tout doré, avec des accoudoirs ornés de têtes de lion, et tapissé de velours rouge. Margot réussit à ne pas sourire. La présidente de la Bessapara arbore une immense pelisse de fourrure blanche par-dessus une robe dorée. Elle a une bague à chaque doigt, et deux à chaque pouce. Elle donne l'impression d'avoir regardé un peu trop de films de mafieux. La porte se referme derrière Margot. Elles sont en tête à tête.

« Présidente Moskalev, c'est un honneur de vous rencontrer.

— Sénatrice Cleary, tout le plaisir est pour moi. »

La rencontre du serpent et du tigre, songe Margot ; le chacal accueille le scorpion.

« Je vous en prie, prenez un verre de notre vin glacé, poursuit Tatiana. Le meilleur d'Europe. Le produit de nos vignobles de Bessapara. »

Margot boit une gorgée en se demandant quelle est la probabilité qu'il soit empoisonné. Pas plus de trois pour cent, estime-t-elle. Cela serait du plus mauvais effet pour ce pays si la sénatrice Cleary y décédait au cours d'une visite officielle.

« Le vin est excellent, déclare-t-elle. Je ne m'attendais pas à moins. »

Tatiana sourit, un sourire discret et distant. « Vous aimez la Bessapara ? demande-t-elle. Vous appréciez les visites ? Ses chants, ses danses, son fromage ? »

Margot a eu droit au chapitre fromage local ce matin : méthodes de fabrication, dégustation… Trois heures. À parler de fromage.

« Votre pays est un enchantement, madame la présidente – tout le charme du Vieux Continent, combiné à cette détermination d'entraîner tout un peuple sur le chemin de l'avenir…

— Oui, acquiesce Tatiana avec un sourire. Nous nous voyons peut-être comme le pays le plus progressiste du monde, vous savez.

— Ah oui, je suis impatiente de visiter votre parc scientifique et technologique, demain. »

Tatiana secoue la tête. « Sur le plan culturel, social, je voulais dire. Nous sommes le seul pays au monde à comprendre réellement ce que ce changement *signifie*. À comprendre qu'il est une bénédiction. Une invitation à… à… » Elle secoue de nouveau la tête, assez longuement, comme pour dissiper un genre de brume. «Une incitation à une nouvelle façon de vivre.»

Margot ne répond rien. Elle boit une gorgée de vin et se fend d'un petit sourire d'appréciation.

«J'aime beaucoup l'Amérique, déclare Tatiana. Mon défunt mari, Viktor, aimait bien la Russie, mais moi j'aime l'Amérique. Pays de liberté. Pays d'opportunités. Bonne musique. Meilleure que la musique russe.» Elle se met à chanter une rengaine pop que Maddy a passée en boucle dans toute la maison. «*Quand on roule, tu vas si vite, dans ta voiture, que tout fait boum boum.*» Elle a une voix agréable. Margot se souvient d'avoir lu quelque part que Tatiana avait eu un temps l'ambition de devenir une popstar.

«Voulez-vous que nous organisions un concert de ce groupe ici? Ils font des tournées. Nous pouvons arranger ça», propose Margot.

À quoi Tatiana répond : «Je pense que vous savez ce que je veux, sénatrice Cleary. Vous n'êtes pas une femme bête.

— Je ne suis peut-être pas bête, mais je ne suis pas télépathe, présidente Moskalev, tempère Margot avec un sourire.

— Tout ce que nous voulons, c'est le rêve américain, ici même en Bessapara. Nous sommes une jeune nation, un petit État courageux et assiégé par un terrible ennemi à ses frontières. Nous voulons être libres et continuer à vivre comme nous l'entendons. Nous voulons une chance. C'est tout.»

Margot opine. «C'est ce que tout le monde veut, madame la présidente. La démocratie pour tous sur la planète est le vœu le plus cher de l'Amérique.»

Tatiana ébauche un sourire qui creuse discrètement les commissures de ses lèvres. «En ce cas vous allez nous aider contre le Nord.»

Margot se mordille longuement la lèvre supérieure. C'est le point épineux. Elle savait qu'il viendrait sur la table.

«J'ai... j'en ai parlé à plusieurs reprises avec notre président. Vous pouvez compter sur nous pour vous aider à défendre votre indépendance, dans la mesure où c'est ce que veut votre peuple, mais nous ne pouvons pas donner l'impression d'interférer dans un conflit entre la Moldavie du Nord et la Bessapara.

— Vous et moi sommes plus subtiles que ça, sénatrice Cleary.

— Nous pouvons vous offrir une aide humanitaire, et des forces de maintien de la paix.

— Vous pourriez aussi voter en faveur de n'importe quelle résolution contre notre pays au Conseil de sécurité des Nations unies.

— Mais...» Margot fronce les sourcils. «Le Conseil de sécurité des Nations unies n'a lancé aucune procédure de sanctions à votre encontre.»

Tatiana repose sans hâte son verre sur la table. «Sénatrice. Mon pays a été trahi par certains de ses hommes. Nous le savons. Notre défaite à la récente bataille du Dniester est due au fait que le Nord avait été informé de la position de nos troupes. Des hommes de Bessapara ont vendu des informations à nos ennemis. Certains d'entre eux ont été confondus. D'autres ont avoué. Nous devons agir.

— C'est votre prérogative, bien sûr.

— Vous n'interférerez pas avec cette action. Nous aurons votre soutien quoi que nous fassions.»

Margot laisse échapper un petit rire. «Je ne suis pas certaine de pouvoir vous promettre quoi que ce soit concernant une décision d'une telle envergure, madame la présidente.»

Tatiana se lève et va s'adosser contre la baie vitrée. Sa silhouette se découpe sur la toile de fond du château Disney illuminé.

«Vous travaillez avec NorthStar, non? Une société militaire privée. Vous en êtes actionnaire, même. J'aime NorthStar. Former des filles à devenir des guerrières – c'est très bien. Il nous en faut davantage.»

Bon… Ce n'est pas ce à quoi Margot s'attendait. Mais c'est intrigant.

«Je ne vois pas très bien en quoi ces éléments sont liés, madame la présidente, observe-t-elle, en même temps qu'une idée rusée germe dans son esprit.

— NorthStar veut obtenir un mandat des Nations unies pour envoyer des contingents de filles en Arabie saoudite. Le gouvernement y est en train de s'écrouler. Le pays est instable.

— Si l'ONU approuve ce déploiement, ce sera à mon sens une bonne nouvelle pour le monde. Il permettra de sécuriser l'approvisionnement en pétrole, et d'aider le gouvernement à traverser une période de transition forcément difficile.

— C'est une mesure qui serait très facile à défendre auprès de l'ONU si un autre gouvernement avait déjà déployé avec succès des forces NorthStar.»

Tatiana marque une pause, se ressert du vin glacé et ressert Margot aussi. Elles savent l'une et l'autre quelle direction prend cette conversation. Leurs regards se croisent. Margot sourit.

« Vous voulez recruter des filles NorthStar.

— Au titre de mon armée privée, ici et sur la frontière. »

Un contrat pareil, ça représente beaucoup d'argent. Et plus encore si Moskalev gagne la guerre contre le Nord et s'empare des actifs des Saoudiens. Opérer en Bessapara au titre d'une armée privée servirait parfaitement les objectifs de développement que NorthStar s'est fixés. Si Margot réussissait un coup pareil, son conseil d'administration serait heureux de lui offrir un siège jusqu'à la fin des temps.

« Et en échange, vous voulez…

— Nous allons modifier légèrement nos lois. Le temps que durera cette période de troubles. Pour dissuader d'autres traîtres de vendre nos secrets au Nord. Et nous voulons votre soutien.

— Nous ne souhaitons pas interférer dans les affaires internes d'une nation souveraine, répond Margot. Les différences culturelles doivent être respectées. Je sais qu'à cet égard le président s'en remettra à mon jugement.

— Bien, dit Tatiana avec un lent battement de paupières sur ses yeux verts. Alors nous nous comprenons. Inutile de nous demander ce que le Nord ferait s'il gagnait la guerre, sénatrice Cleary, ajoute-t-elle après un silence. Nous avons déjà vu ce dont ils sont capables ; on se souvient toutes de ce qu'était l'Arabie saoudite. Nous sommes toutes les deux du bon côté, ici. »

Elle lève son verre. Margot incline lentement le sien jusqu'à ce qu'il effleure celui de son hôtesse d'un doux tintement.

C'est un grand jour pour l'Amérique. Un grand jour pour le monde.

La réception est aussi ennuyeuse que l'avait anticipé Margot. Elle échange des poignées de main avec des dignitaires étrangers, des chefs religieux et des gens qu'elle soupçonne d'être des criminels et des marchands d'armes. Elle répète mécaniquement et inlassablement les mêmes phrases quant à la profonde sympathie des États-Unis à l'égard des victimes des injustices et de la tyrannie, et leur souhait de voir émerger une résolution pacifique au conflit qui ravage cette région du monde. L'arrivée de Tatiana s'accompagne d'un peu de chahut, ce qui échappe totalement à Margot. Elle reste jusqu'à vingt-deux heures trente – soit l'heure officielle où il n'est ni trop tôt, ni trop tard pour prendre congé d'une réception importante. Dans l'escalier, tandis qu'elle descend rejoindre la voiture diplomatique, le journaliste, Tunde, lui fonce dessus sans la voir.

« Excusez-moi, dit-il en laissant tomber quelque chose qu'il ramasse aussitôt – trop rapidement pour que Margot puisse apercevoir ce dont il s'agit. Pardon. Je suis en... Je suis pressé. »

Margot éclate de rire. Elle a passé une bonne soirée. Elle a calculé le montant du bonus que NorthStar lui versera si ce plan fonctionne, et elle voit d'ici les super subventions dont l'entreprise gratifiera les comités d'action politique lors du prochain cycle électoral.

« Pressé ? répète-t-elle. Et pourquoi ça ? Je vous dépose ? »

Elle lui désigne la voiture qui l'attend, portière ouverte comme une invitation sur l'intérieur en cuir blanc cassé. Tunde s'empresse de masquer la panique qui fuse dans son regard par un sourire, mais il n'a pas été assez rapide.

« Une autre fois », répond-il.

Tant pis pour lui.

Plus tard, de retour à l'hôtel, Margot paie deux ou trois verres à l'un des jeunots de l'ambassade américaine en Ukraine. Il se montre prévenant – mais bon, le contraire aurait été surprenant. Margot ira loin. Dans l'ascenseur qui les emmène jusqu'à sa suite, elle pose la main sur ses fesses jeunes et fermes.

Allie

La chapelle du château a été restaurée. Le lustre doré à pampilles flotte toujours au centre de la pièce, suspendu par des fils trop fins pour être distingués à la lumière des bougies. Tous ces miracles électriques. On n'a pas touché aux vitraux figurant des anges qui glorifient Notre-Dame, ni aux polyptyques dédiés à sainte Thérèse et saint Jérôme. Toutes les autres peintures – y compris celles émaillées de la coupole – ont été remplacées et repensées en accord avec les Nouvelles Écritures. On y voit la Toute-Puissante, sous la forme d'une colombe, s'adresser à la matriarche Rebecca. Ou la Prophétesse Deborah proclamer la Sainte Parole devant le peuple incrédule. Mais aussi – et ce en dépit des protestations de l'intéressée – Mère Ève qui reçoit le message des cieux et tend sa main remplie d'éclairs, avec l'arbre symbolique en arrière-plan. La coupole s'orne désormais d'une fresque représentant la main avec en son centre l'œil qui voit tout. Cet œil symbolise Dieu, qui veille sur chacun de nous et tend Sa main toute-puissante au seigneur comme à l'esclave.

Un soldat l'attend dans la chapelle : une jeune femme qui a sollicité une audience en privé. Américaine. Jolie, avec des yeux gris clair et des taches de rousseur sur les joues.

« Est-ce moi que vous attendez ? s'enquiert Mère Ève.

— Oui », répond Jocelyn, la fille de la sénatrice Cleary qui siège à cinq comités clés, dont ceux de la défense et du budget.

Mère Ève a dégagé du temps dans son agenda pour ce rendez-vous.

« C'est une joie de te rencontrer, ma fille, annonce-t-elle en allant s'asseoir à ses côtés. En quoi puis-je t'aider ? »

Jocelyn fond en larmes. « Ma mère me tuerait si elle savait que je suis ici, répond-elle. Elle me tuerait, c'est sûr. Ah, Mère, je ne sais pas quoi faire.

— Es-tu venue solliciter… des conseils ? »

Allie avait examiné avec intérêt cette requête d'audience. Que la fille de la sénatrice Cleary soit en Bessapara en ce moment n'avait rien d'une surprise. Et qu'elle exprime le désir de voir Mère Ève en chair et en os n'a rien d'étonnant non plus. Mais une audience privée ? Allie s'était demandé si cette jeune fille pouvait être une sceptique désireuse d'en découdre quant à l'existence de Dieu. Apparemment non.

« Je suis complètement perdue, reprend Jocelyn à travers ses larmes. Je ne sais plus qui je suis. J'ai regardé vos vidéos, j'ai écouté vos sermons et j'attends toujours… Je demande à Sa voix de me guider et de me dire quoi faire…

— Dis-moi ce qui te tourmente. »

Allie connaît bien ces afflictions trop profondes pour être verbalisées. Elle sait qu'elles peuvent advenir sous n'importe quel toit, même dans les milieux les plus aisés. Nul n'est à l'abri.

Elle tend une main et effleure le genou de Jocelyn, qui tressaille légèrement et se recule. Grâce à ce simple effleurement, Allie perçoit ce qui tourmente Jocelyn.

Elle ressent les femmes et sait entendre le fredonnement paresseux, voire presque inexistant, d'un pouvoir endormi. Elle a détecté chez Jocelyn une poche d'ombre qui devrait être illuminée ; quelque chose qui est ouvert et devrait être fermé. Allie réprime un frisson.

« Ton fuseau, dit Mère Ève. Tu es en souffrance.

— C'est un secret, parvient-elle à peine à murmurer. Je ne suis pas censée en parler. J'ai un traitement. Mais il marche moins bien qu'avant. Et c'est de mal en pis. Je ne suis pas… je ne suis pas comme les autres filles. Je ne savais pas vers qui d'autre me tourner. Je vous ai vue sur Internet. S'il vous plaît. S'il vous plaît, guérissez-moi et faites que je devienne normale. S'il vous plaît, demandez à Dieu de me délivrer de ce fardeau. S'il vous plaît, laissez-moi être normale.

— Tout ce que je peux faire, c'est prendre ta main afin que nous priions ensemble », répond Mère Ève.

C'est une situation extrêmement délicate. Personne n'a examiné cette jeune fille au préalable, ni fourni à Allie d'informations quant à la nature de son problème. Les déficiences du fuseau sont très difficiles à corriger. Tatiana Moskalev s'intéresse aux greffes chirurgicales précisément pour cette raison ; on ne sait pas comment traiter un fuseau dysfonctionnel.

Jocelyn hoche la tête et glisse sa main dans celle d'Allie.

Mère Ève prononce les paroles usuelles : « Notre Mère qui êtes au-dessus de nous et en nous, Vous seule êtes la source de toute la bonté, de toute la miséricorde et de toute la grâce. Puissions-nous apprendre à faire Votre volonté, comme Vous nous l'exprimez chaque jour à travers Vos œuvres…»

Tout en parlant, Allie localise à tâtons les poches d'ombre et de lumière dans le fuseau de Jocelyn. On dirait qu'il y a des obstructions : des goulets d'étranglement poisseux là où l'eau devrait s'écouler librement. Des canaux envasés. Elle pourrait éliminer un peu de crasse *ici* et *ici*.

« … et puissent nos cœurs se présenter purs devant Vous, et puissiez-Vous nous envoyer la force de supporter les épreuves auxquelles nous faisons face sans amertume, ni tentation autodestructrice.»

En cet instant, Jocelyn, bien que ce ne soit pas dans ses habitudes, est en train de prier et elle dit : «S'il Vous plaît, mon Dieu, ouvrez mon cœur», et tandis que Mère Ève appose ses paumes sur son dos, elle sent quelque chose.

Allie imprime une première pression. Plus forte que d'habitude, mais cette fille ne possède pas suffisamment de sensibilité pour sentir précisément ce qu'elle lui fait. Jocelyn lâche un hoquet. Allie imprime trois autres pressions, brèves, énergiques. Et voilà. Ça scintille, à présent. Ça vrombit comme un moteur.

«Oh mon Dieu, je le sens !» s'exclame Jocelyn.

Son fuseau émet un fredonnement continu et régulier. Et elle perçoit enfin cette sensation dont parlent les autres filles : cette agréable sensation de plénitude tandis que chaque cellule de ce muscle pompe des ions à travers ses membranes, accroissant par là son potentiel électrique. Elle fonctionne normalement pour la première fois de sa vie, *enfin*.

Le choc est tel qu'elle ne pleure même pas.

«Je le sens, dit-elle. Je le sens, il fonctionne.

— Louée soit Dieu.

— Mais comment avez-vous *fait* ça?»

Mère Ève secoue la tête. «Ce n'est pas ma volonté mais la Sienne.»

Elles respirent à l'unisson une, deux, trois fois.

«Que dois-je faire, maintenant? demande Jocelyn. Je suis…» Elle lâche un éclat de rire. «Je pars demain. Je fais partie du contingent que les Nations unies envoient en mission d'observation dans le Sud.»

Elle n'est pas censée partager cette information, mais c'est plus fort qu'elle, elle est bien incapable de garder un secret, désormais, dans cette chapelle. «Ma mère m'envoie là-bas parce que ça fait bien sur la photo mais sur le terrain, c'est sans risque. Aucune chance de m'attirer des ennuis.»

La voix dit: C'est pourtant ce qu'elle *devrait* faire.

Mère Ève dit: «N'aie nulle crainte désormais.»

Jocelyn opine. «Oui, oui. Merci. Merci.»

Mère Ève dépose un baiser sur son front, la bénit au nom de la Mère Toute-Puissante et regagne la réception.

Tatiana fait son entrée, flanquée de deux hommes bien bâtis dans des vêtements ajustés: des T-shirts noirs si étriqués qu'on distingue le contour des aréoles, et des pantalons moulants qui font saillir le relief de l'entrejambe. Lorsqu'elle s'assied – dans un fauteuil à dossier haut, sur une estrade –, ils prennent place à ses côtés sur des tabourets plus bas. Les privilèges du pouvoir, la rançon de la gloire. Elle se relève pour accueillir Mère Ève d'un baiser sur chaque joue.

« Louée soit Notre-Dame, dit Tatiana.

— Gloire à Elle au plus haut des cieux, répond Mère Ève, sans qu'Allie laisse transparaître la moindre trace de son sourire sardonique.

— On a capturé douze autres traîtres. Pendant un raid au Nord, marmonne Tatiana.

— Avec l'aide de Dieu, ils seront tous démasqués », répond Mère Ève.

Il y a une multitude de gens à rencontrer. Des ambassadeurs et des dignitaires locaux, des chefs d'entreprise et des leaders de nouveaux mouvements. Cette réception – organisée peu de temps après sa défaite à la bataille du Dniester – a pour objectif de consolider les soutiens de Tatiana tant à l'intérieur qu'à l'extérieur du pays. Et la présence de Mère Ève participe de ce projet. Tatiana prononce un discours sur les atrocités et les crimes commis par le Nord, et la liberté pour laquelle elle et son peuple se battent. S'ensuivent les témoignages de femmes qui se sont regroupées en petites unités pour en appeler à la vengeance de Notre-Dame à l'égard de ceux qui ont échappé à la justice humaine.

Tatiana est émue aux larmes. Elle demande à l'un des jeunes hommes élégamment vêtus qui se tient derrière elle d'apporter des boissons à ces femmes courageuses. L'homme hoche sa tête blonde, s'éloigne à reculons, manque de se faire lui-même un croc-en-jambe, et file à l'étage. En attendant les boissons, Tatiana raconte une de ses blagues interminables – l'histoire d'une femme, qui forme le vœu de pouvoir combiner ses trois hommes préférés en un seul, et qui, justement, reçoit la visite d'une bonne fée et…

Le blondinet surgit devant elle, une bouteille à la main.

« Était-ce celle-ci, Madame ? »

Tatiana dévisage le jeune homme. Incline la tête d'un côté.

Le jeune homme déglutit. « Je vous demande pardon.

— T'ai-je autorisé à parler ? demande Tatiana, tandis que l'homme s'absorbe aussitôt dans la contemplation de ses pieds. C'est bien un homme, ça ! Convaincu que nous sommes en permanence suspendues à ses lèvres – un moulin à paroles incapable de tenir sa langue et de rester à sa place. »

Le jeune homme semble sur le point de répliquer, mais se ravise.

« Il a besoin qu'on lui enseigne les bonnes manières », intervient une femme, derrière Allie – une des dirigeantes du groupe qui réclame justice pour les crimes perpétrés dans l'ancien temps.

Tatiana arrache la bouteille de cognac des mains du jeune homme. La brandit devant son nez. Le liquide qui clapote à l'intérieur a la couleur de l'ambre, il est huileux comme du caramel.

« Le contenu de cette bouteille a plus de valeur que toi, assène Tatiana. Un seul verre de cet alcool a plus de valeur que toi. »

Elle tient la bouteille d'une main, par le col. Elle fait tournoyer le liquide une fois, deux, trois fois.

Puis elle lâche la bouteille, qui se brise sur le sol. L'alcool pénètre aussitôt dans le parquet, assombrit le bois. Une odeur puissante, sucrée, envahit la pièce.

«Lèche», ordonne Tatiana.

Le jeune homme baisse les yeux et regarde les éclats de verre en train de surnager dans la flaque d'alcool. Il se retourne vers l'assistance qui observe la scène, puis il s'agenouille et commence à passer la langue sur le parquet, délicatement, en veillant à contourner les tessons.

Une femme, parmi les plus âgées, lui crie : «Plus vite !»

Allie contemple sans piper mot.

La voix dit : C'est. Quoi. Ce. Binz ?

Allie dit dans son cœur : Elle est complètement folle. Devrais-je intervenir ?

Non, indique la voix. Tout ce que tu pourrais dire risque de nuire à ton pouvoir d'influence.

Il vaut quoi mon pouvoir d'influence, si je ne peux pas l'utiliser ici ? s'insurge Allie.

Souviens-toi de ce que Tatiana dit toujours, répond la voix. Inutile de nous demander ce qu'ils feraient si c'étaient eux qui étaient aux manettes. On a déjà vu. Et c'est pire que ça.

Allie s'éclaircit la voix.

Le jeune homme a du sang sur une lèvre.

Tatiana commence à rire. «Oh, pour l'amour de Dieu ! Tu es répugnant. Va donc chercher un balai et une serpillière. Et nettoie-moi ça.»

Le jeune homme se redresse maladroitement. On ressert du champagne aux invités dans les flûtes en cristal. La musique reprend.

«Il l'a fait. Incroyable, non ?» s'extasie Tatiana après que le blondinet a filé chercher le balai sans demander son reste.

Roxy

Quel ennui, mais quel ennui, cette réception ! Non que Roxy n'apprécie pas Tatiana, au contraire, même. Depuis que Bernie lui a cédé les rênes, elle a pu poursuivre le business comme avant, avec la bénédiction de Tatiana ; Roxy a à la bonne toute personne qui ne fait pas obstacle à la marche des affaires.

Il n'empêche, elle s'était attendue à une fête plus exceptionnelle de la part de Tatiana Moskalev. Quelqu'un a raconté à Roxy que Tatiana se baladait dans les couloirs de ce château avec un léopard domestique au bout d'une chaîne. D'où sa déception. L'open bar, c'est sympa ; les chaises dorées au kilomètre, ça le fait ; mais pas l'ombre d'une oreille de ce foutu léopard.

La présidente semble n'avoir qu'une très, très lointaine idée de qui elle est. Roxy prend place dans la file d'attente pour saluer leur hôtesse. Son tour venu, la femme aux paupières plombées de mascara pose sur elle ses yeux verts et dorés, et lui débite : « Bonjour, vous êtes au nombre de ces femmes d'affaires avisées qui font de ce pays le plus beau et le plus libre sur Terre », sans que la moindre reconnaissance traverse son visage. Elle est ivre, se dit Roxy. Et elle meurt d'envie de lui répondre : Comment ? Vous ne savez pas que c'est *moi*, la femme

353

qui fait transiter par vos frontières cinq cents kilos de came par jour ? *Chaque jour.* Que c'est à cause de moi que vous êtes en délicatesse avec les Nations unies, même si on sait tous qu'ils ne vont pas moufter, et qu'ils enverront juste une énième mission d'observation ? Ah bon, vous ne le saviez pas ?

Roxy descend quelques autres coupes de champagne. Elle regarde par les fenêtres la nuit tomber sur les montagnes et n'entend pas Mère Ève approcher. Elle est comme ça, Ève, à toujours vous faire froid dans le dos, petite, maigre et nerveuse, si furtive et si silencieuse qu'elle pourrait traverser une pièce et vous planter un couteau dans les côtes sans vous laisser le temps de réagir.

«La défaite dans le Nord a rendu Tatiana… imprévisible, dit-elle.

— Ah ouais ? fait Roxy. Eh bien laisse-moi te dire qu'elle a tout rendu sacrément imprévisible pour moi aussi. Mes fournisseurs sont sur les nerfs. Cinq de mes transporteurs viennent de me planter. Ils disent tous que la guerre va migrer au Sud.

— Tu te souviens de ce qu'on a fait au couvent ? Avec les chutes d'eau ?»

Roxy sourit et laisse échapper un petit rire. «C'est un bon souvenir. D'une époque où tout était plus simple, plus heureux. C'était un travail d'équipe.

— Je pense qu'on pourrait le refaire. À plus large échelle.

— Comment ça ?

— Mon… influence. Ta force indéniable. J'ai toujours senti que tu étais promise à un grand destin, Roxanne.

— Suis-je *complètement* bourrée, ou bien ce que tu racontes est encore plus incompréhensible que d'habitude ?

— On ne peut pas parler ici. Mais selon moi, poursuit Mère Ève dans un chuchotement, Tatiana Moskalev aura bientôt fait son temps. À la Sainte Mère ! »

Ooooh. Oh.

« Tu te fiches de moi ? »

Mère Ève secoue la tête imperceptiblement. « Elle est dans une mauvaise posture. D'après moi, d'ici quelques mois, le pays sera prêt pour accueillir une nouvelle gouvernance politique. Et la population a confiance en moi, ici. Si je disais que tu es la personne la mieux indiquée pour le poste… »

Roxy s'esclaffe. « *Moi* ? Roxy Monke ? Tu m'as déjà rencontrée, n'est-ce pas, Evie ? »

— On a vu se produire des choses bien plus étonnantes, lui rétorque Mère Ève. Tu es déjà à la tête d'une formidable multitude. Passe me voir demain. On en reparlera plus en détail.

— C'est à tes risques et périls. »

Roxy ne s'attarde guère après cette conversation, elle reste juste assez longtemps pour qu'on la voie passer un moment agréable et serrer la pince à deux ou trois copains de Tatiana à la réputation sulfureuse. Elle est ravie de ce qu'elle vient d'entendre de la bouche de Mère Ève. C'est une attention très touchante. Et elle est très touchée. Elle aime bien ce pays.

Elle se tient à l'écart des journalistes qui rôdent dans la salle ; ils sont faciles à repérer à leur air perpétuellement affamé. Ces types sont des plaies – encore qu'il y en ait un, qu'elle a découvert sur Internet, qui la fait fantasmer et dont elle ferait bien son quatre-heures. Ils sont partout et semblent même de plus en plus nombreux. Et que dire si elle devenait présidente ! «Présidente Monke», marmotte-t-elle, et elle éclate de rire. Il n'empêche. Ça pourrait le faire.

Mais dans l'immédiat elle a d'autres chats à fouetter ; elle a encore un truc à faire, ce soir, qui n'a rien à voir avec cette réception, la diplomatie ou de quelconques poignées de main. Un soldat, un représentant ou un quelque chose de la délégation de l'ONU, a souhaité la rencontrer dans un lieu discret afin de deviser d'un plan pour contourner le blocus dans le Nord et faire en sorte que le produit continue à circuler sans encombre. C'est Darrell qui a tout organisé ; il est à la manœuvre depuis plusieurs mois, il fait profil bas comme un petit garçon sage, il prend des contacts, veille à ce que l'usine continue à tourner sans anicroche même pendant la guerre. Pour ce genre de tâches, il arrive qu'un homme se débrouille mieux qu'une femme – un homme, c'est moins menaçant, plus diplomate. Néanmoins, c'est toujours Roxy en personne qui scelle le deal.

Les routes sont sinueuses et dépourvues d'éclairage. Les phares sont les seules taches de lumière dans l'obscurité ; Roxy ne croise pas un seul village avec des fenêtres éclairées. Nom d'un chien, il est à peine vingt-trois heures et c'est comme s'il était quatre heures du matin ! Le lieu de rendez-vous se trouve à près d'une heure et demie de route de la ville, mais Darrell lui a envoyé des indications précises. Roxy trouve l'embranchement sans trop de difficultés, s'engage sur un chemin de terre et, au bout, se gare devant un énième de ces châteaux hérissés de flèches. Toutes les fenêtres sont noires. Il n'y a pas le moindre signe de vie.

Elle relit le message de Darrell : La porte verte sera ouverte. Elle fait jaillir une étincelle de sa paume pour éclairer son chemin et avise, sur le côté de l'écurie, la fameuse porte, dont la peinture verte s'écaille.

La porte s'ouvre sur un couloir qui sent le formaldéhyde. Et l'antiseptique. Au bout, elle discerne une autre porte, métallique, avec une poignée ronde. De la lumière filtre autour du cadre. Bien. C'est là. Ce type de l'ONU va en prendre pour son grade. La prochaine fois, il serait bien inspiré de ne pas lui donner rendez-vous dans un endroit sans éclairage au milieu de nulle part. Elle tourne la poignée. Un détail la fait tiquer et creuse un pli entre ses sourcils. Il flotte dans l'air comme un relent de sang, de sang et de produits chimiques, et une sensation de… de… La sensation qu'il y a eu de la bagarre.

Elle ouvre la porte. Et en découvrant une pièce tendue de bâches plastiques et équipée de tables et d'instruments chirurgicaux, Roxy se dit que quelqu'un n'a pas raconté toute l'histoire à Darrell, mais à peine a-t-elle le temps de prendre peur qu'on lui emprisonne les bras et qu'on lui enfonce un sac sur la tête.

Elle lâche une formidable décharge – et elle sait qu'elle a salement blessé quelqu'un, elle le sent s'effondrer et elle entend son cri. Elle est prête à récidiver, elle pivote sur ses talons, tournoie sur elle-même en envoyant des décharges tous azimuts, à l'aveuglette, tout en essayant de se débarrasser du sac. « Ne vous avisez pas de me toucher ! » hurle-t-elle, et à l'instant où elle arrache le sac, un tonnerre d'acier s'abat à l'arrière de son crâne, suivi d'une averse de sang. *Un léopard, comme animal de compagnie* – telle est sa dernière pensée tandis qu'elle s'enfonce dans la nuit.

Elle sait, même dans son demi-sommeil, qu'ils sont en train de l'inciser. Elle est forte, elle l'a toujours été, c'est une battante, et elle lutte contre le sommeil comme si elle se débattait avec une couverture détrempée, écrasante. Elle continue à rêver qu'elle a les poings serrés et qu'elle essaie de les ouvrir, et elle sait que si elle parvenait à les faire bouger, elle se réveillerait et alors, elle les noierait tous sous un déluge de sang, la douleur s'abattrait sur eux, elle crèverait les cieux pour en faire dégringoler des rideaux de flammes. Il est en train de lui arriver une grosse tuile. Bien pire que tout ce qu'elle est capable d'imaginer. Réveille-toi, putain. Allez, réveille-toi. Tout de suite.

Elle revient à elle. Elle est attachée. Elle voit du métal au-dessus d'elle, elle sent du métal sous ses doigts et elle songe : Sales dégénérés, vous allez voir ce que vous allez voir. Elle va faire vrombir la table et toute la pièce avec, sauf que… rien ne se passe. Ça ne répond pas. Et loin, très loin, une voix dit : «Ça marche.»

Non, ça ne marche pas, c'est bien là le problème, ça ne marche absolument pas.

Elle tente d'envoyer une petite décharge le long de sa clavicule. Le courant est là, il est faible, il bataille, mais il est là. Jamais elle n'a éprouvé une telle gratitude à l'égard de son corps.

«Regardez.» Une autre voix – qu'elle connaît, mais d'où ? À qui appartient-elle ? A-t-elle déjà eu un léopard comme animal de compagnie ? C'est quoi cette histoire ? C'est qui ce foutu léopard qui hante ses rêves et vient rôder à pas feutrés dans ses pensées – dégage, dégage de là, tu n'es pas *réel*.

« Regardez comme elle lutte. C'est vraiment une force de la nature. »

Un rire. Puis une autre voix : « Avec ce qu'on lui a donné ?

« Je n'ai pas fait tout ce chemin et je n'ai pas organisé tout ça pour que ça foire, s'énerve la voix que Roxy connaît. Elle est plus forte qu'aucune autre à qui vous l'avez enlevé. Regardez-la.

— Très bien. Écartez-vous de là. »

Quelqu'un approche. Ils vont lui faire du mal. Elle parle à son fuseau : Toi et moi, l'ami, on est embarqués sur la même galère, alors il faut juste que tu m'en donnes un poil plus. Un dernier petit effort. Je sais que tu as ça en toi. Allez ! C'est notre vie à tous les deux qui est en jeu ici.

Une main lui effleure la main droite.

« Putain ! » se récrie quelqu'un – quelqu'un qui s'écroule et respire maintenant avec difficulté.

Elle l'a fait. Elle sent le courant qui circule plus régulièrement, pas comme s'il revenait après avoir disparu, plutôt comme s'il y avait eu un blocage quelque part, un bouchon, et que maintenant la voie se dégage, le torrent disperse l'amas de débris. Oh, elle va leur faire payer !

« Augmentez la dose ! Augmentez la dose !

— Si on fait ça, on va endommager le fuseau.

— Mais REGARDEZ-LA ! Augmentez la dose, ou c'est moi qui m'en charge. »

Elle est en train d'accumuler une puissante charge. Et elle va faire s'abattre ce plafond sur leurs têtes à tous.

«Mais *regardez* ce qu'elle est en train de faire!» insiste cette voix qu'elle connaît – mais d'où?

Elle a la réponse sur le bout de la langue, et une fois libérée de ses entraves, quand elle se retournera pour voir de qui il s'agit, elle sait au fond d'elle qui elle découvrira.

Un appareil émet un long bip puissant.

«On est dans le rouge, prévient quelqu'un. On lui en a trop donné.

— Non, continue.»

Son courant disparaît aussi subitement qu'il était revenu. Comme si quelqu'un avait actionné l'interrupteur.

Elle veut pousser un hurlement, mais ça non plus elle n'y parvient pas.

Elle s'enfonce un instant dans de la boue noire et quand, de haute lutte, elle réussit à refaire surface, on est en train de la charcuter avec tant de minutie et de délicatesse qu'elle le prend presque pour un compliment. Tout son corps est engourdi, elle n'a pas mal, mais elle sent néanmoins la lame s'enfoncer dans sa chair le long de la clavicule et toucher son fuseau. Et là, malgré l'anesthésie, la paralysie, la somnolence, la douleur est aussi stridente qu'une alarme incendie, aussi nette et incandescente que si le scalpel fendait son globe oculaire et épluchait sa cornée. La sirène continue de hurler pendant une bonne minute avant que Roxy ne comprenne ce qu'ils sont en train de lui faire. Ils ont levé le muscle strié qui court le long de sa clavicule, et ils le séparent, brin par brin, de son corps.

Une voix quelque part très loin demande: «C'est normal, qu'elle hurle autant?

— On continue, on continue», répond une autre voix.

Elle connaît ces voix. Elle ne veut pas les reconnaître. Ce que tu ne veux pas admettre aura ta peau, Roxy.

Une vibration se répand dans son corps lorsqu'ils sectionnent les derniers brins, à droite de sa clavicule. Et si c'est douloureux, la sensation de vide qui suit est bien pire. C'est comme si elle était déjà morte, tout en étant consciente de l'être.

Elle bat des paupières au moment où ils soulèvent le muscle et l'extraient du corps. Ce n'est plus son imagination, mais bien ses yeux qui voient ce morceau de viande, ce muscle qui faisait sa force. Il s'agite, frétille et se tortille, il veut retrouver sa place en elle. Elle aussi le veut. Il fait partie d'elle. Il est elle.

Elle entend une voix à sa gauche.

Le léopard dit : «On continue, on continue.

— Tu es certain que tu ne veux pas d'anesthésie ?

— Ils ont dit qu'on obtiendrait de meilleurs résultats si je peux dire si ça marche ou pas.

— Ouais.

— Alors on y va.»

Elle tourne légèrement la tête de côté, bien que celle-ci soit retenue dans un étau et que le mouvement semble broyer ses cervicales. Un œil lui suffit à discerner ce qu'elle cherche : l'homme allongé à côté d'elle, prêt à recevoir la greffe, est bien Darrell, et sur une chaise, à ses côtés, se trouve son père, Bernie.

Le voilà, ce foutu léopard, je te l'avais bien dit, indique une petite voix dans son cerveau. Tu as voulu domestiquer un léopard, hein ? Pauvre cloche, tu savais bien comment ça se terminerait. Avec des crocs plantés dans ta gorge et du sang partout. Tu n'as que ce que tu mérites. Un fauve reste un fauve, Roxy, et si tu changes les taches de ton léopard, alors tu te retrouveras avec un guépard.

Mais ferme-la ! J'ai besoin de réfléchir.

Ils ne font plus aucun cas d'elle, à présent. Ils se concentrent sur lui. Ils l'ont recousue – par souci de bien faire les choses, peut-être, ou parce que les chirurgiens ne peuvent pas s'empêcher de recoudre une plaie qu'ils ont eux-mêmes ouverte. Peut-être est-ce son père qui le leur a demandé. Son propre père. Quelle conne ! Elle n'aurait jamais dû lui laisser la vie sauve. Car tout affront se paie un jour. Coup pour coup. Blessure pour blessure. Humiliation pour humiliation.

Elle essaie de contenir ses larmes, en vain. Elle voudrait piétiner ses yeux. Les sensations commencent à revenir dans ses bras et ses jambes, ses doigts et ses orteils, elle sent des picotements, un vide, une douleur sourde. Sa seule chance, désormais, c'est qu'ils la croient morte ; Darrell n'a aucune raison de lui laisser la vie sauve. Maudit serpent, sale merdeux, foutu Darrell.

« Comment ça se présente ? s'enquiert Bernie.

— Bien, répond l'un des chirurgiens. Excellente compatibilité des tissus. »

Elle entend les gémissements d'une perceuse tandis qu'ils commencent à forer de petits trous dans la clavicule de Darrell. Ça fait beaucoup de bruit. Pendant quelques instants, Roxy perd la notion du temps ; les aiguilles de la pendule, au mur, avancent plus vite qu'elles ne le devraient. Les effets de l'anesthésie se sont dissipés et, nom de Dieu ! ils ne l'ont pas déshabillée ! Travail bâclé, pour sûr, mais dont elle peut tirer avantage. Sitôt que la perceuse lâche une nouvelle salve de gémissements, Roxy tortille sa main droite et la libère de son entrave de tissu.

Lentement, elle libère la gauche, en surveillant ce qui se passe alentour d'un seul œil à moitié ouvert. Personne n'a encore rien remarqué ; il n'y en a que pour Darrell. Pied gauche. Pied droit. Elle tend la main vers le plateau d'instruments à côté d'elle ; attrape deux scalpels, quelques bandes.

Une machine commence à émettre des bips. Un genre de crise s'est déclaré sur la table voisine : alors qu'ils sont encore en train de le transplanter, le fuseau a lâché une décharge intempestive – c'est bien, mon grand, songe Roxy, bravo. Un des chirurgiens s'écroule, un autre éructe un juron en russe et se lance dans un massage cardiaque. Roxy, les deux yeux maintenant ouverts, mesure au jugé la distance qui la sépare de la porte. Les chirurgiens sont occupés à réclamer à grands cris des seringues de ceci et cela ; personne ne prête attention à Roxy. Elle pourrait mourir, personne n'en aurait rien à battre. D'ailleurs, il se pourrait que ce soit le cas, l'éventualité n'est pas à exclure. Mais, non – pas question. Elle s'éjecte du billard, tombe à genoux, se ramasse sur elle-même. Personne n'a rien remarqué. À quatre pattes, à plat ventre presque, elle recule en direction de la porte restée ouverte, sans quitter des yeux le spectacle qui s'offre à elle.

Elle bascule le poids du corps de côté et roule dans le couloir, ischio-jambiers tendus, le corps fredonnant d'adrénaline. Dans la cour, sa voiture a disparu. En boitant, elle court se réfugier dans les bois.

Tunde

Il y a un jeune homme blond avec la bouche remplie d'éclats de verre.

L'un de ces éclats, très fin, transparent et effilé, luisant de salive et de mucus, s'est fiché dans sa gorge, et un homme tente de l'extraire de ses doigts tremblants. Il braque la lampe torche de son téléphone pour localiser précisément l'écharde, pendant que le blond s'efforce de demeurer immobile en dépit de ses haut-le-cœur. Il doit s'y reprendre à trois fois avant de réussir à retirer l'éclat. Il fait cinq centimètres de long, il est ensanglanté et un petit morceau de muqueuse est resté accroché à une extrémité. L'homme dépose le débris sur une serviette blanche et propre. Autour d'eux, le ballet des serveurs, des cuisiniers et des marmitons se poursuit comme si de rien n'était. Tunde photographie les huit échardes maintenant alignées sur la serviette.

Un peu plus tôt, à la réception, l'appareil négligemment tenu à bout de bras contre sa hanche, il a pris des clichés du spectacle obscène qui se déroulait devant lui. Le serveur a à peine dix-sept ans ; ce n'est pas la première fois qu'il a ouï-dire d'une telle scène, voire qu'il y assiste, mais c'est la première fois qu'il en est la victime. Non, il n'a nulle part d'autre où aller. Il a bien des parents en Ukraine, qui pourraient l'accueillir si jamais il décidait de s'enfuir, mais tous ceux qui tentent de franchir la frontière se font tirer dessus ; c'est une période un peu tendue. Tout en parlant, il essuie le sang de sa bouche.

« C'est de ma faute, dit-il à mi-voix. On ne doit jamais interrompre la présidente. »

Il verse quelques larmes – des larmes dues à la commotion, la honte, la crainte, l'humiliation et la douleur. Tunde reconnaît ces émotions pour les avoir éprouvées le jour où Enuma l'a touché.

Il a écrit, dans les notes manuscrites destinées à son livre : « Au début, nous taisions notre douleur parce qu'elle n'était pas virile. Aujourd'hui, nous continuons à la taire par peur, par honte, et parce qu'on se sent seul et désespéré, chacun dans notre coin. Il est difficile de préciser à quel moment ces dernières raisons ont pris le pas sur l'autre. »

Le serveur, qui se prénomme Peter, griffonne quelques mots sur un bout de papier, qu'il glisse dans la paume de Tunde. Il lui referme le poing, le garde dans sa main, en fixant Tunde droit dans les yeux, au point que ce dernier s'attend à ce qu'il l'embrasse. Il le laisserait sans doute faire parce que ces gens, tous autant qu'ils sont, ont besoin d'un peu de réconfort.

« Reste, dit le serveur.

— D'accord. Je peux rester encore un peu. Jusqu'à la fin de la réception, si tu veux.

— Non, ne nous laisse pas, le conjure Peter. Elle va essayer de chasser la presse du pays. S'il te plaît.

— Tu as entendu des choses à ce sujet ? » demande Tunde.

Mais Peter se contente de répéter : « S'il te plaît, reste, reste, s'il te plaît.

— Je reste. Je reste. »

Tunde sort des cuisines pour fumer une cigarette. Ses doigts tremblent lorsqu'il l'allume. Au simple motif qu'il avait rencontré Tatiana Moskalev autrefois et qu'elle s'était montrée sympa avec lui, Tunde avait cru comprendre ce qui se passait dans ce pays. Il était impatient de la revoir. À présent, il est bien content de n'avoir pas eu l'occasion de se rappeler à son bon souvenir. Il extrait de sa poche le papier que lui a donné Peter. Il a écrit, en lettres capitales vacillantes, « ELLES VONT ESSAYER DE NOUS TUER ».

Tunde prend quelques clichés d'invités qui quittent la réception par une porte latérale. Deux ou trois trafiquants d'armes. Un spécialiste des armes biologiques. C'est vraiment le bal des cavaliers de l'Apocalypse. Il reconnaît aussi Roxanne Monke, reine d'un gang criminel londonien, qui grimpe dans sa voiture. Elle voit l'objectif de Tunde braqué sur elle, et Tunde voit ses lèvres articuler à son intention : « Dégage. »

De retour dans sa chambre d'hôtel, à trois heures du matin, il envoie à CNN son reportage et les photos : le jeune homme qui lèche le cognac sur le parquet ; les bris de verre sur la serviette ; les larmes sur les joues de Peter.

Il se réveille bien malgré lui peu après neuf heures, avec des démangeaisons dans les yeux, des picotements de transpiration dans le dos et sur les tempes. Il relève ses e-mails pour voir comment le rédac chef de l'équipe de nuit a trouvé son sujet. Tunde a promis à CNN qu'ils seraient prioritaires pour tout ce qui sortirait de cette réception, en revanche, s'ils exigent trop de coupes, il ira voir ailleurs.

L'e-mail tient en deux lignes : « Navré, Tunde, mais on va passer notre tour. Super reportage, excellentes photos, mais ce n'est pas un sujet porteur en ce moment. »

Bon, très bien. Tunde envoie trois autres e-mails, puis il se douche et commande un pot de café fort. Quand les réponses commencent à lui parvenir, il est en train de parcourir l'actualité internationale sur les sites d'infos : ils ne rapportent pas grand-chose sur la Bessapara, personne ne l'a coiffé au poteau sur ce scoop. Il lit ses e-mails. Trois autres refus. Mollement, évasivement retranchés derrière un motif similaire – c'est un non-sujet.

Qu'importe : Tunde n'a jamais eu besoin d'un débouché sur le marché de l'info. Il va poster les photos sur sa chaîne YouTube.

Il se connecte via le wifi de l'hôtel… et point de YouTube. Juste une petite fenêtre l'informant que le site est inaccessible dans cette région du monde. Il essaie de se connecter via un VPN. Sans succès là non plus. Il retente le coup avec le partage de connexion de son téléphone portable. Même chanson.

Il repense à ce que lui a dit Peter : « Elle cherche à chasser la presse du pays. »

Il n'aurait jamais dû envoyer ces fichiers par e-mail, ce n'était pas prudent, ils auront peut-être été interceptés.

Il grave un DVD avec toutes les photos, toutes les séquences vidéo, accompagnées de son commentaire, puis il le glisse dans une enveloppe matelassée et réfléchit un instant. Finalement, il écrit le nom et l'adresse de Nina. Il ajoute un mot dans l'enveloppe : « Garde ça jusqu'à ce que je vienne le chercher. » Ce n'est pas la première fois qu'il confie des documents à Nina : des notes pour son livre, des carnets de voyage – des documents qui sont plus en sécurité chez elle que s'ils voyageaient avec lui ou restaient stockés dans un appartement inoccupé dans quelque partie du monde. Il va se débrouiller pour que l'ambassadeur américain fasse sortir cette enveloppe par la valise diplomatique.

Si Tatiana Moskalev essaie bel et bien de faire ce qu'il croit qu'elle fait, Tunde doit se montrer prudent, elle ne doit surtout pas savoir qu'il se documente. Il n'aura pas deux fois l'opportunité de réaliser ce sujet. Des journalistes ont été bannis de certains pays pour moins que ça, et Tunde ne se berce pas d'illusions – avoir un jour flirté avec elle ne changera rien à l'affaire.

C'est au cours de ce même après-midi que l'hôtel lui réclame son passeport. Une simple formalité, liée aux nouvelles règles de sécurité qui s'imposent en ces temps troublés.

Pour la plupart, les journalistes en free-lance sont en train de quitter la Bessapara. Quelques correspondants de guerre campent sur le front nord avec leurs gilets pare-balles mais, après plus de cinq semaines, on en est toujours au stade de l'attentisme et tant que les combats n'ont pas commencé pour de bon, il n'y a pas grand-chose à couvrir.

Tunde, lui, reste. Et ce, alors même qu'on lui fait un pont d'or pour aller au Chili interviewer l'antipapesse et rapporter ce qu'elle pense de Mère Ève. Alors même que d'autres groupes dissidents d'activistes proterreur font savoir qu'ils ne délivreront leur manifeste que devant la caméra de Tunde. Il reste et sillonne les villes de la région pour interviewer des habitants. Il apprend quelques notions de roumain. Quand des collègues et des amis lui demandent ce qu'il fabrique encore en Bessapara, il répond qu'il travaille sur un livre consacré à ce tout jeune État-nation, et personne ne cherche à en savoir plus. Il assiste aux services religieux dans les nouvelles églises – et il voit comment les anciennes sont transformées, réaffectées ou détruites. Dans un sous-sol éclairé à la bougie, il écoute un prêtre psalmodier pour quelques fidèles la messe telle qu'elle était autrefois : avec en son cœur le Fils et non la Mère. À l'issue du service, le prêtre vient étreindre Tunde longuement. « Ne nous oubliez pas », lui murmure-t-il à l'oreille.

Tunde recueille plusieurs témoignages affirmant que la police, en Bessapara, n'enquête plus sur les meurtres d'hommes : si un homme est retrouvé mort, c'est qu'un gang vengeur l'a châtié pour ses méfaits perpétrés dans l'ancien temps. « Même s'il s'agit d'un jeune garçon, s'indigne un père dans son salon surchauffé, dans un village à l'ouest du pays. Quels méfaits un garçon qui a aujourd'hui quinze ans aurait-il pu commettre dans l'ancien temps ? »

Tunde ne fait strictement aucune allusion à ces interviews sur sa chaîne YouTube. Il sait comment cela se terminerait : par un coup frappé à la porte à quatre heures du matin, avant d'être embarqué manu militari à bord du premier avion quittant le territoire. Dans les billets qu'il poste quotidiennement, il fait part de ses impressions comme le ferait un touriste en vacances dans le nouvel État-nation, photos souvenirs à l'appui.

Et dans les commentaires, on sent poindre un certain agacement : Où sont les nouvelles vidéos, Tunde ? Où sont tes reportages décalés ? Tant pis – si jamais il disparaît, ses abonnés le remarqueront, et c'est tout ce qui importe.

Durant la sixième semaine de son séjour, la ministre de la Justice nouvellement nommée de Tatiana Moskalev tient une conférence de presse. Le public a beau y être très clairsemé, il règne dans la salle tapissée de feutrine beigeasse une atmosphère étouffante.

« À la suite de la récente vague d'attentats terroristes partout dans le monde, et parce que notre pays a été trahi par des hommes à la solde de nos ennemis, nous promulguons aujourd'hui un nouveau train de lois, annonce-t-elle. Voilà trop longtemps que notre peuple souffre, subissant l'oppression d'un groupe qui a essayé de le détruire. Inutile de nous demander ce qu'ils feront si jamais ils gagnent ; nous l'avons déjà vu. Nous devons nous protéger contre tous ceux qui pourraient nous trahir.

« Par conséquent, la loi stipule désormais que chaque homme, dans le pays, doit faire figurer le nom de sa gardienne sur son passeport et tout autre document officiel. Lors de chacun de ses déplacements, il doit être en mesure de présenter un sauf-conduit visé par sa gardienne.

« Tout homme n'ayant ni sœur, ni mère, ni épouse, ni fille, ni autre parente pour se porter garante doit se signaler au commissariat de police, où il se verra assigner un travail dans un environnement strictement masculin. Tout homme qui contrevient à la loi encourt la peine capitale. Ces dispositions s'appliquent également aux journalistes et autres ressortissants étrangers en poste dans le pays. »

La dizaine de journalistes étrangers présents dans la salle, qui couvrent la région depuis l'époque où elle n'était encore qu'une sinistre plaque tournante du trafic humain, échangent des regards. Leurs consœurs s'efforcent de prendre l'air horrifié mais en même temps amical et réconfortant. Ne vous inquiétez pas, semblent-elles dire. Ça ne pourra pas durer bien longtemps, et le temps que ça durera, nous vous aiderons. Plusieurs des hommes croisent les bras dans un geste de protection.

« Aucun homme n'est autorisé à sortir de l'argent ni aucun autre bien du pays. »

La ministre enchaîne avec une litanie de nouvelles dispositions :

« Les hommes ne sont plus autorisés à conduire.

« Les hommes ne sont plus autorisés à posséder leur propre entreprise. Les journalistes et photographes étrangers doivent être employés par une femme.

« Les hommes ne sont plus autorisés à se réunir à plus de trois, même à la maison, sans la supervision d'une femme.

« Les hommes n'ont plus le droit de voter – toutes ces années au cours desquelles ils ont imposé leur violence et leurs humiliations ont démontré qu'ils sont inaptes à décider et à gouverner.

« Toute femme qui prend un homme en flagrant délit de bafouer l'une de ces lois est non seulement autorisée mais tenue par la loi de le punir sur-le-champ. Sous peine d'être considérée comme une ennemie de la nation et une complice du crime. »

Suit une longue énumération d'ajustements mineurs et de précisions quant à ce que signifie concrètement «être accompagné par une femme», ainsi que d'exceptions en cas d'extrême urgence médicale, parce que, après tout, les femmes ne sont pas des monstres. Et tandis que la lecture de la liste se poursuit, le silence dans la salle de presse se fait de plus en plus assourdissant.

La ministre de la Justice repose calmement les feuilles devant elle. Ses épaules sont détendues, son visage impassible.

«Ce sera tout, conclut-elle. Pas de questions?»

Au bar de l'hôtel, Hooper, du *Washington Post*, dit: «Je m'en fiche, de toute façon, je m'en vais.»

Il a déjà dit ça plusieurs fois. Il se ressert un whisky, lâche trois glaçons dans le verre, les fait tourner énergiquement puis défend une énième fois sa décision:

«Pourquoi rester dans un pays où on nous empêche de faire notre boulot, quand il en existe des dizaines d'autres où on peut le faire? Ça va bouger en Iran, j'en suis sûr. Je vais aller là-bas.

— Et quand ça bougera en Iran, demande d'une voix traînante Semple, de la BBC, qu'arrivera-t-il aux hommes, d'après toi?»

Hooper secoue la tête. «Non, non, pas en Iran. Un truc pareil n'arrivera jamais là-bas. Ils ne vont pas abdiquer tout ce à quoi ils croient du jour au lendemain et s'aplatir comme des carpettes devant les bonnes femmes.

— Tu te souviens pourtant qu'à la chute du chah l'ayatollah a pris le pouvoir précisément du jour au lendemain?» insiste Semple.

Un long silence suit cette remarque.

«D'accord, et qu'est-ce que tu suggères alors? reprend Hooper. De tout abandonner? De rentrer à la maison et d'écrire des articles sur le jardinage? Je t'y vois bien, en gilet pare-balles dans les parterres de fleurs.»

Semple hausse les épaules. «Moi, je reste. Je suis citoyen britannique sous la protection de Sa Majesté. J'obéirai aux lois, dans les limites du raisonnable, et je continuerai à rendre compte de la situation.

— De quoi espères-tu rendre compte, au juste? De tes journées à glander dans une chambre d'hôtel en attendant qu'une furie vienne te faire la peau?

— La situation n'empirera pas indéfiniment.»

Tunde, à la table voisine, écoute leur conversation. Lui aussi a un verre de whisky devant lui, bien qu'il n'y ait pas touché. Ses confrères sont en train de se saouler et de s'énerver. Leurs consœurs restent silencieuses. Ces gesticulations masculines, selon Tunde, sont le signe d'une vulnérabilité et d'un désespoir, et les femmes les regardent avec compassion.

L'une d'elles leur dit, assez fort pour que Tunde l'entende: «Écoutez, tout ça est absurde. Vous nous direz où vous voulez aller, et on vous y emmènera. Tout continuera comme avant.»

Hooper tape sur le bras de Semple en affirmant: «Tu dois partir. Saute dans le premier avion. Le reste, on s'en tape.

— Il a raison, renchérit une des femmes. À quoi bon se faire tuer pour ce pays de merde?»

Tunde gagne sans hâte le comptoir de la réception. Il patiente le temps qu'un couple âgé de Norvégiens règle sa note ; leur chauffeur de taxi, dehors, est en train de charger leurs bagages. Comme la plupart des ressortissants de pays riches, ils quittent la ville tant qu'ils le peuvent encore – mais pas avant d'avoir obtenu des éclaircissements quant aux taux des taxes locales et au prix de chaque article facturé sur la note du minibar.

Il ne reste plus qu'un seul employé à la réception. Des touffes grises parsèment ses cheveux, l'homme doit avoir la soixantaine, il jouit certainement de la confiance de l'établissement du fait de son ancienneté.

Tunde lui sourit. Un sourire décontracté qui signifie : Toi et moi, on est dans la même galère.

« Drôle de période, hein ? »

L'homme hoche la tête. « Oui, monsieur.

— Vous savez ce que vous allez faire ? »

L'homme hausse les épaules.

« Vous avez de la famille qui peut vous accueillir ?

— Ma fille a une ferme à trois heures d'ici, vers l'ouest. J'irai la rejoindre.

— On vous laissera voyager seul ? »

L'homme relève la tête. Il a le blanc de l'œil jauni et parcouru de vaisseaux rouges qui convergent vers la pupille. Il fixe Tunde un long moment, cinq ou six secondes peut-être.

« Si Dieu le veut. »

Tunde glisse nonchalamment une main dans sa poche. « Je pensais moi-même entreprendre un voyage », dit-il, puis il se tait et attend.

L'homme ne lui en demande pas plus. C'est prometteur.

«Naturellement, pour voyager, il y a une chose dont j'aurais besoin et que… qui n'est plus en ma possession. Une chose sans laquelle je ne voudrais pas partir.»

L'homme ne dit toujours rien, mais il opine, lentement.

Tunde rapproche ses mains du comptoir, sans quitter l'homme des yeux, et glisse les billets sous le buvard. Dix coupures de cinquante dollars, légèrement disposées en éventail et dont seuls les bords dépassent. Des devises étrangères, américaines de surcroît – c'est l'argument clé.

La respiration lente et régulière de l'homme s'interrompt juste une seconde.

«La liberté, reprend Tunde, d'un ton jovial, c'est ce à quoi on aspire tous.» Il marque une pause. «Je crois que je vais monter me coucher. Pourriez-vous demander au service d'étage de m'apporter un scotch? Chambre 614. Le plus tôt sera le mieux.

— Je vous l'apporterai moi-même, monsieur, répond l'homme. Dans quelques instants.»

Dans la chambre, Tunde allume la télé. Les prévisions météo n'ont pas l'air bien fameuses, Matt. Vous savez, Kristen, la météo, ça me dépasse complètement, annonce Matt dans un éclat de rire on ne peut plus télégénique. En revanche il y a un sujet que je maîtrise sur le bout des doigts: c'est le jeu des pommes flottantes.

C-Span fait brièvement état d'une «pression militaire» dans cette «région troublée» et s'attarde beaucoup plus longuement sur une nouvelle action de terrorisme intérieur dans l'Idaho. On peut dire qu'UrbanDox et sa bande d'abrutis ont réussi leur coup. Désormais, quiconque parle des «droits des hommes» parle d'eux, et se retrouve à faire de la pub pour leurs théories conspirationnistes. Personne ne veut entendre parler de ce qui se passe ici, en Bessapara ; la vérité a toujours été un produit complexe, difficile à packager et à vendre sur le marché de l'info. Et tout de suite, c'est l'heure de votre bulletin météo.

Tunde remplit son sac à dos. Deux tenues de rechange, ses notes, son ordinateur portable et son téléphone, une bouteille d'eau, son vieil appareil photo argentique et quarante rouleaux de pellicule. Un appareil non digital lui sera utile, il le sait, car certains jours il ne trouvera pas d'électricité pour recharger sa batterie. Il marque une pause et fourre deux paires de chaussettes supplémentaires dans le sac. Il sent monter en lui une sorte d'excitation totalement inattendue, en même temps que la peur, l'indignation et la folie. Il se dit qu'il est idiot d'éprouver de l'excitation ; l'heure est grave. Quand on frappe à la porte, il sursaute.

Un court instant, il croit que le vieil homme a mal compris. Sur son plateau, il y a un whisky posé sur un dessous de verre rectangulaire, et rien d'autre. Ce n'est qu'en y regardant à deux fois que Tunde comprend que le dessous de verre en question n'est autre que son passeport.

« Merci, dit-il. C'est exactement ce que je voulais. »

L'homme hoche la tête. Tunde lui règle le whisky et range le passeport dans la poche à zip sur la jambe de son pantalon.

Il patiente jusqu'à quatre heures et demie pour lever le camp. Les couloirs sont silencieux, les éclairages tamisés. Aucune alarme ne se déclenche lorsqu'il pousse la porte de l'hôtel et sort dans la nuit froide. Personne ne tente de l'arrêter. C'est comme si l'après-midi tout entier n'avait été qu'un rêve.

Tunde traverse les rues désertes, plongées dans le noir. Quand des chiens aboient au loin, il se met à courir, mais reprend vite son allure, une marche rapide, à grandes enjambées. En glissant une main dans sa poche, il s'aperçoit qu'il a toujours la clé de sa chambre d'hôtel. Alors qu'il tripote le porte-clés en laiton brillant, il se dit qu'il va la jeter, ou la glisser dans une boîte postale, avant de la remettre finalement dans sa poche. Aussi longtemps qu'il conservera cette clé avec lui, il pourra imaginer que la chambre 614 est là à l'attendre, dans l'état dans lequel il l'a laissée – le lit défait, les journaux du matin repliés à la va-vite sur le bord du bureau, ses chaussures soigneusement rangées sous la table de chevet, un slip et des chaussettes sales abandonnés dans un coin de la pièce, à côté de sa valise ouverte et à moitié vide.

Art rupestre découvert dans le nord de la France, datant d'il y a environ quatre mille ans. Dépeint le «bridage» – ou mutilation des organes génitaux masculins –, une intervention consistant à brûler les terminaisons nerveuses vitales dans le pénis à l'approche de la puberté. Après cette intervention – toujours en pratique dans plusieurs pays européens – un homme ne peut plus avoir d'érection sans une stimulation électrostatique produite par le fuseau d'une femme. Quantité d'hommes «bridés» ne pourront jamais plus éjaculer sans douleur.

PLUS QUE SEPT MOIS,
ET ENCORE

Allie

Roxy Monke a disparu. Allie l'a vue à la soirée organisée par Tatiana Moskalev, le personnel affirme l'avoir vue s'en aller et sur des enregistrements de caméras de surveillance on voit sa voiture quitter la ville – et puis plus rien. Elle se dirigeait vers le nord, c'est tout ce que l'on sait. Cela fait huit semaines. Et depuis, aucune nouvelle.

Allie a parlé avec Darrell sur FaceTime ; il a une mine épouvantable. « Je tiens le coup mais c'est vraiment dur », lui dit-il. Ils l'ont cherchée partout, ils ont passé la campagne au peigne fin. « S'ils sont venus lui régler son compte, ils pourraient venir me régler le mien, aussi. On continue à chercher. Même si on ne retrouve qu'un corps, il faut qu'on sache ce qui s'est passé. »

Oui, il le faut. Allie a été en proie à un déchaînement de pensées affreuses. Tatiana, dans un regain de paranoïa aussi subit que spectaculaire, est convaincue que Roxy l'a trahie au profit de la Moldavie du Nord, et elle interprète chaque nouveau tour que prennent les hostilités comme le signe que, non contente de l'avoir vendue à l'ennemi, Roxanne Monke vend aussi du Glitter à ses troupes. Tatiana est en train de devenir totalement imprévisible. Elle donne l'impression d'avoir toute confiance en Mère Ève ; elle a même promulgué une loi en vertu de laquelle Mère Ève deviendra de facto la dirigeante du pays si elle-même, Tatiana Moskalev, se trouvait frappée d'incapacité. Mais elle cède à de violents accès de rage au cours desquels elle frappe et blesse son personnel, et elle accuse tous ceux qui l'entourent de conspirer à sa perte. Elle donne des instructions contradictoires et aberrantes à son état-major. Il y a eu des échauffourées. Quelques-unes de ces bandes vengeresses ont incendié des villages au motif qu'ils auraient recueilli des traîtresses à leur genre et des hommes coupables de différents méfaits. Certains de ces villages ont riposté. Une guerre se propage lentement dans le pays, une guerre larvée, contre des ennemis mal définis, mais aussi contagieuse qu'une épidémie de rougeole – un premier foyer, puis deux, puis trois. Une guerre de tous contre tous.

Allie est affectée ; Roxy lui manque. Elle ignorait jusque-là que Roxy avait trouvé une faille dans son cœur. Et cela lui fait peur. Jamais elle n'avait pensé avoir une amie. Jusqu'à cette disparition, elle n'en avait jamais ressenti le besoin ni déploré l'absence. Elle se fait du souci. Elle fait des rêves dans lesquels elle envoie un corbeau, puis une colombe, quérir de bonnes nouvelles, mais le vent ne lui en rapporte aucune.

Elle organiserait bien des battues pour ratisser les bois, si seulement elle savait où chercher.

Elle prie la Sainte Mère : S'il Te plaît, ramène-la saine et sauve au bercail. S'il Te plaît.

La voix dit : Je ne peux te faire aucune promesse.

Allie dit dans son cœur : Roxy a beaucoup d'ennemis. Les gens comme elle ont toujours beaucoup d'ennemis.

La voix dit : Parce que tu crois que toi, tu n'en as pas beaucoup ?

À quoi tu sers ? demande Allie.

Je suis toujours là pour toi, non ? rétorque la voix. Mais je t'avais prévenue que ce serait délicat.

Tu m'avais aussi dit que la seule façon d'y arriver, c'était de devenir maîtresse des lieux, riposte Allie.

En ce cas, ma fille, tu sais ce qui te reste à faire.

Arrête ça tout de suite, s'admoneste Allie. Ce n'est qu'une personne comme tant d'autres. Tout disparaîtra, et tu survivras. Ampute cette part de toi-même. Referme ce compartiment dans ton cœur, remplis-le d'eau bouillante et achève-le. Tu n'as pas besoin d'elle. Tu vas vivre.

Allie a peur.

Elle n'est pas en sécurité.

Elle sait ce qu'elle doit faire.

La seule façon d'être en sécurité, c'est de devenir maîtresse des lieux.

Une nuit très tard, à plus de trois heures du matin, Tatiana fait appeler Mère Ève. Tatiana rencontre depuis quelque temps des problèmes de sommeil. Elle se réveille au milieu de la nuit empêtrée dans des lambeaux de mauvais rêves peuplés de vengeances, d'espions au sein du palais, de mains brandissant la lame qui lui sera fatale. Dans ces moments-là, elle fait mander Mère Ève, sa conseillère spirituelle, et Mère Ève vient s'asseoir au pied de son lit et la berce de paroles apaisantes jusqu'à ce qu'elle se rendorme.

Le décor de la chambre est un mélange de brocarts lie-de-vin et de peaux de tigre. Tatiana dort seule, peu importe qui a partagé son lit plus tôt dans la soirée.

«Ils vont tout me prendre», dit-elle.

Allie lui saisit la main, elle ausculte sans avoir l'air d'y toucher les terminaisons nerveuses à vif, les suit jusque dans le cerveau perturbé et enrayé. «Dieu est avec vous et c'est vous qui triompherez», lui assure-t-elle, tout en imprimant une *pression* prudente et mesurée à *cet* endroit de l'esprit de Tatiana, et *cet* autre. Des pressions imperceptibles qui n'interfèrent qu'avec quelques neurones. Pour provoquer un minuscule refoulement, une infime avancée.

«Oui, répond Tatiana. Je n'en doute pas.»

Bien joué, dit la voix.

«Bien dit», approuve Allie, et Tatiana d'opiner comme une enfant obéissante.

Un jour viendra, fatalement, où d'autres apprendront comment faire ça, songe Allie. Peut-être même qu'en ce moment, dans quelque endroit reculé, une jeune femme découvre comment calmer ou contrôler son père ou son frère. Un jour viendra où d'autres comprendront que la faculté de faire mal n'est qu'un préambule. La drogue de passage, comme dirait Roxy.

«Écoutez-moi, reprend Allie. Je pense que vous aimeriez signer ces papiers sans attendre, n'est-ce pas?»

Tatiana opine d'un air ensommeillé.

«J'ai bien réfléchi: l'Église devrait pouvoir prononcer ses propres jugements et faire respecter ses propres lois dans les régions frontalières – vous ne pensez pas?»

Tatiana prend le stylo sur sa table de nuit, appose son paraphe par saccades, paupières déjà mi-closes, puis retombe à la renverse sur son oreiller.

La voix dit : Pendant combien de temps encore comptes-tu faire traîner cette affaire ?

Allie dit dans son cœur : Si je bouge trop vite, ça éveillera la suspicion des Américains. Cette manœuvre, je l'avais prévue au profit de Roxy. Ce sera plus dur de convaincre les gens, maintenant que j'agis pour mon propre compte.

La voix dit : Elle devient chaque jour un peu plus difficile à contrôler, et tu le sais.

C'est à cause de ce que nous sommes en train de faire, dit Allie. Les produits chimiques lui détraquent le cerveau. Mais ça ne durera pas éternellement. Je vais m'emparer du pays. Et alors, je serai à l'abri.

Darrell

Ils l'ont dans l'os à cause de ces foutues Nations unies.

Il y a eu un problème à la frontière et le camion a largué son chargement dans les bois en catastrophe avant de rentrer à l'usine. Il y en a pour trois millions de livres de Glitter qui s'écoulent lentement dans la terre, sous la pluie – on ne sait où. Car pour couronner le tout, les convoyeuses ont foncé à l'aveuglette dans la forêt, à cause des soldats à leurs trousses. Il leur avait pourtant indiqué un itinéraire de repli bien précis en cas de sauve-qui-peut, non ? Pour limiter les options de recherches. Non ?

« Merde ! » éructe Darrell en balançant un coup de pied dans la roue du camion. Sa cicatrice tiraille, son fuseau fredonne rageusement. Il a mal. « Merde ! » répète-t-il, beaucoup plus fort qu'il n'en avait l'intention.

Ils sont dans l'entrepôt. Quelques femmes l'observent à la dérobée. Deux ou trois approchent du camion, curieuses de savoir ce qui s'est passé.

Une des conductrices, la suppléante, danse d'un pied sur l'autre, et explique : « Lorsqu'il nous a fallu nous débarrasser d'un chargement, par le passé, Roxy a toujours…

— J'en ai rien à foutre de ce que Roxy-a-toujours ! »
s'emballe Darrell. Les femmes se regardent. Il fait
machine arrière.

« Ce que je veux dire par là c'est que, d'après moi, elle
ne tient pas à ce qu'on fasse comme avant, d'accord ? »

Nouvel échange de regards.

Darrell a tendance à céder à la nervosité, au milieu de
toutes ces femmes, maintenant que Roxy n'est plus là
pour les faire filer droit. Quand elles apprendront qu'il
a lui-même un fuseau, tout s'arrangera, mais le moment
est mal choisi pour les surprises. Sans compter que son
père lui a dit que cela devait rester secret jusqu'à la fin
de sa convalescence, jusqu'à son retour à Londres.

« Bon, écoutez, reprend-il en s'efforçant de parler
avec calme et autorité. On va faire profil bas pendant
une semaine. Plus d'expéditions, plus de passages de
la frontière, on attend que ça se tasse. »

Les femmes hochent la tête.

Qui me dit que tout ça, ce n'est pas un bobard pour
détourner de la marchandise ? s'interroge Darrell. Il n'y
a aucun moyen de le savoir. Elles disent avoir largué le
chargement dans la forêt, mais comment être certain
qu'elles ne l'ont pas gardé pour elles ? Merde. Elles
n'ont pas assez peur de lui, le voilà le problème.

Une des filles – elle s'appelle Irina et n'a rien d'un
foudre de guerre – fronce les sourcils, pince les lèvres
et demande : « Avez-vous une gardienne ? »

Ah non, ça ne va pas recommencer !

« Oui, Irina, répond-il, j'ai une gardienne, c'est ma
sœur Roxanne. Tu te souviens d'elle ? C'est elle qui fait
tourner cet endroit, qui est propriétaire de cette usine ?

— Mais… Roxanne est partie.

— Partie en vacances, nuance Darrell. Elle va revenir, et en attendant, je la remplace.»

Le froncement de sourcils d'Irina s'accentue et creuse des sillons dans son immense front. «J'écoute les informations. Si une gardienne meurt ou disparaît, une nouvelle doit être désignée à sa place.

— Irina, elle n'est ni morte, ni disparue, elle est juste… Elle n'est juste pas là en ce moment. Elle a dû partir pour… elle avait des trucs importants à faire, d'accord ? Elle finira par revenir, et elle m'a demandé de tout surveiller pendant son absence.»

Irina dodeline de la tête pour digérer cette information. Darrell entend presque les engrenages cliqueter sous son crâne.

«Mais comment savez-vous ce qu'il faut faire, puisque Roxanne n'est pas là ? demande-t-elle.

— Elle m'envoie des messages, Irina – d'accord ? Des e-mails, des textos. Tout ce que je fais, c'est ma sœur qui me dit de le faire. Je n'ai jamais rien décidé sans son feu vert, et quand toi tu m'obéis, c'est en réalité à elle que tu obéis. D'accord ?»

Irina cligne des yeux. «Oui. Je ne savais pas. Les messages. C'est bien.

— Parfait… Autre chose ?»

Irina le dévisage. Allez, poupée, accouche, c'est quoi l'idée qui trotte dans cette grosse tête ?

«Votre père, dit-elle.

— Eh bien quoi, mon père ?

— Il a laissé un message. Il veut vous parler.»

«Tu ne l'as toujours pas retrouvée ?»

388

La déception qui s'entend dans cette voix qui grésille sur la ligne depuis Londres liquéfie les entrailles de Darrell, comme toujours.

« Non, papa, toujours pas, chuchote-t-il – les murs de son bureau sont fins. Elle a dû ramper dans les bois et se terrer dans un trou pour y mourir. Papa, tu as entendu le toubib. Plus de la moitié des filles qui subissent une ablation du fuseau ne survivent pas au traumatisme. Et avec tout le sang qu'elle a perdu, et le fait qu'elle était au milieu de nulle part… Ça fait deux mois, papa. Elle est morte.

— Tu n'es pas obligé de dire ça d'une voix réjouie ; c'était ma fille, putain. »

À quoi Bernie s'attendait-il, au juste ? À ce que Roxy rentre au bercail et tienne la compta, après ce qu'ils lui ont fait ? Mieux vaut espérer qu'elle soit morte.

« Pardon, papa.

— C'est mieux comme ça, de toute façon. C'est la direction que doivent prendre les événements, et c'est pour ça qu'on l'a fait. Pas pour lui faire du mal.

— Oui, papa.

— Alors, comment se passe le rodage ? Comment te sens-tu ? »

Ça se passe que, la nuit, ce machin le réveille toutes les heures, à force de se tortiller et de se contracter. Les médicaments qu'ils lui ont prescrits, associés au Glitter, l'aident à développer les nerfs qui lui permettront de contrôler le fuseau. En attendant, il a la sensation d'abriter une vipère en son sein.

« Ça se passe bien, papa. Le toubib est satisfait. Ça marche.

— Quand seras-tu prêt ?

— On y est presque, papa. Encore une ou deux semaines, et ce sera bon.

— Parfait. Ce n'est que le début, fiston.

— Je sais, papa, répond Darrell dans un sourire. On va faire un carnage. Je t'accompagnerai à un rendez-vous, personne ne se méfiera de moi et là *bam* !

— Si cette opération est un succès, pense à tous ceux à qui nous pourrons vendre le brevet. Les Chinois, les Russes, tous les pays avec une population carcérale. Les greffes de fuseau… tout le monde va s'y mettre.

— Ça va être une tuerie, papa.

— Tu l'as dit, fiston. »

Jocelyn

Sa mère l'a envoyée consulter une psy après l'attaque terroriste. Jocelyn n'a pas dit à sa thérapeute qu'elle n'avait jamais eu l'intention de tuer cet homme. Ni qu'il n'avait jamais brandi de pistolet. La psy étant appointée par NorthStar Industries, toute confidence serait vraisemblablement risquée. La discussion reste donc sur le terrain des généralités.

Jocelyn lui parle de Ryan. «Je voulais lui plaire en raison de ma force et de ma maîtrise, dit-elle.

— Vous lui plaisiez peut-être pour d'autres raisons, hasarde la thérapeute.

— Je ne veux pas lui plaire pour d'autres raisons, sinon ça veut dire que je suis repoussante. Pourquoi devrait-il m'aimer pour d'autres raisons que n'importe quelle autre fille? Êtes-vous en train de me traiter de faible?»

Jocelyn ne confie pas à la thérapeute qu'elle a repris contact avec Ryan. Après cet incident au camp NorthStar, elle a reçu un e-mail de sa part, émanant d'une adresse électronique bidon. Elle lui a répondu qu'elle ne voulait plus entendre parler de lui, qu'elle ne pouvait pas correspondre avec un terroriste. Ce à quoi il a répondu: «Quoi? Comment ça?»

Cela lui a pris des mois pour la persuader qu'il y avait méprise, qu'il n'avait jamais posté quoi que ce soit sur ces forums. Jocelyn ne sait toujours pas qui croire, mais s'il y a une chose dont elle est sûre, c'est que sa mère a tellement pris l'habitude de mentir pour un oui ou pour un non, qu'elle le fait maintenant sans même s'en rendre compte. Quand elle a compris que sa mère lui avait peut-être menti délibérément, Jos a senti le goût de la bile dans sa bouche.

« Elle me hait parce que je t'aime comme tu es, dit Ryan.

— Je veux que tu m'aimes en dépit de mon problème, pas à cause de lui, proteste Jocelyn.

— Qu'importe, puisque je t'aime comme tu es.

— Je te plais à cause de ma faiblesse. Je déteste que tu me voies comme une faible.

— Tu n'es pas absolument pas faible, et quelqu'un qui te connaît, quelqu'un qui tient à toi ne pensera jamais ça de toi. Et quand bien même tu le serais – on a le droit d'avoir des faiblesses, non ? »

C'est justement là toute la question.

Sur les affiches publicitaires, on voit désormais s'étaler d'aguichantes jeunes femmes déployant de longs arcs cintrés devant de beaux garçons tout émoustillés. Ces publicités sont censées vous vendre du soda, des baskets, des chewing-gums. Et ça marche ! Mais, en douce, c'est un autre message qu'elles adressent aux filles, elles leur susurrent : *Soyez puissantes, et vous obtiendrez tout ce que vous voulez.*

Le problème, c'est que tout le monde semble le croire, maintenant. Pour entendre des sons de cloche dissonants, il faut se tourner vers les sceptiques, et certains soutiennent parfois des idées choquantes. Certains semblent même sérieusement atteints.

Ce Tom Hobson, qui animait le *Morning Show*, a lancé son site Internet. Il a rejoint le camp d'Urban-Dox et de BabeTruth et de quelques autres cinglés du même acabit. Jos consulte son site depuis son téléphone portable quand elle se sait à l'abri des regards. Tom Hobson y rend compte d'événements qui se déroulent en ce moment même en Bessapara, et qui laissent Jos sceptique. Tortures. Expériences. Gangs de femmes, dans le Nord, qui assassinent et violent des hommes, en toute impunité. Ici, dans le Sud, même s'il y a de plus en plus de remous sur la frontière, la situation demeure calme. Jocelyn a rencontré des habitants de ce pays, des gens vraiment gentils, pour la plupart. Elle a parlé avec des hommes qui conviennent du bien-fondé des nouvelles lois tant que le pays est en guerre. Des femmes lui ont ouvert leur porte et offert du thé.

En revanche, il y a d'autres informations auxquelles elle n'a aucun mal à croire. Tom rapporte notamment qu'en Bessapara des gens se livrent à des expériences sur des garçons comme Ryan. Ils les charcutent pour essayer de comprendre ce qui leur est arrivé. Ils les bourrent de cette drogue de rue baptisée Glitter. On raconte que c'est justement de Bessapara, non loin de l'endroit où Jocelyn se trouve en ce moment, que cette drogue est exportée par cargaisons entières. Tom a localisé le site de production sur Google Maps. Il affirme que la véritable raison pour laquelle l'armée américaine est stationnée dans le sud de la Bessapara, c'est pour protéger les stocks de Glitter et veiller au maintien de l'ordre dans la région afin que Margot Cleary, en cheville avec des mafias locales, puisse tranquillement expédier le Glitter à NorthStar, qui le revend à l'armée américaine en prenant une marge au passage.

Depuis plus d'un an, tous les trois jours, Jocelyn reçoit de l'armée un petit paquet réglementaire de poudre blanche aux reflets violets, «pour son problème de santé». Sur un des sites que Ryan lui a indiqués, il est explicité que cette poudre aggrave les problèmes de fuseau dysfonctionnel. Qu'elle accentue les pics et les chutes d'intensité. Qu'elle crée une dépendance.

Mais Jos va bien, maintenant. C'est un authentique miracle. Elle le sait, puisqu'elle y était. Elle prie chaque nuit dans le noir, dans son lit superposé, en fermant les yeux et en murmurant : «Merci, merci, merci.» Elle est guérie. Elle va bien. Si j'ai été sauvée, c'est forcément pour une bonne raison, songe-t-elle.

Jos inspecte les sachets de poudre intacts planqués sous son matelas. Et les compare aux photos de la fameuse drogue sur le site de Tom Hobson. Elle envoie un texto à Ryan. Sur un téléphone prépayé – il en change toutes les trois semaines.

«Tu crois vraiment que ta mère aurait passé un deal avec un cartel de la drogue ?

— Je ne crois pas que, si elle en avait eu l'opportunité, elle l'aurait refusée.»

Aujourd'hui, c'est son jour de congé. Jocelyn emprunte une jeep de la base et signe le registre de sortie – elle va juste se balader à la campagne, retrouver quelques amies, OK ? Elle est la fille d'une sénatrice qui fera la course en tête aux prochaines élections présidentielles, et qui est aussi une actionnaire de premier plan de NorthStar. Évidemment que c'est OK.

Elle consulte les cartes qu'elle a imprimées à partir du site de Tom Hobson. S'il a vu juste, l'un des sites de production de cette drogue ne se trouve qu'à une soixantaine de kilomètres de sa base. Et cela pourrait expliquer ce curieux incident qui a eu lieu quelques semaines plus tôt : des filles de la base ont pris en chasse un camion banalisé à travers la forêt, et la conductrice leur a tiré dessus. Les filles ont fini par perdre sa trace et ont signalé, dans leur rapport, que l'incident pouvait avoir un lien avec des activités terroristes en Moldavie du Nord. Mais Jos sait dans quelle direction ce camion se dirigeait.

Elle se sent légère en grimpant dans la jeep. Elle a une demi-journée de perm. Le temps est ensoleillé. Elle va aller jusqu'à l'endroit indiqué sur le plan, et voir ce que ça donne. Son fuseau fredonne avec force et régularité, comme toujours à présent, elle se sent bien. Normale. C'est une aventure. Au pire, elle aura fait une chouette balade. Mais il n'est pas exclu qu'elle puisse prendre quelques photos à mettre en ligne à son tour. Et – encore mieux ! – découvrir quelque chose qui incriminerait sa mère. Quelque chose qu'elle pourrait lui envoyer en disant : Si tu ne me fous pas la paix et ne me laisses pas vivre ma vie comme je l'entends, j'envoie ça au *Washington Post*. Pouvoir prendre ce genre de photos… Oui, ce serait vraiment une chouette journée.

Tunde

Ça n'avait pas été si difficile, au début. Il avait noué des liens suffisamment forts avec certains habitants pour se voir offrir un abri le temps de traverser la ville et ses satellites, puis de prendre la direction des montagnes. Il connaît la Bessapara et la Moldavie du Nord où il a voyagé du temps de ses investigations sur Awadi-Atif, il y a une éternité de cela. Étrangement, il ne se sent pas en danger, ici.

Et ce d'autant moins qu'un régime ne peut pas basculer du jour au lendemain. Il n'y a rien de plus lent que la bureaucratie. Les gens prennent leur temps. Avant d'être congédié, le vieil homme doit montrer à celles qui le remplaceront comment fonctionne le moulin à papier, ou comment reporter la commande de farine sur l'inventaire. Partout dans le pays, des hommes continuent de diriger leurs usines pendant que les femmes marmonnent dans leur coin, commentent les nouvelles lois et se demandent quand elles seront appliquées. Au commencement de son périple, Tunde avait photographié les nouveaux décrets placardés sur les murs, des échauffourées dans les rues, des hommes au regard éteint prisonniers dans leur propre maison. Il comptait voyager dans cette région pendant quelques semaines et récupérer de la matière pour le dernier chapitre de son livre, sauvegardé sur des clés USB et des carnets de notes dans l'appartement de Nina, à New York.

Tunde entendait des rumeurs à propos d'événements d'une extrême violence qui se seraient déroulés dans les montagnes. Personne ne voulait rapporter ce qu'il avait entendu, pas précisément du moins. Tous se contentaient d'évoquer d'un air grave les populations de ces campagnes arriérées et cet obscurantisme dont aucun des régimes et dictateurs successifs n'était venu à bout.

« Autrefois, ils aveuglaient les filles, lui avait dit Peter, le serveur rencontré à la soirée de Tatiana Moskalev. Quand le pouvoir est apparu, les hommes, là-bas, les seigneurs de guerre, ils ont brûlé au fer les yeux de toutes les filles. C'est ce que j'ai entendu dire. Pour pouvoir rester les chefs, tu vois.

— Et aujourd'hui, qu'en est-il ? »

Peter avait secoué la tête. « Aujourd'hui, plus personne ne se risque là-bas. »

Tunde avait donc décidé, faute d'un autre objectif, de marcher en direction des montagnes.

Au cours de la huitième semaine, les choses commencèrent à se gâter.

Il arriva dans une ville posée sur les rives d'un grand lac aux eaux bleu-vert. C'était un dimanche matin. Il déambula dans les rues, la faim au ventre, jusqu'à ce qu'il tombe sur une boulangerie dont les portes ouvertes laissaient échapper un fumet délicieusement parfumé au levain.

Il présenta quelques pièces à l'homme derrière le comptoir et lui montra du doigt les viennoiseries à la croûte blanche et boursouflée qui refroidissaient sur une clayette en fil métallique. L'homme, dans un geste devenu machinal, ouvrit ses mains comme un livre pour demander à voir ses papiers ; cela se produisait de plus en plus souvent. Tunde lui présenta son passeport et ses accréditations de presse.

L'homme passa attentivement en revue chaque page du passeport ; Tunde savait qu'il cherchait le tampon officiel portant le nom de sa gardienne et le sauf-conduit signé de sa main. Au terme de cet examen consciencieux, l'homme réitéra son geste, avec une expression, cette fois, légèrement paniquée. Tunde lui sourit, haussa les épaules.

« Allons, je veux juste acheter quelques viennoiseries, dit-il même si rien n'indiquait que l'homme parlât anglais. Ce sont les seuls papiers que j'ai, l'ami. »

Jusqu'alors et en général, à ce stade de l'échange, l'interlocuteur souriait à cet extravagant journaliste étranger, ou lui dispensait dans un anglais approximatif un petit sermon sur la nécessité d'être en règle la prochaine fois, et Tunde s'excusait, lui décochait son plus beau sourire et quittait le magasin avec son repas ou ses fournitures.

Cette fois, l'homme secoua la tête d'un air navré et pointa du doigt une pancarte, sur le mur, écrite en russe. Tunde traduisit le message à l'aide de son guide de conversation. Il signifiait en substance : « Cinq mille dollars d'amende pour quiconque aura aidé un homme sans papiers. »

Tunde haussa les épaules et présenta en souriant ses paumes vides au boulanger, puis, ses mains en visière, il fit mine de scruter les alentours.

« Qui le verra ? Qui le saura ? Je n'en dirai rien à personne. »

Mais l'homme une fois de plus secoua la tête. S'agrippa au comptoir et baissa les yeux sur ses mains. Ses poignets et la bande de peau qui dépassaient de ses manches étaient marqués d'une multitude de cicatrices semblables à des fougères ; certaines étaient récentes et se superposaient à d'autres, plus anciennes. Des marques semblables étaient visibles sur son cou, au-dessus du col de sa chemise. Il secoua de nouveau la tête et attendit, immobile, regard baissé. Tunde récupéra son passeport sur le comptoir et quitta les lieux. Dans la rue, des femmes sorties sur le pas de leur porte le regardèrent s'éloigner.

Les habitants disposés à lui vendre de la nourriture ou de l'essence pour son réchaud de camping se faisaient de plus en plus rares, et les opportunités, de plus en plus espacées. Si bien que Tunde commença à développer une sorte de sixième sens à l'égard des hommes susceptibles de se montrer amicaux. De vieux messieurs qui jouaient aux cartes devant une maison – ceux-là pouvaient avoir quelque chose pour lui, voire même lui dénicher un lit pour la nuit. Les jeunes, eux, avaient tendance à être plus froussards. Quant aux femmes, il ne servait strictement à rien d'aller leur parler ; même un simple échange de regards donnait la sensation d'être dangereux.

Un jour, sur la route, Tunde croisa un groupe de femmes qui plaisantaient et riaient en faisant jaillir des arcs vers le ciel, et Tunde se dit : Je ne suis pas là, je ne suis rien, ne me prêtez pas attention, je suis invisible.

Elles l'apostrophèrent, d'abord en roumain, puis en anglais. Il continua à marcher, le regard rivé aux pierres du chemin. Elles le poursuivirent un moment de leurs invectives obscènes et racistes, mais ça n'alla pas plus loin.

Dans son journal, il nota : « Aujourd'hui pour la première fois, sur la route, j'ai eu peur. » Il passa les doigts sur l'encre encore humide. Écrite ainsi noir sur blanc, la vérité était encore plus difficilement supportable.

Un matin de la dixième semaine, le soleil perça entre les nuages, illuminant les pâturages et le ballet des libellules. Tunde refit de tête ses petits calculs : il lui restait assez de barres énergétiques et de pellicules pour poursuivre son périple pendant encore quinze jours. D'ici une semaine, il aurait atteint les montagnes, il en consacrerait une dernière à documenter ce qu'il y verrait, puis il arrêterait les frais. Alors qu'il contournait le flanc d'une colline, absorbé dans ses pensées, il n'identifia qu'avec un temps de retard cette chose plantée au milieu de la route.

C'était un homme, ficelé par des cordes en plastique à un poteau. De longs cheveux bruns lui tombaient devant le visage. On lui avait attaché les mains derrière le dos et la corde qui emprisonnait ses chevilles s'enroulait une dizaine de fois autour du poteau. La personne qui avait fait ça n'était visiblement pas experte en nœuds ; elle avait ligoté sa victime solidement, mais c'était du travail bâclé. Le corps portait des stigmates de souffrance violet foncé, écarlates et noirs. Un écriteau était suspendu à son cou, barré d'un seul mot, en russe : *salope*. La mort devait remonter à deux ou trois jours.

Tunde photographia le corps avec une grande application. Il voulait capturer la beauté qui se niche parfois dans la cruauté et l'abjection que peut révéler l'ingéniosité d'une composition. Il prit tout son temps, sans jamais s'assurer que les environs étaient sûrs, que personne ne l'observait de loin. Plus tard, il serait sidéré par tant de bêtise. Ce fut ce soir-là qu'il prit conscience d'être suivi.

À la nuit tombante, il cheminait sur une route de terre battue bordée de part et d'autre par des bois touffus. Bien qu'il eût parcouru une dizaine de kilomètres depuis la découverte du cadavre, Tunde ne pouvait chasser de son esprit la tête mollement affaissée, la langue noircie. De temps en temps, il se disait : Tu pourrais camper ici – sors ton sac de couchage. Mais ses pieds continuaient d'avancer, pour mettre un kilomètre de plus, puis un autre, et encore un autre, entre lui et ce visage en décomposition en partie masqué par le rideau de cheveux. Un mince croissant de lune jaune et voilé de brume perçait par endroits entre les branches ; les oiseaux de nuit pépiaient. Tandis qu'il fouillait du regard l'obscurité des bois environnants, là, entre les arbres, à sa droite, il surprit soudain un crépitement de lumière. Bref, discret, mais parfaitement identifiable ; personne ne pouvait se méprendre sur l'origine et la nature de ce filament blanc et fulgurant. Une femme se trouvait quelque part dans ces bois, et elle venait d'étirer un arc électrique entre ses paumes. Tunde inspira vivement.

Il pouvait s'agir de n'importe quoi : quelqu'un qui allumait un feu, ou des amants qui batifolaient. Machinalement, Tunde accéléra le pas. Et vit crépiter, droit devant lui cette fois, un nouvel éclair qui illumina un visage aux traits indistincts, encadré de cheveux longs. Bien que la femme ne fût pas tout près, Tunde remarqua cependant son rictus et son regard braqué sur lui avec insistance.

N'aie pas peur, c'est la seule façon de surmonter ça, s'intima-t-il. En vain. En chacun de nous, l'instinct reste attaché à cette vérité immémoriale : qui n'est pas le chasseur est la proie. Identifiez votre rôle. Et agissez en fonction. Votre vie en dépend.

La femme fit jaillir une nouvelle salve d'étincelles dans l'obscurité bleutée. La distance qui les séparait était moindre que Tunde ne l'avait d'abord estimé. Il entendit un rire grave et éraillé. Oh bon sang – une folle, songea-t-il. Ça, c'était le pire de tout. Qu'on puisse le traquer sans but précis, qu'il puisse mourir ici sans raison.

Une brindille se brisa non loin de son pied droit. Qui l'avait piétinée – elle ou lui ? Il se mit à courir, à détaler comme un animal, en inspirant éperdument entre deux sanglots. Quand il risqua un coup d'œil par-dessus son épaule, il vit que la femme s'était lancée à ses trousses. Elle incendiait les arbres sur son passage ; des flammes vigoureuses remontaient le long des troncs à l'écorce terreuse puis sautaient dans les feuillages craquants. Tunde accéléra. S'il parvenait encore à réfléchir, sans doute se disait-il : Si je continue à avancer, je trouverai forcément un endroit où me mettre à l'abri.

Et au détour d'un virage sur le chemin qui grimpait à flanc de colline, il le vit : à moins d'un kilomètre de là, un village, avec des fenêtres éclairées.

Il s'élança. Une fois là-bas, les éclairages au sodium dissoudraient la terreur qui lui collait à la peau.

Depuis un certain temps déjà, il réfléchissait à la façon dont il mettrait un terme à cette aventure – depuis la troisième nuit de son excursion, quand ses amis lui avaient annoncé qu'il devait partir car la police faisait du porte-à-porte pour traquer les hommes qui n'étaient pas en règle et n'avaient pas de gardienne dûment approuvée. Ce soir-là, il s'était dit : Je peux siffler la fin de partie n'importe quand. Il lui suffirait de charger son téléphone et d'envoyer un e-mail à sa rédaction de CNN, par exemple, en mettant éventuellement Nina en copie. Il leur indiquerait où il se trouvait, ils viendraient le chercher, et lui deviendrait un héros, le reporter infiltré sauvé in extremis des griffes de la mort.

Il se dit : Maintenant. Je dois le faire maintenant. C'est fini.

Dans le village, quelques fenêtres au rez-de-chaussée des maisons étaient encore éclairées ; le son d'une radio ou d'une télévision filtrait de certaines d'entre elles. Il était vingt et une heures à peine passées. Tunde songea à tambouriner à une porte en suppliant qu'on l'aide, puis il se souvint de ce que lui avait raconté le jeune serveur concernant ces populations aux mentalités arriérées. Quelles menaces pouvaient surgir de derrière ces fenêtres éclairées ? La nuit était peuplée de monstres, maintenant.

Il avisa une échelle de secours sur le flanc d'un petit immeuble de quatre étages. Il s'élança et commença à grimper. Au deuxième étage, il croisa une fenêtre et, derrière celle-ci, une pièce plongée dans l'obscurité dans laquelle étaient empilés trois climatiseurs par terre. Un débarras. Du bout des doigts, il souleva le panneau inférieur de la fenêtre, qui coulissa sans encombre. Tunde se glissa dans cette pièce obscure qui sentait le renfermé, puis il tâtonna le long du mur, jusqu'à trouver ce qu'il cherchait. Une prise électrique. Il y brancha son téléphone et le ralluma.

Le petit son qui accompagnait le démarrage de l'appareil était le même que celui que produisait la clé quand il déverrouillait la porte de chez lui, à Lagos. L'écran s'illumina et il le pressa contre ses lèvres en inspirant de joie. Voilà. C'est fini. Dans son esprit, il était déjà à la maison, et toutes les voitures, tous les trains et les avions, toutes les files d'attente et tous les contrôles de sécurité entre ici et là-bas n'étaient plus qu'imaginaires, accessoires.

Sans perdre une seconde, il rédigea un e-mail qu'il adressa à Nina, à Temi ainsi qu'à trois rédacteurs en chef avec lesquels il avait récemment travaillé. Il leur indiqua où il se trouvait, leur dit qu'il était sain et sauf et leur demanda de contacter l'ambassade afin d'organiser son rapatriement.

En attendant qu'ils lui répondent, il fit un tour sur les sites d'informations. Ils faisaient état d'«accrochages» de plus en plus fréquents, mais personne ne semblait disposé à employer le mot *guerre*. Le prix du pétrole recommençait à grimper. Un article traitant de la situation en Bessapara portait la signature de Nina, et cela lui arracha un sourire. Nina n'avait passé ici qu'un long week-end, dans le cadre d'un voyage de presse, quelques mois plus tôt. Que pouvait-elle avoir à raconter concernant ce pays ? Et puis, tout en lisant, il fronça les sourcils. Ces mots, ces phrases avaient un air familier.

Un tintement réconfortant et musical interrompit sa lecture. L'e-mail émanait d'un des rédacteurs en chef.

«C'est une plaisanterie de très mauvais goût, écrivait-il. Tunde Edo était mon ami. Si vous avez piraté ce compte, on vous retrouvera, espèce de malade.»

Un autre tintement, une autre réponse. Guère différente de la première.

Tunde se sentit pris de panique. Ça va aller, se raisonna-t-il. Ce n'est qu'un malentendu, il a dû se passer quelque chose.

Il tapa son nom dans la barre de recherche et la première page qui apparut était une nécrologie. Son éloge funèbre. Ce long panégyrique, un brin ambigu, soulignait combien son travail journalistique avait su capter l'intérêt de la jeune génération. L'auteur avait ciselé les phrases pour laisser entendre, très subtilement, que par son traitement de l'information Tunde avait fait apparaître les actualités comme simplistes et négligeables. Le papier comportait deux ou trois erreurs mineures. Il citait cinq femmes célèbres que Tunde avait influencées, et le qualifiait de «bien-aimé». Il mentionnait également ses parents, sa sœur. Il était précisé que Tunde avait trouvé la mort en Bessapara, dans un accident de voiture; son corps, calciné, n'avait pu être identifié que grâce à l'étiquette de sa valise.

Tunde sentit sa respiration s'accélérer.

Il avait laissé la valise dans la chambre d'hôtel.

Quelqu'un l'avait récupérée.

Il revint à l'article de Nina sur la Bessapara. Il s'agissait en fait des bonnes feuilles d'un livre à paraître dans le courant de l'année chez un grand éditeur, une évaluation globale du Grand Changement, nourrie de reportages sur le terrain et d'interviews réalisées aux quatre coins du monde. Dans le chapeau, l'ouvrage était d'ores et déjà qualifié de grand classique, et son auteure comparée à Tocqueville et Gibbon.

C'était son essai. Ses photos. Des captures d'images de ses vidéos. C'étaient ses mots, ses idées, ses analyses. C'étaient des paragraphes entiers du manuscrit qu'il avait confié à Nina, complétés d'extraits des journaux de bord qu'il lui avait fait parvenir par la poste. Le texte, comme les crédits photographiques, étaient tous au nom de Nina. Tunde n'apparaissait nulle part. Elle s'était purement et simplement approprié son travail.

Il laissa échapper un son qu'il ne se savait pas capable de produire. Un brame, monté des tréfonds. Le son du deuil, plus profond que les sanglots.

Une voix résonna aussitôt quelque part dans l'appartement. Un appel. Qui se répéta, plus fort, plus impérieux. Une voix de femme.

Tunde ne comprit pas les mots que criait cette femme, mais pour son cerveau épuisé et terrorisé, ils ressemblaient à : « Il est là-dedans ! Ouvrez cette porte ! »

Il se releva précipitamment, empoigna son sac à dos et ressortit par la fenêtre pour grimper quatre à quatre les marches qui menaient au toit terrasse.

De là-haut, il entendit d'autres appels monter de la rue. S'il n'était pas recherché jusque-là, il l'était, maintenant. Des femmes, en bas, criaient, en pointant le doigt vers le toit.

Il allait s'en sortir. Traverser ce toit pour sauter sur le toit voisin. Le traverser lui aussi. Puis dévaler une autre échelle de secours. Ce ne fut que de retour dans les bois qu'il s'aperçut que son téléphone était resté en charge dans le débarras. À l'évidence, il ne pouvait pas repartir le chercher ; il crut que le désespoir allait l'achever. Il grimpa dans un arbre, se flagella contre une branche et essaya de dormir en se disant que le matin, la situation lui apparaîtrait peut-être sous un meilleur jour.

Cette nuit-là, depuis son perchoir, il crut voir une cérémonie dans les bois.

Réveillé par des craquements de flammes, la terreur l'avait immédiatement saisi à l'idée que les femmes avaient recommencé à incendier les arbres, et qu'il allait brûler vif.

Il ouvrit les yeux. À en juger par le halo qui éclairait une clairière un peu plus loin, le feu ne le menaçait pas directement. Des silhouettes dansaient autour des flammes. Des hommes et des femmes entièrement nus qui arboraient, peint à même la peau, le dessin d'une paume frappée du symbole de l'œil, d'où partaient les fils de courant qui s'enroulaient autour de leur corps.

De temps en temps, une femme couvrait de sa main le symbole peint sur la poitrine d'un homme et libérait une décharge d'un bleu électrique, qui précipitait l'homme à terre et leur arrachait à l'un et à l'autre des cris de joie et de plaisir. Tout en le maintenant plaqué au sol de sa main, elle s'asseyait alors à califourchon sur lui ; la frénésie déformait les traits de l'homme tandis qu'il la suppliait de le frapper encore, plus fort.

Cela faisait des mois que Tunde n'avait pas pris une femme dans ses bras, des mois qu'aucune femme ne l'avait tenu dans les siens. Taraudé par une folle envie de descendre de son perchoir pour pénétrer au centre du cercle de pierres et se laisser utiliser à l'instar de ces hommes, il se surprit à bander et se caressa distraitement à travers son jean, sans quitter le spectacle des yeux.

Il entendait de puissants tambourinements. Des tambours ? Comment était-ce possible ? Ne risquaient-ils pas d'attirer l'attention ? Non, tout ça ne devait être qu'un rêve.

Quatre jeunes hommes rampaient à présent à quatre pattes devant une femme vêtue d'une robe écarlate. Ses orbites se résumaient à deux trous laissant apparaître la chair rouge, à vif. En dépit de sa cécité, la femme conservait de l'assurance et une certaine majesté dans sa démarche. Les autres s'agenouillèrent, puis se prosternèrent devant elle.

Elle prit la parole, et les femmes lui répondaient.

Comme dans un rêve, Tunde comprenait ce qu'elles disaient, en dépit de ses modestes connaissances en roumain, et du fait qu'il était impossible qu'elles s'expriment en anglais. Et pourtant, il comprenait.

« Est-il prêt ? demanda l'aveugle.

— Oui, répondirent les femmes.

— Qu'on l'amène. »

Un jeune homme coiffé d'une couronne de branchages et vêtu d'un pagne blanc s'avança au centre du cercle, le visage serein. Il était celui dont le sacrifice volontaire rachèterait l'ensemble de ses semblables.

« Tu es faible et nous sommes puissantes, tu es le don qui nous est fait, déclara l'aveugle.

« Tu es la victime et nous sommes celles à qui appartient la victoire. Tu es l'esclave et nous sommes les maîtresses.

« Tu es le sacrifice consenti en notre nom.

« Tu es le fils et nous sommes la Mère.

« Reconnais-tu qu'il en est ainsi ? »

Tous les hommes présents dans le cercle dévoraient la scène des yeux.

«Oui, murmurèrent-ils. Oui, oui, s'il te plaît, oui, maintenant, oui.»

Le jeune homme tendit les poignets vers l'aveugle qui, d'un mouvement assuré et précis, en agrippa un dans chaque main.

Tunde se cramponnait à son appareil photo, conscient de ce qui allait se produire devant lui, et tellement impatient qu'il craignait d'oublier d'appuyer sur le déclencheur.

Cette aveugle représentait toutes les femmes qui avaient failli le tuer ou auraient pu le faire. Elle était Enuma et Nina, elle était la femme sur le toit à Delhi, mais aussi sa sœur Temi, Nour, Tatiana Moskalev et la femme enceinte prisonnière des décombres du centre commercial, en Arizona. Tout au long de ces années, ce risque couru avait toujours été présent à son esprit, il en avait senti le poids écrasant sur sa poitrine ; il voulait en finir, maintenant. Il aspirait, en cet instant, à être celui dont les poignets étaient prisonniers des mains de cette femme. Il aspirait à s'agenouiller à ses pieds et enfouir le visage dans la terre mouillée. Il voulait que le combat cesse, il voulait en connaître l'issue, même à ses dépens.

La femme retenait toujours les poignets du jeune homme.

Elle pressa son front contre le sien.

«Oui, murmura-t-il. Oui.»

Et lorsqu'elle le tua, ce fut l'extase.

Le matin venu, Tunde est encore en proie au doute. S'agissait-il d'un rêve ou pas ? Que le compteur de son appareil photo ait avancé de dix-huit poses ne prouve rien ; il aurait pu appuyer sur le déclencheur pendant son sommeil. Il n'aura de réponse que si la pellicule est développée. Il espère sincèrement qu'il s'agissait d'un rêve… Mais l'hypothèse charrie elle aussi son lot d'effarement si, même en rêve, il a ardemment désiré s'agenouiller ainsi…

Perché dans son arbre, Tunde réfléchit en profondeur aux événements de la veille. Curieusement, ils ont meilleure mine dans la clarté du matin, en tout cas ils sont moins terrifiants, c'est déjà ça. L'annonce de sa mort ne peut pas résulter d'une méprise ni d'une coïncidence. C'est trop énorme. Moskalev ou ses sicaires ont dû découvrir qu'il était parti, et son passeport avec lui. Le reste – l'accident de voiture, le corps carbonisé, la valise – n'est sans doute qu'une mise en scène. Une conclusion s'impose à lui : il lui est désormais impossible, comme il l'a souvent imaginé, de se présenter dans un commissariat, les mains en l'air, en disant : « Désolé, ici journaliste nigérian tête brûlée. J'ai fait des bêtises. Merci de bien vouloir me rapatrier. » Ils ne le rapatrieront pas. Ils l'emmèneront dans quelque endroit discret, dans les bois, et l'exécuteront. Il est seul.

Il doit absolument trouver une connexion Internet. Il y en aura forcément une, quelque part. Il trouvera bien un homme compréhensif qui le laissera utiliser son ordinateur ne serait-ce que quelques minutes. Il suffira d'un e-mail de cinq lignes pour convaincre tout le monde que c'est bien lui, qu'il est bel et bien vivant.

Il descend de l'arbre en tremblant de tous ses membres. Il va rebrousser chemin en restant à couvert dans la forêt et gagner un village qu'il a traversé quatre jours plus tôt et dans lequel il avait repéré quelques visages amicaux. Il enverra ses messages. Ils viendront le chercher. Il charge son sac sur le dos et prend la direction du sud.

Il entend un bruissement de feuillage, à droite. Il pivote. Le bruit se reproduit à gauche, puis derrière lui ; des femmes sont là, debout dans des broussailles et une certitude terrifiante se referme sur lui comme un piège à loup : elles l'attendaient. Elles ont patienté toute la nuit pour le capturer. Il s'apprête à courir, mais ses chevilles butent sur un obstacle – un fil de fer. Il trébuche et se sent tomber, il résiste, en vain, la chute lui semble interminable, il entend un rire, et sent une décharge au bas de la nuque.

Lorsqu'il revient à lui, rien ne va plus. Il est enfermé dans une cage à barreaux de bois. Son sac à dos est là, par terre, avec lui. Il a les genoux ramenés contre sa poitrine – la cage est trop exiguë pour tendre les jambes. Il comprend, à la douleur lancinante dans ses muscles, qu'il est dans cette position depuis déjà plusieurs heures.

Il se trouve dans un campement au milieu des bois. Un petit feu est allumé. Il connaît cet endroit. C'est celui qu'il a vu dans son rêve. Qui n'en était donc pas un. C'est le campement de la femme aveugle ; elle et ses comparses l'ont fait prisonnier. Tunde est saisi de tremblements incontrôlables. L'histoire ne peut pas se terminer ici. Il ne peut pas finir piégé comme ça, jeté dans les flammes ou exécuté au nom de quelque atroce religion qui vénère l'arbre magique. Il agite les jambes pour faire du bruit contre les barreaux de la cage.

«S'il vous plaît! crie-t-il, bien que personne ne semble se soucier de lui. S'il vous plaît! À l'aide!»

Un petit rire rauque se fait entendre à côté de lui. Tunde se dévisse le cou et voit une femme, qui l'observe.

«Toi, on peut dire que tu t'es fourré dans un sacré pétrin.»

Il oblige ses yeux à faire la mise au point. Il connaît cette voix, il l'a déjà entendue, il y a longtemps, très longtemps.

Il bat des paupières, et le visage de la femme se précise. C'est Roxanne Monke.

Roxy

«Je t'ai reconnu tout de suite. Je t'ai vu à la télé, pas vrai?»

Donc, se dit Tunde, c'est bien un rêve, finalement. Il commence à pleurer, tel un enfant perdu et en colère.

«Arrête ça tout de suite ou tu vas m'énerver, lance Roxanne Monke. Qu'est-ce que tu fiches ici?»

Il essaie de répondre, mais l'histoire ne fait plus sens, même à ses propres yeux. Il a décidé d'aller au-devant du danger en pensant être de taille à l'affronter, mais maintenant qu'il l'a trouvé, il voit clairement qu'il s'est surestimé et ça, c'est insupportable.

«J'étais à la recherche de… du culte montagnard», lâche-t-il finalement d'une voix rauque. Il a la gorge sèche, et mal à la tête.

Elle éclate de rire. «Sans blague? Ben tu l'as trouvé. Tu conviendras que c'était une idée franchement débile.»

D'un geste ample, elle désigne, disposées autour du feu, la quarantaine de tentes crasseuses et de huttes plus ou moins disloquées devant lesquelles des femmes aiguisent des couteaux, réparent des gantelets métalliques ou contemplent le vide d'un regard fixe. Il règne une odeur nauséabonde de chair brûlée, de nourriture pourrie, de fèces, de chien mouillé, le tout relevé d'une note aigre de vomi. Il y a un tas d'os à côté des latrines, et Tunde espère qu'il s'agit de restes d'animaux. Des chiens au regard abattu sont attachés par de courtes cordes à un arbre – l'un d'eux est borgne, et son pelage est pelé par endroits.

« Vous devez m'aider. S'il vous plaît, aidez-moi. »

Roxy Monke le dévisage. Quand elle lui adresse un drôle de sourire grimaçant et qu'elle hausse les épaules, Tunde comprend qu'elle est ivre. La poisse.

« Je ne vois pas trop ce que je peux faire, l'ami. Je n'ai pas beaucoup… d'influence, ici. »

Merde. Il va devoir déployer des trésors de séduction s'il veut arriver à ses fins. Et ce en étant coincé dans une cage dans laquelle il ne peut même pas remuer le cou. Il prend une profonde inspiration. Il peut le faire…

« Que faites-vous ici ? demande-t-il. Vous avez disparu le soir de la réception de Tatiana Moskalev, il y a plusieurs mois de ça. Quand j'ai quitté la ville, on racontait que vous aviez été liquidée. »

Roxy éclate de rire. « On racontait ça ? Vraiment ? Quelqu'un a bien essayé, oui. Et la convalescence a pris un bout de temps.

— Je vous trouve très en… forme. »

Tunde la détaille de la tête aux pieds d'un regard appréciateur. Il s'impressionne lui-même de pouvoir faire ça en étant empêché du moindre mouvement.

Elle part d'un nouvel éclat de rire. « J'allais devenir la présidente de ce foutu pays, tu sais. Pendant… trois heures, j'ai été la future présidente de la Bessapara.

414

« — Ah ouais ? Moi, j'allais être la star des meilleures ventes d'automne sur Amazon. (Il tourne la tête à droite, à gauche.) Vous croyez qu'ils vont envoyer un drone pour m'exfiltrer ? »

La plaisanterie la fait rire, et Tunde l'imite. Les femmes, devant leurs tentes, leur jettent des coups d'œil mauvais.

« Non, sérieux, que vont-elles faire de moi ?

— Pff, elles sont complètement tarées, répond Roxy. La nuit, elles font des chasses à l'homme dans la forêt. Elles envoient les jeunettes jouer les rabatteuses et quand vient l'hallali, elles tendent un piège, un fil, je crois, pour faire trébucher leur proie.

— C'est ce qui s'est passé. Elles m'ont chassé.

— Bon, tu t'es un peu jeté dans la gueule du loup, non ? »

Roxy ébauche un autre demi-sourire. « Elles ont un *truc*, avec les mecs ; elles raflent des petits jeunes, qu'elles traitent comme des princes pendant quelques semaines, puis elles leur collent des ramures sur la tête et elles les tuent la nuit de la nouvelle lune. Ou de la pleine lune. Enfin d'une lune, quoi. Elles sont obsédées par cette fichue lune. Si tu veux mon avis, c'est parce qu'elles n'ont pas la télé. »

Tunde éclate de rire, un rire sincère. Elle est marrante.

Voilà à quoi ressemble la magie au grand jour : des tours de passe-passe, de la cruauté. La seule magie qui existe réside justement dans le fait de croire en la magie. Or tout cela se résume à une poignée de déséquilibrées qui se sont laissé emporter par une idée folle. L'horreur là-dedans serait de s'imaginer à leur place, dans leur tête. Et de savoir que leur aliénation peut avoir des conséquences d'ordre physique.

« Dites, puisqu'on en parle…, reprend Tunde. Ce serait très compliqué pour vous, de me libérer ? »

Du pied, il donne un petit coup sur la porte de sa cage. Elle n'est fermée que par des cordes en ficelle. Avec un couteau, Roxy n'aurait aucun mal à les cisailler. Le problème, c'est plutôt le manque de discrétion.

Elle extrait une flasque de sa poche arrière et boit une petite gorgée. Elle secoue la tête.

« Elles me connaissent, dit-elle, mais je leur fiche la paix, et elles font pareil.

— Si je résume, vous vous planquez depuis des semaines dans les bois pour fiche la paix à ces femmes.

— Ouais, c'est ça. »

Le souvenir d'une lointaine lecture revient à l'esprit de Tunde. Un miroir flatteur, voilà ce qu'il doit être pour elle. Un miroir qui, en lui renvoyant une image avantageuse d'elle-même, lui donnera l'impression d'être assez forte pour accomplir ce geste qu'il attend d'elle. Sans cela, marmonne une voix dans sa tête, la Terre ne serait encore probablement que jungle et marécage.

« Ça ne vous ressemble pas, observe-t-il.

— Je ne suis plus celle que j'étais, l'ami.

— Vous ne pouvez pas cesser d'être qui vous êtes. Vous êtes Roxy Monke. »

Elle lâche un reniflement. « Tu veux que je me batte avec elles et qu'on file ensemble d'ici ? Dans tes rêves… »

Il répond d'un petit rire, comme s'il était clair qu'elle plaisantait pour l'asticoter.

«Qui parle de se battre ? Vous êtes Roxy Monke. Vous avez du pouvoir à revendre. Vous êtes la femme la plus puissante que l'on connaisse. J'ai entendu parler de vous, j'ai d'ailleurs toujours voulu vous rencontrer. Vous avez liquidé l'ennemi de votre père, avant de mettre ce dernier au rancart et de reprendre l'affaire. Si vous intercédiez en ma faveur, elles ouvriraient la cage. »

Roxy secoue la tête. «Pour ça, il faudrait leur offrir quelque chose en échange. » Mais Tunde voit bien que l'idée est en train de faire son chemin.

«Que possédez-vous qu'elles pourraient vouloir ? » demande-t-il.

Elle enfonce les doigts dans la terre humide, en garde deux poignées au creux des mains.

«Je me suis promis de faire profil bas, répond-elle.

— Mais ça ne vous ressemble pas, objecte-t-il. J'ai lu des choses, à votre sujet. »

Il hésite, puis tente sa chance. «Je pense que vous allez m'aider parce que cela ne vous coûte rien. Parce que vous êtes Roxy Monke. S'il vous plaît. »

Elle déglutit. Et dit : «Ouais, ouais, c'est bien moi. »

Au crépuscule, d'autres femmes regagnent le camp, et Roxanne Monke négocie la vie du prisonnier avec l'aveugle.

J'avais raison, constate Tunde en observant les pourparlers : ces femmes la respectent et semblent aussi la craindre un peu. Roxy agite devant les meneuses un petit sac en plastique contenant des drogues et fait une demande, qui se heurte visiblement à une réponse négative. Du coup, elle hausse les épaules et désigne Tunde d'un mouvement de tête. Bon, d'accord, semble-t-elle dire, si on ne peut pas s'entendre de cette façon, alors, à la place, je prends le garçon.

Les femmes sont d'abord surprises, puis suspicieuses. Vraiment ? Lui ? Ce n'est pas une entourloupe ?

S'ensuit un petit marchandage avec l'aveugle ; Roxy tient bon. Au final, il n'en faut pas beaucoup pour convaincre ces femmes de relâcher le prisonnier. Si elles respectent Roxy, Tunde, lui, ne semble guère avoir de valeur à leurs yeux. Roxy le veut ? Qu'elle l'emmène. Les soldats seront bientôt là, de toute façon, la guerre se rapproche de jour en jour. Ces femmes ne sont pas folles au point de s'obstiner à rester là dans ces conditions. D'ici deux à trois jours, elles démantèleront le camp et s'enfonceront vers les montagnes.

Elles lui attachent solidement les poignets dans le dos. Et, certainement par égard pour Roxy, lui rendent son sac à dos – cadeau.

« Évite de te montrer trop amical avec moi, le prévient Roxy en le poussant devant elle pour le laisser ouvrir la marche à travers bois. On ne veut pas qu'elles s'imaginent que je t'aime bien, ou que je t'ai eu pour une bouchée de pain. »

À cause de son séjour de plusieurs heures dans la cage, Tunde a des crampes dans les jambes, il avance lentement sur le sentier en traînant des pieds. Il leur faut une éternité pour disparaître du champ de vision des femmes, et encore une autre éternité pour ne plus entendre aucun bruit derrière eux.

À chaque pas, Tunde songe : Je suis poings liés et à la merci de Roxanne Monke. C'est une femme dangereuse, dans le meilleur des cas. Et si elle était juste en train de s'amuser avec moi ? Dès lors que ces pensées ont traversé son esprit, impossible de les effacer. Il chemine en silence sur quelques kilomètres, jusqu'à ce que Roxy déclare : « C'est bon, on est assez loin. » Elle sort un couteau de sa poche et tranche les liens de ses poignets.

« Qu'allez-vous faire de moi ? demande-t-il.

— Sauver ta peau, je suppose. Te ramener chez toi. Je suis Roxy Monke, après tout. » Elle part d'un éclat de rire. « Tu es célèbre, c'est déjà ça, non ? Des gens seraient prêts à payer cher pour errer dans la forêt avec une célébrité, pas vrai ? »

Tunde rigole à son tour, et ce rire est contagieux. Les voilà tous les deux pliés de rire contre un arbre, à devoir chercher leur souffle. Cette hilarité a le mérite d'alléger l'ambiance entre eux, la situation devient plus facile.

« On va où ? » veut savoir Tunde.

Roxy hausse les épaules. « En ce moment, je fais profil bas. Il y a quelque chose de pourri, chez les miens. Quelqu'un… m'a trahie. Ça m'arrange qu'on me croie morte, le temps de trouver comment m'y prendre pour récupérer ce qui m'appartient.

— Et du coup tu te caches dans une zone de guerre. Ce n'est pas *une idée débile*, ça ? »

Elle lui décoche un regard incisif.

Il prend un risque ; il sent déjà des picotements dans l'épaule, là où elle lui administrera une décharge si jamais il l'a énervée. Tunde est peut-être une célébrité, mais elle, elle traîne une sacrée réputation.

«Si, probablement», répond-elle. Elle donne un coup de pied dans un tas de feuilles mortes amalgamées à des cailloux.

«Cela étant, je n'avais pas trop le choix.

— Tu ne pouvais pas t'envoler discrètement pour l'Amérique du Sud et te planquer dans une jolie petite propriété? J'imaginais qu'on assurait toujours ses arrières, dans ta branche.»

Tunde cherche à voir jusqu'où il peut la pousser. Si elle doit lui faire du mal, autant qu'il le sache. Tout son corps est tendu dans l'attente du coup – qui ne vient pas.

Elle enfonce les mains dans ses poches. «Je suis bien ici, dit-elle. Les gens la bouclent. Et j'avais planqué deux ou trois bricoles, au cas où.»

Il songe au contenu du petit sac avec lequel elle a monnayé sa libération. Quand on profite des failles d'un régime instable pour faire du trafic de drogue, sans doute dispose-t-on de quantité de planques pour la stocker, au cas où.

«Hé, tu ne vas pas raconter ça dans tes articles?

— Tout dépendra si je sors vivant de cette aventure.»

Cela aussi les fait rire, et après une minute, Roxy ajoute: «C'est mon frère, Darrell. Il a quelque chose qui m'appartient. Et il va me falloir jouer très finement pour le lui reprendre. Je vais t'aider à rentrer chez toi, mais tant que je n'ai pas calé de plan, pas de vagues, d'accord?

— Ce qui signifie…

— Qu'on va passer quelques nuits dans un camp de réfugiés.»

C'est ainsi qu'ils débarquent dans un village de tentes installé dans un champ boueux, au creux d'une étroite vallée. C'est l'affaire de quelques jours, assure Roxy. On va se rendre utiles. Rencontrer les gens, faire connaissance, voir ce qu'ils veulent.

Au fond de son sac à dos, Tunde retrouve son accréditation d'une agence de presse italienne ; elle est périmée depuis un an mais la carte reste un sésame et encourage quelques langues à se délier. En déambulant de tente en tente, Tunde apprend que les combats ont été plus nombreux qu'il ne l'avait entendu dire et que, depuis trois semaines, les hélicoptères chargés de ravitailler le flot continu de déplacés qui émergent des bois n'atterrissent même plus. L'Unesco, et c'est compréhensible, répugne à risquer la vie de ses équipes dans la zone et organise désormais des largages de vivres, tentes, médicaments, vêtements.

Au camp, Roxy est traitée avec respect. Elle sait comment se procurer certaines drogues ou de la nourriture ; elle aide ces réfugiés à satisfaire certains de leurs besoins. Et parce qu'il est avec elle, qu'il dort sur un lit métallique sous sa tente, tout le monde fiche la paix à Tunde. Pour la première fois depuis des semaines, il se sent un peu en sécurité. Il sait que c'est illusoire, bien sûr. Contrairement à Roxy, il ne pourrait pas s'aventurer dans les bois. Même en admettant qu'il échappe aux griffes d'une autre secte sylvestre, il est un sans-papiers, désormais.

En interviewant une poignée de réfugiés qui parlent anglais, Tunde a appris que les autorités raflent les hommes ne pouvant attester d'une gardienne officielle et les envoient en « camp de travail » dont nul ne revient jamais. Des éditoriaux dans des journaux s'en sont faits l'écho, de même que certains envoyés spéciaux visibles sur la seule télévision noir et blanc en état de marche, dans la tente de l'hôpital.

Le sujet du jour est le suivant : De combien d'hommes avons-nous réellement besoin ? Réfléchissez bien, nous dit-on : les hommes sont dangereux ; ils sont responsables de la grande majorité des crimes ; ils sont moins intelligents, moins diligents, moins travailleurs ; ils réfléchissent avec leurs muscles et avec leur bite. Étant plus vulnérables face à la maladie, ils grèvent le budget du pays. Certes, il en faut pour concevoir des bébés, mais de combien en avons-nous besoin au juste ? Moins que de femmes. Les hommes bons et obéissants qui n'ont rien à se reprocher, bien sûr qu'il y aura toujours une place pour eux. Mais combien sont-ils, proportionnellement ? Un sur dix, peut-être.

Allons, Kristen, vous me faites marcher. Est-ce vraiment là ce qui se dit ? J'en ai bien peur, Matt. Elle pose une main délicate sur son genou. Ces femmes ne parlent pas de types formidables comme vous, pourtant c'est bien là le message de quelques sites extrémistes. Et c'est pour ça que les filles de NorthStar doivent être investies de plus d'autorité – pour nous protéger des dérives de ces ultras. Matt opine, son visage s'est rembruni. Pour moi, la faute en incombe à ces défenseurs des droits des hommes ; c'est leur jusqu'au-boutisme qui a provoqué ces réponses radicales. Il n'empêche que maintenant nous devons nous protéger. Et après la coupure publicitaire, enchaîne-t-il avec un sourire, j'apprendrai devant vous quelques techniques d'autodéfense amusantes auxquelles vous pourrez vous entraîner chez vous. Mais d'abord, c'est l'heure de votre bulletin météo.

Même après tout ce qu'il a vu, même en sachant qu'il y a eu des précédents, Tunde peine à croire que ce pays cherche à décimer la majeure partie de sa population masculine. La liste des crimes passibles de mort s'est allongée. Une déclaration dans un journal datant de la semaine dernière laisse entendre que «trois refus d'obtempérer seront désormais punis par un séjour en camp de travail». Il y a parmi les cohortes de réfugiés des femmes qui veillent sur huit ou dix hommes à la fois ; ils suivent leur gardienne comme son ombre, rivalisent de diligence, ils sont prêts à tout pour lui faire plaisir et sont terrifiés à l'idée qu'elle retire son nom de leurs papiers. Roxy pourrait quitter le camp n'importe quand, mais Tunde, lui, est seul ici.

Au cours de leur troisième nuit au camp, Roxy se réveille quelques instants avant que le premier crépitement de courant ne fasse exploser les lampes suspendues le long de l'allée centrale. Sans doute a-t-elle été alertée par un bruit, ou l'a-t-elle deviné au fredonnement de la toile de tente en nylon. Il y a de l'électricité dans l'air. Elle ouvre les yeux, cligne des paupières. Les vieux instincts sont toujours aussi présents, c'est déjà ça.

Elle pousse du pied le cadre métallique du lit de Tunde.

«Réveille-toi.»

Enchevêtré dans son sac de couchage, Tunde rabat un pan de duvet. Il est quasi nu, là-dessous. Une source de distraction, même en cet instant.

«Quoi ? Que se passe-t-il ? » Et il ajoute, d'un ton plein d'espoir : «Un hélicoptère ?

— Si seulement… On nous attaque. »

D'un coup, Tunde est complètement réveillé, il est déjà en train d'enfiler son jean et sa polaire quand retentissent un bruit de verre brisé et un fracas métallique.

«Baisse-toi, reste au sol, lui ordonne Roxy. Et si tu peux, cours jusque dans le bois et grimpe à un arbre.»

Quelque part dans le camp, une femme pose la main sur le générateur central, convoque toute la charge emmagasinée dans son fuseau, et fait exploser toutes les ampoules dans un bouquet d'étincelles et d'éclats de verre. Le camp est plongé dans l'obscurité.

Au fond de la tente, là où les coutures ont pourri et laissent s'infiltrer la pluie, Roxy soulève la toile et Tunde détale en direction de la forêt. Elle devrait le suivre. C'est ce qu'elle compte faire, dans un instant. Pour l'heure, elle enfile une veste sombre, avec une capuche profonde, et enveloppe sa tête d'un foulard qui masque une partie de son visage. Elle va traverser le camp sans se faire remarquer. Elle veut voir ce qui se passe. Comme si elle pouvait encore faire ses quatre volontés.

On entend déjà les premiers cris et hurlements. Une chance que leur tente ne se soit pas trouvée en lisière du camp, là où certaines sont déjà en flammes, probablement avec leurs occupants à l'intérieur. Une odeur écœurante d'essence flotte dans l'air. Il faudra encore plusieurs minutes avant que l'ensemble de la population du camp comprenne ce qui se passe, qu'il ne s'agit pas d'un accident, ni d'un incendie du générateur. Entre les tentes, à la faveur du rougeoiement des flammes, Roxy aperçoit une femme, petite, trapue, qui fait jaillir des étincelles de ses paumes. À chaque flash aveuglant qui illumine crûment son visage, Roxy distingue son expression. Cette délectation, cette avidité ne présagent rien de bon. Comme aurait dit son père : il faut toujours se méfier des exaltés. Roxy comprend que ces femmes ne sont pas venues faire main basse sur le camp.

Elles commencent par rassembler les jeunes hommes. Elles passent de tente en tente pour les mettre à terre ou les incendier, de sorte que leurs occupants ont le choix entre sortir en courant ou être brûlés vifs. N'importe quel jeune homme un tant soit peu séduisant fait leur affaire. Roxy a eu raison d'envoyer Tunde se mettre à l'abri dans la forêt. Une épouse, ou une sœur peut-être, tente d'empêcher deux femmes de capturer l'homme à la peau claire et aux cheveux bouclés qui l'accompagne. Elle les affronte à coups de décharges délivrées avec précision vers le menton et les tempes. Mais ses adversaires n'ont aucun mal à prendre l'avantage, avec une incroyable brutalité. L'une des deux l'empoigne par les cheveux tandis que l'autre la foudroie dans les yeux, avant de presser avec ses pouces sur ses globes oculaires qui rentrent dans leurs orbites dans un jaillissement laiteux. Même Roxy doit brièvement détourner le regard.

Elle s'enfonce plus profondément dans le bois et grimpe à un arbre, une main après l'autre, en s'aidant d'un bout de corde. Le temps qu'elle trouve une fourche à trois branches, les femmes ont reporté leur attention sur l'homme.

Il hurle sans discontinuer. Deux femmes le prennent à la gorge et lui envoient une décharge paralysante dans la moelle épinière. L'une d'elles le jette à terre, s'accroupit au-dessus de lui et lui arrache son pantalon. L'homme est encore conscient. Il a les yeux écarquillés et brillants, il cherche sa respiration. Un autre réfugié se précipite à son secours et récolte une crevasse sur la tempe.

La femme accroupie sur sa proie prend ses organes génitaux dans le creux de sa paume. Elle dit quelque chose, rigole, et fait rire ses acolytes. Elle lui chatouille l'entrejambe du bout d'un doigt, en roucoulant, comme si elle cherchait à lui donner du plaisir. L'homme ne peut pas parler ; sa gorge est enflée. Peut-être a-t-il déjà la trachée sectionnée. La femme incline la tête de côté et se fend d'une petite grimace chagrine en dévisageant sa victime. Cette langue-là est universelle : « Que se passe-t-il ? Il y a un souci ? » L'homme se débat, rue, donne des coups de talon dans le sol, mais il est trop tard pour échapper à son bourreau.

Roxy déplore ce qui se passe sous ses yeux. Si elle en avait le pouvoir, elle se laisserait choir de sa planque et irait régler leur compte à ces femmes. Elle commencerait par les deux qui se trouvent au pied de l'arbre. Les autres n'auraient pas le temps de réagir, et quand ces trois là-bas, avec leurs couteaux, fondraient sur elle, elle irait se réfugier à gauche, entre ces deux chênes, ce qui obligerait ses adversaires à venir l'affronter une par une. Et en moins de deux, elle récupérerait un couteau. Mais il n'y a rien de tout cela qu'elle puisse faire. Elle est incapable de les arrêter. Alors, elle observe la scène. Pour pouvoir témoigner.

La femme assise sur la poitrine de l'homme libère une première étincelle sur ses organes génitaux. L'homme continue à pousser des cris étouffés, à lutter pour s'échapper. La douleur doit encore être supportable à ce stade ; Roxy a déjà fait ça à des mecs, pour leur plaisir réciproque.

Inévitablement, le membre de l'homme se dresse au garde-à-vous – le traître, l'idiot – et la femme se fend d'un petit sourire et d'un haussement de sourcils, comme pour dire : Tu vois ? Tu avais juste besoin de quelques encouragements. Elle tire légèrement sur ses testicules, une fois, deux fois, comme s'il s'agissait d'un jeu érotique, puis elle envoie une décharge puissante dans le scrotum. L'homme hurle, cambre les reins. La femme déboutonne alors la braguette de son pantalon de treillis et s'empale sur le membre dressé.

Ses copines sont hilares en la regardant s'activer avec enthousiasme. Une main fermement en appui sur le ventre de sa victime, elle lui administre une nouvelle décharge chaque fois qu'elle se soulève, cuisses serrées. Dans le public, quelqu'un a sorti un téléphone portable et immortalise la scène. L'homme tente de plaquer un bras sur son visage, mais on le lui écarte de force. Non, non, pas question – elles veulent un souvenir.

Les femmes encouragent leur championne, qui commence à se caresser et à s'activer avec de plus en plus d'ardeur, mais nullement pour maximiser une douleur potentiellement excitante – non, juste avec brutalité. Il est facile de s'emballer à l'approche de la conclusion; Roxy en a d'ailleurs fait quelquefois l'expérience, et ses partenaires en ont été quittes pour une belle frayeur.

Chaque fois qu'elle bascule légèrement le buste vers l'avant, la femme libère une décharge dans le ventre de l'homme. Lui essaie d'écarter cette main, il crie et bat des bras, il bredouille des mots que Roxy ne comprend pas – mais « Aidez-moi, mon Dieu » résonne de la même manière dans toutes les langues.

Quand la femme jouit, un grondement d'approbation monte des rangs de ses comparses. Elle renverse la tête en arrière, penche le buste vers l'avant et libère une puissante décharge électrique dans la poitrine de sa victime. Elle se relève, tout sourire, et son public la congratule de tapes dans le dos. Elle s'ébroue tel un chien et on voit à son air qu'elle n'est pas encore rassasiée. Le groupe qui l'entoure entonne une psalmodie tout en lui ébouriffant les cheveux et en la félicitant d'une tape poing contre poing. Le jeune homme pâle aux cheveux bouclés a succombé à la dernière décharge. Ses yeux sont grands ouverts, son regard est fixe. Un réseau de cicatrices écarlates a envahi son torse et monte s'enrouler autour de sa gorge. Son érection subsistera encore un petit moment, mais tout le reste n'est déjà plus. Finies les convulsions, terminée l'agonie. Des flaques de sang apparaissent sous son dos, autour de ses fesses, de ses talons. La femme a posé sa main sur son cœur, et l'a tué net.

Chaque chagrin produit un son qui lui est propre. La tristesse gémit ou crie sa douleur à l'adresse des cieux comme un bébé appelle sa mère. Ce chagrin-là, bruyant, est porté par l'espoir que la situation pourrait s'arranger, que de l'aide pourrait encore arriver. Parfois, le chagrin demeure muet. Les bébés laissés seuls trop longtemps ne pleurent même plus, conscients que personne ne viendra.

Bien des yeux, dans le noir, ont observé la scène, mais les cris d'effroi se sont tus. Il n'y a pas d'explosion de colère. Les hommes restent silencieux. Ailleurs dans le camp, des réfugiées combattent encore pour repousser les envahisseuses, des hommes ramassent des pierres ou des morceaux de métal pour riposter, mais ici, ceux et celles qui ont vu de quoi ces femmes soldats étaient capables se tiennent cois.

Deux d'entre elles viennent assener quelques coups de pied au corps sans vie du jeune homme et le couvrent ce faisant d'un peu de terre, ce qui pourrait être interprété comme un signe de piété, d'opprobre, ou comme une intention de l'ensevelir – mais il n'en est rien : elles l'ont juste sali et le laissent se vider de son sang, pour se mettre en quête de leur propre récompense.

Les atrocités commises dans ce camp de réfugiés ce jour-là ne répondent à aucune revendication particulière. Il n'y a aucun territoire à conquérir, aucune cause à venger, ni aucun soldat ennemi à capturer. Ces femmes tuent les hommes âgés devant leurs cadets d'une main posée sur le visage ou autour de la gorge ; l'une d'elles fait la démonstration de ses talents en gravant du bout des doigts des motifs obscènes sur la chair. Nombre d'entre elles s'approprient quelques hommes, les utilisent, s'amusent avec eux.

L'un d'eux se voit offrir le choix entre conserver ses bras ou ses jambes. Il choisit les jambes, mais elles ne tiennent pas parole. Elles savent que tout le monde se moque complètement de ce qui se passe ici. Personne n'interviendra pour protéger ces réfugiés, nul ne s'inquiète de leur sort. Leurs corps pourraient demeurer dix ans dans ces bois avant que quelqu'un ne les découvre. Ces femmes font ça parce qu'elles le peuvent, voilà tout.

Peu avant l'aube, elles sont fatiguées mais entre l'électricité qui fredonne en elles, la drogue qui circule dans leurs veines et l'excitation qui résulte de leurs exactions, elles sont incapables de dormir. Roxy se tient immobile depuis des heures. Ses membres sont endoloris, un poids écrase ses côtes, elle sent des tiraillements le long de sa cicatrice. Ce spectacle terrifiant dont elle a été témoin l'a épuisée.

En entendant son nom prononcé à voix basse, elle sursaute et manque de dégringoler de l'arbre, tant elle a les nerfs à fleur de peau et l'esprit confus. Depuis ce qui lui est arrivé, il lui arrive parfois d'oublier qui elle est. Elle a besoin que quelqu'un le lui rappelle. Elle regarde à gauche, à droite, et le voit. À deux arbres de là, Tunde est toujours vivant. Il s'était arrimé à une branche avec trois bouts de corde, mais maintenant qu'il l'a aperçue, il commence à s'en libérer. Après les événements de la nuit, Tunde lui fait l'effet d'un baume au cœur, et elle voit bien que c'est un sentiment partagé. Qu'ils sont l'un pour l'autre, dans ce cauchemar, un havre de familiarité et de sécurité.

Tunde grimpe un peu plus haut, à l'endroit où les branches se touchent et s'entremêlent, puis il vient à sa rencontre et se laisse tomber avec souplesse sur son petit perchoir. C'est une bonne cachette, ce creux à l'intersection de deux branches maîtresses ; si une personne s'adosse au tronc, une seconde peut se nicher entre ses jambes. Malgré la lumière faiblarde, Roxy voit que Tunde est blessé, il a une fracture au niveau de l'épaule. Ils s'allongent l'un contre l'autre, Tunde lui prend la main et entrelace ses doigts aux siens pour les empêcher de trembler. Ils ont peur. Il dégage une odeur fraîche, végétale, un parfum de bourgeons.

« Je t'ai crue morte, quand j'ai vu que tu ne m'avais pas suivi, dit-il.

— Ne parle pas trop vite. Ça pourrait bien être le cas dans quelques heures. »

En guise de rire, il expulse un souffle court et râpeux. « Même ici le monde a été rattrapé par les ténèbres », observe-t-il, et totalement hébétés, ils se laissent happer par une transe qui ressemble au sommeil. Ils ne devraient pas rester là, mais la présence d'un corps familier est un tel réconfort qu'ils ne peuvent y renoncer.

Quand ils rouvrent les yeux, il y a quelqu'un dans leur arbre, quelques branches en dessous. Une femme en treillis vert ; elle porte un gantelet de l'armée à une main, et des étincelles crépitent à l'extrémité de trois de ses doigts tandis qu'elle grimpe en criant quelque chose à une acolyte restée au sol. Elle se sert des flashs lumineux pour sonder les arbres et brûler le feuillage envahissant. Il fait encore suffisamment noir pour qu'elle ne puisse pas les voir.

Roxy se souvient d'un jour où, avec deux ou trois filles, elles avaient entendu dire qu'une femme infligeait une dérouillée à son petit ami en pleine rue. Il fallait y mettre bon ordre ; quand on fait la loi sur un territoire, on ne peut pas laisser perdurer ce genre de désordre. Le temps d'arriver sur place, il ne restait plus que la femme, ivre, en train de vitupérer. Elles avaient fini par retrouver l'homme caché dans le placard sous l'escalier, et même si elles s'étaient efforcées de se montrer bienveillantes, Roxy n'avait pu s'empêcher de se dire : Pourquoi ne t'es-tu pas défendu ? Pourquoi n'as-tu pas au moins essayé ? Tu aurais pu trouver une poêle à frire, ou une pelle, et l'assommer. Tu pensais que ça te servirait à quoi au juste, de te cacher ? Et la voilà maintenant, qui se cache. Comme un homme. Elle ne sait plus trop ce qu'elle est.

Tunde est appuyé contre elle, les yeux grands ouverts, le corps tendu, parfaitement immobile. Lui aussi a repéré la femme soldat. Ils sont bien cachés, même si l'aube accroît le danger. Si la femme renonce à fouiller plus avant, ils pourraient s'en tirer sains et saufs.

Cette dernière poursuit son ascension. Elle a mis le feu aux branches les plus basses, mais les flammes ne se sont pas propagées. Il a plu récemment – une chance. Une de ses copines lui lance une longue barre en métal. Elles se sont bien amusées avec cet accessoire conducteur d'électricité. Elles lui ont trouvé toutes sortes d'usages. La femme commence à balayer à grands gestes les branches les plus hautes de l'arbre voisin. Nulle cachette n'est parfaite.

Subitement, elle plante sa barre à un mètre d'eux. Chaque fois que la femme agite les bras, Roxy sent son odeur – cette combinaison âcre de transpiration mêlée aux émanations acides du Glitter et à la note piquante et poivrée du courant, c'est l'odeur d'une femme au comble de sa puissance et incapable de la contenir, et pour Roxy, elle est aussi familière que celle de sa propre peau.

« Envoie-lui une décharge, juste une, lui chuchote Tunde. Sa barre est conductrice dans les deux sens. La prochaine fois qu'elle vient vers nous, attrape-la, et lâche une grosse décharge. Elle en tombera à la renverse et pendant que les autres s'occuperont d'elle, on pourra s'échapper. »

Roxy secoue la tête et, en voyant les larmes lui monter aux yeux, Tunde éprouve une drôle de sensation, comme si son cœur s'était ouvert et que tous les fils qui le faisaient battre s'étaient déroulés d'un coup.

Il songe à cette cicatrice qu'il a entraperçue le long de sa clavicule, et qu'elle veille à toujours dissimuler. Il songe à la façon dont elle a obtenu sa libération, à coups de négociation, de menaces, de charme, mais… L'a-t-il déjà vue… A-t-elle déjà blessé qui que ce soit en sa présence, depuis qu'elle l'a trouvé dans cette cage ? Et pourquoi se cachait-elle dans la jungle, elle, Roxanne Monke, dont le pouvoir reste à ce jour inégalé ? Il n'y a jamais réfléchi. Pendant toutes ces années, il ne s'est jamais demandé ce que pourrait être une femme privée de ce pouvoir, ni comment elle pouvait s'en voir spoliée.

La femme soldat continue à sonder le feuillage de sa tige métallique, dont l'extrémité heurte l'épaule de Roxy qui, malgré la douleur cuisante, n'émet pas le moindre cri.

Tunde examine les environs : sous l'arbre, un sol meuble et détrempé ; derrière eux, plusieurs tentes

433

sauvagement démantelées et piétinées, et trois femmes qui s'amusent avec un jeune homme qui n'en a plus pour bien longtemps. Un peu plus loin se trouve le générateur calciné et, en partie dissimulé par des branches, un vieux bidon d'essence qui servait à collecter l'eau de pluie. S'il est plein, il ne leur sera d'aucune utilité. Mais il se pourrait qu'il soit vide.

La femme perchée dans l'arbre appelle ses amies, qui l'encouragent. Elles ont trouvé un fuyard qui se cachait dans un arbre à l'entrée du camp. Elles en cherchent d'autres. Tunde déporte très prudemment le poids de son corps d'une jambe sur l'autre. Au moindre bruit, leur sort sera scellé. Tout ce dont ils ont besoin pour pouvoir filer, c'est d'une distraction qui détournera l'attention de ces femmes quelques instants. Il plonge la main dans la poche intérieure de son sac à dos, fouille du bout des doigts et en extrait trois boîtes de pellicule. Roxy l'observe, sans un bruit. Elle devine à son expression ce qu'il va tenter de faire. Tunde laisse brusquement pendre son bras droit, comme une branche de vigne vierge qui se serait détachée de l'arbre, et lance la boîte logée au creux de sa main en rase-mottes vers le vieux bidon.

Loupé. Le lancer était trop court. La boîte s'est écrasée avec un bruit sourd dans la terre. Un coup pour rien. La femme soldat a repris son ascension et fait d'amples mouvements de balayage avec sa tige métallique. Tunde prend une autre boîte, plus lourde celle-là. Pourquoi ? se demande-t-il, intrigué. Puis il se souvient – c'est là qu'il a rangé sa petite monnaie américaine. Comme s'il allait retrouver un jour l'utilité de ces *cents*. Il en rirait presque, mais en attendant, c'est lourd. La boîte volera mieux. Il a soudain envie de la porter à ses lèvres, comme le faisaient ses oncles avec leur ticket de pari quand ça se jouait au coude-à-coude sur le champ de courses. Vas-y, petite boîte. Vole pour moi.

Il laisse pendre sa main. La balance d'avant en arrière comme un pendule une, deux, trois fois. Allez, vas-y. Tu peux y arriver.

La boîte s'envole. Et le choc, lorsqu'il se produit, résonne bien plus fort que Tunde ne s'y était attendu. La boîte a heurté le bord du bidon, qui ne doit pas être rempli d'eau si l'on en croit ce bruit métallique qui se réverbère sans fin, comme un gong. Un peu partout dans le camp, des têtes se tournent vers la source du tintamarre. Maintenant, maintenant. Sans perdre une seconde, Tunde renouvelle l'opération avec la troisième boîte, remplie d'allumettes. L'impact est tout aussi sonore, comment ne pas penser cette fois que quelqu'un a décidé de riposter ? Qu'un fou appelle la foudre à s'abattre sur lui ?

Le temps que les femmes soldats accourent des quatre coins du camp, Roxy casse une épaisse branche morte qu'elle lance de toutes ses forces en direction du bidon pour produire un nouvel impact avant qu'elles n'identifient le stratagème. La femme qui se trouvait dans leur arbre en redescend précipitamment, pressée d'être la première à châtier l'insensé, quel qu'il soit, qui s'imaginait pouvoir leur tenir tête.

Tunde ne saurait dire si la douleur qui a envahi son corps résulte des crampes, de ses fractures, ou de la cicatrice qui court le long des épaules de Roxy et lui inflige la même souffrance que si l'incision avait été pratiquée dans sa propre chair. Il se suspend à bout de bras, cherche de la pointe des orteils le contact de la grosse branche qui se trouve en dessous. Puis la parcourt en courant, imité par Roxy. Ils se laissent tomber au sol en espérant que la végétation sera assez dense pour masquer leurs silhouettes en mouvement.

Tunde risque un coup d'œil en arrière, et Roxy suit son regard, pour voir si les femmes se sont lassées de s'en prendre à un bidon vide et si elles se sont lancées à leurs trousses.

Elles ne le sont pas. Le bidon n'était pas vide. Les femmes sont en train de le bourrer de coups de pied, de rire et d'en extraire le contenu. L'espace d'un flash, Tunde discerne, et Roxy avec lui, ce qu'elles ont découvert et brandissent à bout de bras : deux enfants de cinq ou six ans, qui s'étaient cachés à l'intérieur et qui sanglotent, encore recroquevillés sur eux-mêmes ; deux petits animaux sans défense qui essaient de se protéger. Un pantalon bleu à l'ourlet déchiré. Des pieds nus. Une robe d'été semée de marguerites jaunes.

Si Roxy avait été en possession de son pouvoir, elle serait revenue sur ses pas pour réduire en cendres chacune de ces femmes. Les choses étant ce qu'elles sont, Tunde lui prend la main et l'entraîne à sa suite. Ces enfants n'auraient jamais survécu, de toute façon. Ils seraient morts d'hypothermie au fond du bidon. Pas forcément. Ils auraient aussi pu résister au froid, et vivre…

Ils courent main dans la main dans l'aube froide, chacun répugnant à lâcher l'autre.

Roxy connaît la situation de ces campagnes et les routes les plus sûres, et Tunde est un expert pour repérer des endroits discrets où se cacher. Ils continuent à courir jusqu'à ce que leurs jambes les lâchent, mais ils ne s'arrêtent pas pour autant, ils continuent à avancer, kilomètre après kilomètre, sans parler, paume contre paume. À l'approche du crépuscule, Tunde aperçoit au loin l'une des nombreuses gares abandonnées essaimées dans cette région ; en attendant des trains soviétiques qui ne sont jamais venus, elles servent de refuge aux oiseaux. Ils brisent une fenêtre pour y pénétrer ; à l'intérieur, Tunde déniche quelques coussins moisis sur des bancs en bois et, dans un placard, une unique couverture de laine sèche. Ils n'osent pas allumer de feu, mais ils partagent la couverture en se blottissant l'un contre l'autre dans un coin de la salle.

Il dit : « J'ai fait une chose terrible. » Et elle lui répond : « Tu m'as sauvé la vie. »

Elle ajoute : « Si tu savais tout ce que j'ai fait, tu n'en croirais pas la moitié, des trucs vraiment moches.

— Tu m'as aussi sauvé la vie », répond-il.

Cette nuit-là, dans le noir, il lui parle de Nina, il lui raconte comment elle a publié ses textes, ses photos, ses témoignages sous son propre nom. Cette fille n'avait que ça en tête depuis le début : lui voler son travail. À son tour, elle lui parle de Darrell, et de ce qu'il lui a pris, et en entendant ce récit Tunde comprend tout : pourquoi elle se comporte comme elle le fait, pourquoi elle a vécu terrée ces derniers mois plutôt que de rentrer chez elle pour libérer ses foudres contre son frère, comme le ferait une Monke.

Pourquoi elle avait à moitié oublié jusqu'à son propre nom avant que Tunde ne le lui rappelle.

L'un des deux demande : « Pourquoi ont-ils fait ça, Nina et Darrell ? »

Et l'autre répond : « Parce qu'ils le pouvaient. »

Et c'est la seule réponse qui sera jamais.

Elle lui prend le poignet dans sa main et il n'a pas peur. Du pouce, elle lui caresse la paume. « De la façon dont je vois les choses, dit-elle, je suis morte, et toi aussi. Comment on s'amuse dans ce coin, quand on est mort ? »

Ils sont tous les deux blessés, ils ont mal. Tunde pense avoir une fracture à la clavicule. Chaque fois qu'il change de position, il sent un frottement très douloureux. En théorie, il est plus fort qu'elle maintenant, et ça les fait bien rire. Petite et trapue comme son père, avec le même cou épais de taureau, elle s'est battue bien plus souvent que lui, elle sait comment s'y prendre. Quand, par jeu, il la pousse par terre sur le dos, par jeu, elle appuie sur l'épicentre de sa douleur, à la jonction de l'épaule et du cou. Juste assez fort pour lui faire voir des étoiles. Il rit, elle aussi, ils sont au cœur de la tempête et ils rient bêtement, à en perdre haleine. La souffrance a réécrit leurs corps, les a vidés de toute combativité, en a brouillé les contours. Ils sont prêts à commencer.

Leurs gestes sont lents. Ils ne se déshabillent qu'à moitié. Elle suit du doigt une ancienne cicatrice au niveau de sa taille ; souvenir de Delhi, du jour où il a appris ce qu'était la peur. Il effleure des lèvres le trait violet qui longe sa clavicule. Ils s'étendent côte à côte. Après ce qu'ils ont vu, ils ne peuvent désirer ni hâte, ni violence. Ils se caressent délicatement, en explorant du bout des doigts leurs similitudes et leurs différences. Il lui montre qu'il est prêt, elle l'est elle aussi. Ils glissent l'un dans l'autre, bougent lentement et sans heurts, chacun attentif aux douleurs de l'autre, souriants et ensommeillés, et l'espace de quelques instants, ils oublient la peur. Ils jouissent avec de doux grognements, chacun reniflant dans le cou de l'autre, et ils s'endorment comme ça, jambes emmêlées sous une couverture rêche, au beau milieu d'une guerre.

Bas-relief exceptionnellement complet de l'Ère du Cataclysme, datant d'environ cinq mille ans, et découvert dans l'ouest de la Grande-Bretagne. Tous les bas-reliefs de cette époque sont dans cet état – délibérément amputés de leur élément central. Il est impossible de déterminer avec certitude ce dont il s'agissait, néanmoins plusieurs théories ont été avancées : ces bas-reliefs pouvaient servir à encadrer des portraits ou des ordonnances locales, ou bien encore être de simples motifs artistiques de forme rectangulaire, sans rien en leur centre. Le burinage était de toute évidence une protestation contre ce que représentait – ou pas ! – la partie centrale.

L'HEURE A SONNÉ

Ces événements se produisent tous en même temps. Ils ne font qu'un. Ils sont le résultat inéluctable de tous ceux qui les ont précédés. Le pouvoir cherche son exutoire ; l'électricité cherche sa prise. Comme cela s'est déjà produit, comme ça se reproduira. Comme ça se produit en permanence.

Le ciel, qui paraissait bleu et ensoleillé, se couvre de nuages gris et noirs. Il va pleuvoir à seaux. Elle s'est fait attendre, cette pluie, et les sols déshydratés ont hâte d'absorber un déluge d'eau sombre. Sur cette terre gorgée de violence, plus aucun être vivant ne sait où il en est. Au nord comme au sud, à l'est comme à l'ouest, l'eau s'amasse dans le ciel.

Au sud, sur un chemin caillouteux, Jocelyn Cleary remonte la capote de sa jeep tout en bifurquant vers un embranchement aussi discret que prometteur. Au nord, Olatunde Edo et Roxanne Monke sont réveillés par la pluie qui martèle le toit métallique de leur abri. À l'ouest, Mère Ève, qui autrefois répondait au prénom d'Allie, observe par la fenêtre l'orage qui se prépare. L'heure est-elle venue ? se demande-t-elle.

Comme si elle ignorait la réponse.

Des atrocités sont perpétrées dans le Nord ; trop de rumeurs émanent de sources différentes pour pouvoir les nier. Elles ont été commises par les propres forces armées de Tatiana Moskalev, ivres de pouvoir et exaspérées par les retards et les ordres dont on continue de les abreuver, en leur serinant : « N'importe quel homme peut vous trahir, n'importe lequel d'entre eux peut être à la solde du Nord. » À moins qu'il ne faille incriminer Tatiana elle-même, pour ne s'être jamais souciée de tenir ses troupes ? Peut-être serait-elle devenue folle quoi qu'il arrive, quoi que Mère Ève lui ait fait.

Roxy a disparu. Tatiana est en train de perdre tout contrôle sur son armée. Si personne ne reprend les manettes, un putsch est à prévoir d'ici quelques semaines ; plus rien n'empêchera alors la Moldavie du Nord d'envahir le pays et de prendre possession des armes chimiques stockées dans les villes du Sud.

Allie contemple l'orage depuis son bureau silencieux. L'heure est au bilan.

La voix dit : Je t'ai toujours dit que tu étais destinée à de grandes choses.

Oui, je sais, répond Allie.

Tu inspires le respect non seulement ici mais partout ailleurs. Des femmes du monde entier viendraient dans ce pays, si tu étais à sa tête.

Je sais.

Alors qu'attends-tu ?

Le monde tente de réintégrer sa forme antérieure, observe Allie. Ce que nous avons accompli ne suffit pas. Il reste des hommes riches et influents susceptibles de modeler les choses selon leur bon vouloir. Quand bien même nous gagnerions contre le Nord, à quoi servirait ce que nous mettons en branle ici ?

Tu veux mettre le monde entier sens dessus dessous, dit la voix.

Oui, c'est ça.

Je comprends, mais je ne vois pas comment je peux être plus claire : tu n'arriveras à rien à moins de repartir de zéro.

Allie dit dans son cœur : Un déluge ?

Bon, c'est une option, répond la voix. Mais il y en a d'autres. Écoute. Réfléchis bien. On en reparle quand tu auras fait ce que tu sais.

La nuit est déjà bien avancée. Tatiana, à son bureau, est en train de signer des ordres adressés à ses chefs de guerre. Elle entend pousser encore davantage l'offensive contre le Nord, ce sera un vrai désastre.

Mère Ève vient se placer derrière elle et pose, comme souvent, une main réconfortante sur sa nuque. Tatiana Moskalev, sans pouvoir se l'expliquer, trouve ce geste apaisant.

« Je prends la bonne décision, n'est-ce pas ? demande-t-elle.

— Dieu sera toujours avec vous », répond Allie.

Il y a des caméras dissimulées dans cette pièce. Encore une preuve de la paranoïa de la présidente Moskalev.

Une horloge sonne un, deux, trois coups. Bon, quand il est l'heure…

En mobilisant ses sens et ce savoir-faire prodigieux, Allie soulage chaque nerf dans le cou, les épaules, le crâne de Tatiana. Les yeux de cette dernière se ferment. Sa tête s'incline comme en signe d'acquiescement. Et sa main, comme si rien ne la reliait plus à son corps, se rapproche lentement du coupe-papier posé sur le tas de courrier.

Allie sent que les muscles et les nerfs tentent de résister, mais ils sont habitués à elle maintenant, et elle à eux. Elle étouffe une réaction *ici*, en stimule une autre *là*. Ce serait une autre paire de manches si Tatiana n'avait pas bu autant, et n'avait pas absorbé une mixture qu'Allie a elle-même mise au point, et que Roxy lui a concoctée dans ses labos. Ce n'est pas facile pour autant, mais ce n'est pas insurmontable. Allie va placer son esprit dans la main de Tatiana, qui tient le coupe-papier.

Une odeur se répand dans la pièce. Une odeur qui évoque celle d'un fruit pourri. Mais les caméras ne peuvent pas détecter une odeur.

D'un mouvement rapide, bien trop rapide pour que Mère Ève puisse tenter quoi que ce soit pour l'empêcher, Tatiana Moskalev, rendue folle par l'effondrement de son pouvoir, se tranche la gorge avec la lame effilée.

Mère Ève recule d'un bond en hurlant et en appelant à l'aide, et tandis que Tatiana Moskalev se vide de son sang sur les papiers qui jonchent son bureau, sa main droite continue à tressaillir comme si elle était vivante.

Darrell

«C'est le bureau qui m'envoie, annonce Irina la lour-
daude. Il y a un soldat sur un des chemins à l'arrière.»

Merde.

L'usine est équipée d'un système de vidéosurveil-
lance en circuit fermé. Elle se situe tout au bout d'un
chemin de terre, en pleine forêt, à une douzaine de
kilomètres de l'embranchement discret qui part de la
route principale. Pour la trouver, il faudrait savoir ce
qu'on cherche. Mais il y a bel et bien un soldat à proxi-
mité du grillage – rien n'indique qu'elle soit accompagnée. Elle se trouve à près de deux kilomètres de
l'usine proprement dite et, de là où elle est, elle ne peut
même pas l'apercevoir. Toutefois, elle marche le long
du grillage en prenant des photos avec son téléphone.

Dans le bureau, toutes les femmes regardent Darrell.
Et il lui semble voir la question s'afficher sur leurs
fronts aussi nettement que si elle y était écrite au marqueur: Que ferait Roxy?

Une part de Roxy est justement ici, et cette part sait
précisément quoi faire. Darrell sent le fuseau qui frémit,
commence à pulser, à frétiller. L'entraînement porte
ses fruits, et il se sent fort. Puissant parmi les puissants.
Seulement, il n'est pas censé montrer à ces filles ce dont

il est capable – son père a été très clair à cet égard : il ne doit en aucun cas vendre la mèche avant son retour à Londres. Avant d'être fin prêt à s'exhiber en exemple de ce qu'ils peuvent réaliser, pour faire grimper les enchères.

Le fuseau lui chuchote : Ce n'est jamais qu'un soldat isolé. Sors et fais-lui peur.

Le pouvoir sait quoi faire. Il obéit à une logique.

Darrell annonce : «J'y vais. Les filles, vous allez voir ce que vous allez voir.»

Tout en descendant vers le portail, Darrell parle au fuseau : Ne me laisse pas tomber, maintenant. Je t'ai payé le prix fort. On peut faire équipe sur ce coup-là, toi et moi.

Le fuseau, désormais docile, tendu le long de la clavicule de Darrell comme il l'avait été autrefois le long de celle de Roxy, fredonne et grésille. C'est une sensation plaisante, ce dont Darrell s'était douté sans en avoir eu confirmation jusque-là ; une sensation proche de l'ivresse, mais une bonne ivresse, celle qui donne de l'énergie et le sentiment d'être invincible. Et dans ce cas précis, il ne s'agit pas d'une illusion.

Le fuseau lui répond : Je suis prêt.

Allez, fils, dit-il.

Quel que soit ce dont tu as besoin, je l'ai.

Le pouvoir se moque bien de savoir qui use de lui. Pourquoi le fuseau se rebellerait-il contre Darrell ? Il ne sait pas qu'il n'est pas sa maîtresse légitime. Le fuseau se contente de dire : Oui, je peux. Vas-y, fonce.

Darrell étire un petit arc entre l'index et le pouce. S'il n'est pas encore accoutumé à ce bourdonnement qui chatouille inconfortablement la peau, il sent et apprécie en revanche la puissance qu'il abrite. Il devrait laisser repartir cette fille, mais puisqu'il a la possibilité de lui régler son compte, ce sera l'occasion de leur montrer, à toutes ces bonnes femmes.

Quand il se retourne, il les voit qui l'observent, agglutinées derrière les fenêtres de l'usine. Une poignée d'entre elles le suivent à distance sur le chemin, pour le garder dans leur ligne de mire. Elles font des messes basses, main devant la bouche. L'une d'elles fait jaillir un long arc entre ses paumes.

Ces connes malveillantes ! Roxy a été trop coulante avec elles, pendant toutes ces années, en fermant les yeux sur leurs cérémonies sinistres et en les laissant consommer du Glitter pendant leurs heures de loisir. Au coucher du soleil, elles filent toutes ensemble dans les bois et ne réapparaissent qu'après l'aube. Darrell ne peut rien dire, puisqu'elles sont ponctuelles et que le travail est fait, mais il se trame quelque chose, il le sent. Elles se sont fait une sale petite *culture*, ici, et il sait qu'elles dégoisent sur son compte, il sait qu'elles pensent qu'il n'a rien à faire ici.

Il s'accroupit presque au ras du sol afin que l'intruse ne le voie pas arriver.

Derrière lui, la marée des femmes prend de l'ampleur.

« Je peux te faire sortir du pays », annonce Roxy le matin, une fois qu'ils sont rhabillés.

Tunde avait oublié, franchement, que « sortir du pays » pouvait encore être un objectif.

« Comment ? » demande-t-il en suspendant son geste – il est train d'enfiler ses chaussettes, qu'il a mises à sécher pendant la nuit mais qui empestent toujours autant et sont maintenant raides et rêches.

Elle hausse une épaule, sourit. «Je suis Roxy Monke. Je connais quelques personnes dans le coin. Tu veux t'en aller, non?»

Oui. Oui, et comment.

«Et toi? demande-t-il.

— Moi, je vais récupérer mon truc. Et ensuite je te rejoindrai.»

Elle a déjà récupéré quelque chose. Son autorité. Son assurance.

Tunde pense qu'il l'aime bien, bien qu'il ne puisse en être sûr. Elle a trop à lui offrir pour n'être, là tout de suite, qu'une simple proposition.

Ils se remettent en route et elle lui indique une dizaine de façons de garder le contact. Un message à cette adresse électronique, même si cette société semble n'être qu'une coquille vide, lui parviendra directement. Et cette personne-là saura toujours comment la contacter, quoi qu'il arrive.

«Tu m'as sauvé la vie», lui dit-elle, à plusieurs reprises. Et Tunde comprend ce qu'elle entend par là.

À une croisée de routes au milieu des champs, dans la cabine téléphonique qui jouxte un abri de bus au passage bihebdomadaire, Roxy compose un numéro qu'elle connaît par cœur.

Quand elle a raccroché, elle lui explique ce qui va se passer : ce soir, une femme blonde coiffée d'une casquette au nom d'une compagnie aérienne viendra le chercher en voiture pour lui faire franchir la frontière.

Il devra voyager dans le coffre; désolée, mais c'est la méthode la plus sûre. Le trajet durera environ huit heures.

«N'oublie pas de remuer les orteils, lui dit-elle, pour éviter les crampes.

— Et toi?»

Elle éclate de rire. «Tu me vois voyager dans un coffre de voiture?

— Mais encore?

— Ne t'inquiète pas pour moi.»

Ils se séparent peu après minuit à l'entrée d'un hameau dont elle ne peut prononcer le nom.

Elle l'embrasse, un baiser léger sur les lèvres. «Tout va bien se passer, lui dit-elle.

— Tu n'attends pas avec moi?» demande-t-il.

Il sait pourtant comment ça marche. Si on voyait Roxy Monke prendre soin d'un homme, elle passerait pour une tendre, dans le monde qui est le leur aujourd'hui, et lui-même serait en danger si quiconque pensait qu'elle tient un tant soit peu à lui. En procédant de cette façon, Tunde pourrait être une marchandise comme n'importe quelle autre.

«Va récupérer ce qui t'appartient, reprend-il. On ne t'estimera que davantage d'avoir survécu aussi longtemps sans lui.»

Tout en disant cela, Tunde sait qu'il n'en sera rien. Lui, personne ne l'en estimerait davantage d'avoir survécu aussi longtemps.

«Il faut que j'essaie, de toute façon, je ne suis plus moi-même.»

Elle s'éloigne en mettant le cap vers le sud. Tunde enfonce les mains dans ses poches, baisse la tête et entre dans le hameau du pas tranquille de l'homme qu'on a chargé d'une course et qui a toute légitimité pour la faire.

Le lieu du rendez-vous est tel que Roxy le lui a décrit. Trois boutiques au rideau baissé ; aucune lumière ne filtre des fenêtres à l'étage. Derrière l'une d'elles, Tunde croit voir un rideau bouger et se dit que c'est un tour de son imagination. Personne ne l'attend, ici ; personne n'est à ses trousses. Depuis quand est-il en permanence sur le qui-vive ? Il connaît la réponse. Sa nervosité ne découle pas des derniers événements en date. Cette peur s'est instillée progressivement en lui, elle s'est enracinée dans sa poitrine il y a des années de cela, et à chaque mois, chaque heure qui passe, ses vrilles s'enfoncent un peu plus profondément dans la chair.

Étrangement, cette terreur est supportable quand les ténèbres qui peuplent son imagination coïncident avec la réalité : elle ne l'a pas oppressé quand il était prisonnier dans la cage, caché dans cet arbre, ou en train d'assister à des scènes de barbarie. En revanche, elle le traque dans les rues silencieuses, ou lorsqu'il se réveille seul dans une chambre d'hôtel avant l'aube. Il y a bien longtemps que les promenades nocturnes ne lui apportent plus aucun réconfort.

Il consulte sa montre. Il a dix minutes à attendre à ce croisement désert. Dans son sac se trouve une grosse enveloppe qui contient toutes ses pellicules et toutes les séquences qu'il a filmées sur la route, ainsi que son journal de bord. Il l'avait préparée et timbrée depuis le début, en se disant que si jamais la situation venait à sentir le roussi, il n'aurait plus qu'à la poster à Nina. Ce qui n'est plus d'actualité ; si jamais il la revoit un jour, il lui dévorera le cœur en place publique. Il a un marqueur, il a cette enveloppe soigneusement cachetée. Et dans la rue, pile en face de lui, il y a une boîte aux lettres.

452

Quelle est la probabilité que le service postal continue de fonctionner dans ce coin ? Au camp, Tunde a entendu dire que la guerre ne l'avait perturbé ni dans les bourgs, ni dans les moyennes ou grandes villes. C'est le long de la frontière et dans les montagnes que tout est parti à vau-l'eau. Soit bien loin de là où Tunde se trouve en cet instant. Et sur la boîte aux lettres, est indiquée une heure de levée le lendemain.

Il attend. Il réfléchit. Peut-être qu'aucune voiture ne viendra. Ou qu'il en viendra une mais qu'au lieu de la blonde coiffée d'une casquette de base-ball il en descendra trois femmes qui le pousseront sans ménagement sur la banquette arrière, puis le jetteront sur un bas-côté entre ce village et le suivant, après s'en être donné à cœur joie avec lui. Ou peut-être que la blonde à casquette viendra, qu'elle empochera l'argent de la mission et prétendra avoir traversé la frontière. Seulement, quand elle lui dira de courir en lui indiquant la direction de la liberté, il n'y aura là rien d'autre que la forêt, une autre chasse à l'homme qui s'achèvera dans la terre, d'une façon ou d'une autre.

Subitement, avoir mis sa vie entre les mains de Roxanne Monke lui fait l'effet d'une absurdité sans nom.

Une voiture approche. Tunde la repère de très loin à ses phares qui balayent la route de terre battue. Il a le temps d'écrire un nom et une adresse sur l'enveloppe. Pas ceux de Nina, de toute évidence. Ni ceux de Temi ou de ses parents ; ces documents ne doivent pas être le dernier message qu'ils recevront de lui, si jamais il disparaît dans cette nuit obscure. Il a une idée. Une idée assez terrible, mais prudente. S'il devait ne pas sortir vivant de cette aventure, il aurait au moins l'assurance que ses images feraient le tour du monde. Les gens ont le droit de savoir ce qui se passe ici, se dit-il. Témoigner est sa responsabilité.

Il s'empresse d'écrire le nom et l'adresse, sans trop réfléchir, et il court glisser l'enveloppe dans la boîte aux lettres. Et lorsque la voiture se range le long du trottoir, il est de retour à sa position initiale.

Au volant se trouve une femme blonde avec une casquette de base-ball, enfoncée au ras des yeux, et ornée d'un écusson «JetLife».

Elle lui sourit. «Je suis envoyée par Roxy Monke, dit-elle en anglais, avec un fort accent. On sera là-bas avant matin.»

Elle ouvre le coffre de la berline. Il est assez spacieux, mais Tunde devra néanmoins replier ses genoux sous le menton. Durant huit heures.

Elle l'aide à s'installer. Elle se montre prévenante; elle lui tend un pull-over roulé en boule pour faire tampon entre sa tête et le plancher métallique. Le coffre est propre, c'est déjà ça. Lorsque ses narines rencontrent les bouclettes du tapis intérieur, Tunde ne sent que l'odeur chimique et florale d'un shampooing. Elle lui tend aussi une grande bouteille d'eau.

«Quand fini, vous pourrez pisser dans bouteille.»

Il lui sourit. Il veut qu'elle l'apprécie, qu'elle ait conscience qu'il est un être humain, non une marchandise.

«Je voyage en éco, hein? Les sièges rétrécissent d'année en année», plaisante-t-il, mais rien n'indique que la femme a compris la boutade.

Tandis qu'il s'installe, elle lui tapote la cuisse.

«Faites-moi confiance», dit-elle, et elle rabat le hayon.

Sur ce chemin caillouteux au milieu de nulle part, Jocelyn distingue, au détour d'un rideau d'arbres, l'extrémité d'un bâtiment bas, doté d'ouvertures uniquement au niveau supérieur. Elle grimpe sur un rocher et prend quelques photos. Ce n'est guère concluant. Elle devrait sans doute se rapprocher. Si ce n'est que cela ressemble fort à une idée stupide. Sois raisonnable, Jos, s'intime-t-elle. Rapporte ce que tu as découvert, et reviens demain avec une unité. Incontestablement, quelqu'un s'est donné beaucoup de mal pour dissimuler aux regards ce bâtiment. Mais si, au final, ce n'était rien ? Et qu'elle se retrouvait la risée de la base ? Elle fait quelques clichés supplémentaires. Tant qu'à être là, autant aller jusqu'au bout.

Elle ne remarque l'homme qu'au moment où il se tient pratiquement à côté d'elle.

«Que voulez-vous ?» aboie-t-il en anglais.

Jos porte son arme de service en bandoulière. Elle change de posture, laisse le fusil cogner sans discrétion contre sa hanche et s'avance vers l'homme.

«Je suis désolée, monsieur. Je me suis perdue. Je cherche l'autoroute», dit-elle d'une voix posée et égale.

Involontairement, elle a forcé son accent américain. Se faire passer pour une touriste inoffensive et un brin empotée n'est pas la bonne tactique. Elle est en treillis. À jouer les innocentes, elle n'en paraît que plus suspecte.

Darrell, comme chaque fois qu'il a peur, sent le fuseau pulser avec un surcroît d'intensité, se contracter et vibrer.

«Que faites-vous ici, sur ma propriété ? demande-t-il. Que voulez-vous ? Qui vous envoie ?»

Darrell sait que les femmes, dans l'usine, ne loupent pas une miette du spectacle. À l'issue de cette confrontation, aucune ne doutera plus de lui, aucune ne se demandera encore ce qu'il est : elles le sauront en voyant ce dont il est capable. Il n'est pas un homme travesti en femme. Il est un des leurs, il est aussi fort qu'elles, il peut faire aussi bien qu'elles.

Jos tente un sourire. «Personne ne m'envoie, monsieur. Je suis de repos et je visite les environs. Je vais rebrousser chemin.»

Elle voit le regard de l'homme se poser sur les cartes dans sa main. S'il distingue ce qu'elles indiquent, il aura la certitude qu'elle cherchait bel et bien cet endroit.

«D'accord, laissez-moi vous remettre sur la bonne route.».

Cet homme n'a nulle intention de l'aider ; il s'approche trop. Elle devrait signaler sa position. Sa main avance nerveusement en direction de la radio.

Darrell tend trois doigts et, d'une seule décharge, met la radio hors service. La fille bat des paupières ; un court instant, elle le voit comme lui-même se voit : monstrueux.

Elle essaie d'empoigner son fusil mais l'homme est plus prompt qu'elle, il attrape le canon et lui assène un coup de crosse sous le menton. Tandis que Jos vacille sur ses jambes, l'homme la déleste de son arme ; il semble hésiter, puis il la lance dans les broussailles et il s'avance vers Jos, des crépitements dans les paumes.

Elle pourrait courir. Elle entend dans sa tête la voix de son père : Fais bien attention à toi, ma chérie ; elle entend aussi celle de sa mère : Tu es une héroïne, comporte-toi comme telle. Qui a-t-elle en face ? Un type, seul, avec une usine au milieu de nulle part – ça ne devrait pas être la mer à boire, non ? Jos entend aussi d'ici les quolibets des filles de la base : Si quelqu'un devrait savoir comment neutraliser un gars avec un fuseau, c'est bien toi, pas vrai, Jocelyn ? N'est-ce pas ta spécialité ?

Elle a quelque chose à prouver. Lui aussi. Ils sont prêts à en découdre.

Ils se mettent en position. Jambes fléchies, muscles bandés, ils se font face, chacun cherchant chez l'autre une faiblesse.

Darrell a déjà procédé à de petits tests. Il a gratifié les deux chirurgiens qui ont réalisé la greffe de brûlures et autres menues blessures, juste pour vérifier que tout fonctionnait correctement. Il s'est aussi entraîné seul de son côté. Mais jamais il n'a encore utilisé son pouvoir pour se battre. C'est excitant.

Il sent ce qu'il a en réserve, et c'est énorme. Plus qu'énorme même. Il plonge vers la fille et rate son objectif ; une décharge impatiente file faire masse entre ses pieds, mais peu importe, il lui en reste encore des tonnes. Rien d'étonnant à ce que cette maudite Roxy ait toujours eu l'air si suffisant, avec ce qu'elle trimbalait en elle. Lui aussi aurait fait le malin, à sa place.

Le fuseau de Jocelyn est en proie à des contractions ; c'est normal, c'est l'excitation. Il n'a jamais aussi bien fonctionné que depuis que Mère Ève l'a guérie, et Jos comprend maintenant pourquoi Dieu a fait ce miracle : pour *ça*, pour la sauver des griffes de ce sale type qui cherche à la tuer.

Elle contracte ses abdominaux et fonce sur lui en feignant de viser son genou gauche mais, à la dernière seconde, quand l'homme se baisse pour esquiver le coup, elle vire de bord, lui attrape l'oreille droite et envoie sa décharge pile dans la tempe. Un geste lié, tout en souplesse, et accompagné d'un doux fredonnement. Il riposte en la frappant à la cuisse, ça fait un mal de chien, comme si une lame rouillée grattait contre l'os. Jos se redresse en basculant tout son poids sur sa jambe valide et en laissant traîner l'autre. Cet homme a une quantité d'électricité incroyable ; elle la sent qui grésille sur sa peau. Les décharges qu'il délivre sont puissantes et implacables – rien à voir avec celles de Ryan, ou de n'importe qui d'autre avec qui elle s'est battue.

À l'entraînement, Jos a appris que face à un adversaire mieux pourvu que soi, il fallait le laisser se dépenser en lui présentant les parties de son corps les moins fragiles. Cet homme a plus de courant qu'elle en réserve, mais si en rusant elle peut l'amener à en dilapider une partie dans la terre, si elle sait se montrer plus rapide et plus agile, elle pourrait très bien avoir le dessus.

Elle recule, en exagérant le handicap de sa patte folle. Elle se force à trébucher un peu. S'agrippe à une branche. L'homme ne la quitte pas des yeux ; elle non plus. Elle tend une main, comme pour repousser un assaut, et laisse sa jambe se dérober sous elle. Elle s'affaisse au sol, et il se jette sur elle comme le loup sur l'agneau. Mais elle est plus rapide. Elle roule sur le flanc et il décharge son coup mortel dans le gravier. Alors qu'il gronde de colère, elle lui assène un violent coup de pied sur le côté de la tête de sa jambe valide.

Elle s'apprête à lui empoigner l'arrière du genou. Elle a planifié l'attaque, comme on le lui a enseigné. Amener l'adversaire au sol, puis viser les genoux et les chevilles. Elle a suffisamment de puissance pour réussir. Une décharge bien sentie ici, à la jointure des ligaments, et il va se rétamer.

Elle s'accroche à son pantalon, presse la paume contre son genou, lâche son coup et… rien. Il ne se passe rien. C'est comme un moteur au point mort qu'on emballe, comme une mare qui se vide dans la terre. Son pouvoir n'est plus là.

C'est impossible.

Mère Ève le lui a rendu. Il est forcément là.

Elle réessaie. Elle se concentre, pense au débit d'un torrent, comme on le lui a appris, elle pense à la façon dont son courant s'écoule naturellement d'un endroit vers un autre. Elle pourrait le retrouver, si elle disposait de quelques instants de répit.

Darrell lui assène un coup de talon dans la mâchoire. Lui aussi attendait le choc qui n'est jamais venu. Mais il n'est pas du genre à laisser passer une opportunité. La fille est à quatre pattes maintenant, et pendant qu'elle cherche son souffle, il la bourre de coups de pied dans les côtes.

Il perçoit un parfum d'orange amère et une odeur qui évoque celle des cheveux brûlés.

D'une main, il écrase la tête de la fille dans la terre et délivre un flux de courant à la base du crâne. Une décharge à cet endroit-là rend toute riposte impossible – Darrell le sait d'expérience, quelqu'un le lui a fait une nuit, dans un parc, il y a très longtemps. L'esprit se brouille, le corps devient tout mou, il n'y a rien à faire. Darrell maintient la fille au sol jusqu'à ce qu'elle cesse de tressauter. Il respire fort, il sent qu'il lui reste assez de jus pour renouveler l'opération au besoin, et ça fait du bien. Mais inutile – la fille est partie.

Il relève la tête, sourire aux lèvres, comme s'il s'attendait à ce que les arbres applaudissent sa victoire.

Au loin, un chant s'élève dans les rangs des femmes, une mélopée que Darrell a déjà entendue, mais dont personne ici n'est disposé à lui expliquer le sens.

En voyant leurs yeux sombres le scruter depuis l'étage de l'usine, une évidence qui aurait dû s'imposer à lui depuis le début, s'il ne s'était pas appliqué à faire l'autruche, lui apparaît : ces femmes n'ont pas du tout apprécié le spectacle. Ces maudites garces aux visages fermés et impénétrables descendent maintenant l'escalier en file indienne et se dirigent vers lui, d'un pas décidé, martial. Darrell laisse échapper un cri de bête traquée et se met à courir. Les femmes s'élancent à ses trousses.

Darrell fonce en direction de la route, qui n'est qu'à quelques kilomètres ; une fois là-bas, il obligera une voiture à s'arrêter et il s'en ira loin de ces folles. Même dans ce pays paumé, il trouvera bien quelqu'un pour l'aider. Il traverse en zigzaguant une clairière entre deux vastes bois, et il pousse de toutes ses forces sur ses pieds, comme s'il pouvait se transformer en oiseau, devenir torrent, arbre. Il sait qu'à cause de l'absence de relief du terrain, ses poursuivantes n'ont aucun mal à le garder en ligne de mire, mais il n'entend plus aucun bruit dans son dos, et il s'autorise à penser qu'elles ont peut-être faït demi-tour, renoncé. Il jette un regard par-dessus son épaule.

Elles sont une centaine, qui déferle telle une vague, et la distance qui les sépare fond comme neige au soleil. Darrell se tord la cheville et tombe.

Il les connaît toutes par leur nom. Il y a la balourde Irina et la brillante Magda, Veronyka et les deux Yevgennia, la blonde et la brune ; Nastya la prudente, Marinela l'enjouée, la jeune Jestina. Il travaille à leur côté depuis des mois, des années, il leur a procuré un emploi, et il les a toujours traitées équitablement, compte tenu des circonstances, mais il est incapable d'interpréter l'expression qu'il lit sur leurs visages.

« Allons, allons, calmez-vous, leur crie-t-il à tue-tête. Je me suis débarrassé de ce soldat pour vous. Yevgennia, tu as vu ce que j'ai fait ? Je l'ai dégommée d'un seul coup ! Vous avez vu ? »

Il recule en poussant sur son pied valide, comme s'il imaginait pouvoir se sauver en crapahutant sur son derrière et sur sa hanche et atteindre un abri dans les arbres, ou dans la montagne.

Il sait qu'elles savent ce qu'il a fait.

Elles sont en train de s'interpeller. Darrell ne distingue que des sons, des suites de diphtongues gutturales qui évoquent des sanglots.

« Allons, mesdames, reprend-il alors qu'elles s'approchent de plus en plus. Je ne sais pas ce que vous avez cru voir, mais je lui ai simplement fait le coup du lapin. À la loyale. »

461

Il sait qu'il est en train de parler, mais rien, sur ces visages, ne trahit le fait qu'elles l'entendent.

«Je suis désolé. Pardon, je ne voulais pas faire ça.»

Elles fredonnent cette mélopée immémoriale.

«S'il vous plaît. S'il vous plaît, non, ne faites pas ça.»

Elles se jettent sur lui. Une multitude de mains cherche le contact avec sa peau, des doigts s'agrippent à la chair du ventre et des flancs, des cuisses, des aisselles. Darrell tente de riposter en griffant, en mordant, en envoyant des décharges ; elles le laissent faire, et s'acharnent. Elles lui emprisonnent les bras, les jambes, elles impriment les marques du pouvoir sur sa peau, elles le marquent dans sa chair, enfoncent les doigts dans les plaies, malmènent les articulations, les tordent.

Nastya pose le bout de ses doigts sur sa gorge et le fait parler. Ses lèvres remuent, un fredonnement s'en échappe, c'est bien sa voix, mais ce n'est pas lui qui parle.

«Merci», dit sa gorge – la menteuse.

Irina plante fermement un pied au creux de son aisselle et tire de toutes ses forces son bras droit vers elle. L'articulation se déboîte, la chair brûle et croustille. Magda tire avec elle et, à elles deux, elles réussissent à lui arracher le bras. Les autres s'en prennent à ses jambes, à son cou, à l'autre bras, et à cet endroit, le long de sa clavicule, où s'était logée son ambition. C'est un déchaînement de violence aussi implacable que le vent qui dénude les arbres. Les femmes arrachent de sa poitrine le muscle souple, qui gigote et se tortille, juste avant de lui arracher la tête, et là enfin, entre leurs doigts noirs de sang, il se tait.

L'appel qu'elle passe pour Tunde doit aussi être le coup d'envoi. Roxy Monke revient.

« Mon frère, dit-elle au téléphone. Mon putain de frère m'a trahie et a cherché à me faire tuer. »

La voix au téléphone vibre d'excitation :

« Je savais qu'il mentait. Cette petite merde. Je le savais. Il a raconté aux filles de l'usine qu'il prenait ses ordres auprès de toi, mais je *savais* qu'il mentait.

— Pendant tout ce temps, j'ai rassemblé mes forces et préparé mon plan. Et maintenant, je vais lui reprendre ce qui m'appartient. »

C'est dit, et ça ne peut pas rester une parole en l'air.

Roxy lève quelques renforts. Il se peut que Darrell, même s'il la croit morte, se soit lui aussi entouré d'une petite troupe. Il faudrait être sacrément débile pour s'imaginer que l'usine n'attise pas de convoitises. Seulement à l'usine, le téléphone sonne dans le vide ; il s'est passé quelque chose.

Roxy s'attend à devoir livrer un assaut, mais non – le portail est ouvert. Ses ouvrières sont assises dans l'herbe. Elles l'accueillent avec des effusions de joie retentissantes.

Comment a-t-elle pu imaginer qu'il en serait autrement, tout estropiée qu'elle est ? Comment a-t-elle pu penser qu'elle devrait s'interdire de revenir ?

Les femmes lui font fête. « On savait que tu revenais, on l'a vu. On savait que tu étais celle que l'on attendait. »

Elles font cercle autour d'elle, lui touchent la main, lui demandent où elle était, et si elle a trouvé un endroit pour relocaliser l'usine, maintenant que la guerre se rapproche et que les soldats semblent plus déterminés que jamais à les trouver.

Les soldats ?

« Les soldats des Nations unies, lui expliquent-elles. On a dû plus d'une fois les lancer sur de fausses pistes.

— Ah ouais ? Et vous avez fait ça sans Darrell, n'est-ce pas ? »

Les filles échangent des regards empreints de mystère. Quand Irina glisse un bras autour de ses épaules, Roxy détecte aussitôt une odeur qui rappelle celle de la transpiration, mais plus forte, vive et piquante comme celle du sang menstruel. Les femmes touchent à la drogue, ici. Roxy le sait, et a toujours laissé faire. Elles puisent dans les stocks encore non étiquetés et vont la consommer dans les bois, le week-end. C'est ça qui donne à leur transpiration cette odeur de moisissure. Et laisse ces traces bleues sous leurs ongles.

Irina l'enlace si étroitement que Roxy commence à s'interroger sur ses intentions. Puis c'est Magda qui la prend par la main et l'entraîne vers la chambre froide où sont conservés les produits chimiques volatils.

À l'intérieur, sur la table, il y a un tas informe de viande crue, sanguinolente. Roxy se demande pourquoi les femmes lui montrent ça. Et soudain, elle comprend.

« Qu'avez-vous fait ? Qu'avez-vous fait ? »

C'est là que Roxy le trouve, au milieu de cette bouillie ensanglantée, son bien, son cœur battant, la part d'elle-même qui a alimenté tout le reste réduit à un muscle ratatiné en voie de décomposition.

Après en avoir été dépossédée, Roxy avait bandé sa blessure, marché jusqu'à une cabane qu'elle connaissait dans les bois et attendu la mort. Mais au troisième jour, les spasmes dans sa poitrine avaient cessé, elle ne voyait plus de flashs rouges et jaunes traverser son champ de vision, et elle avait compris qu'elle n'allait pas mourir. Parce que mon cœur est toujours vivant, avait-elle pensé. Il est dans son corps et non plus dans le mien, mais il vit encore. S'il était mort, je le saurais.

Et pourtant elle n'en a rien su.

Elle effleure sa clavicule.

Elle attend de sentir quelque chose.

Mère Ève attend Roxanne Monke à la descente du convoi militaire de nuit en gare de Basarabeasca, une ville légèrement au sud. Elle aurait pu l'attendre au palais, mais elle était trop impatiente. Roxy a maigri, elle a l'air triste, elle semble vidée de ses forces. Mère Ève la serre étroitement contre elle, oubliant d'en appeler à son sixième sens pour sonder son amie. Elle renoue avec sa présence, retrouve son odeur, inchangée, aiguilles de pin et amandes douces.

Roxy s'écarte, se dérobe aux embrassades. Il y a quelque chose qui cloche. Dans la voiture qui les conduit au palais par des rues désertes, elle ne parle quasiment pas.

« Alors comme ça, tu es présidente, maintenant ? »

Allie sourit. « Ça ne pouvait plus attendre. » Elle tapote la main de Roxy, qui la retire. « Maintenant que tu es de retour, on devrait parler de l'avenir. »

Roxy sourit – un sourire mince et crispé.

Au palais, dans les appartements de Mère Ève, sitôt la dernière porte refermée, Allie contemple son amie avec émerveillement.

« Je te croyais morte.

— Ça s'est joué à *ça*.

— Mais tu es revenue à la vie, dit Allie. Tu es celle dont la voix m'a annoncé la venue. Tu es un signe. Mon signe, comme tu l'as toujours été. La faveur de Dieu est avec moi.

— Ça, j'en sais trop rien… », répond Roxy, et elle déboutonne son haut.

Allie voit la cicatrice.

Et comprend que ce signe dont elle espérait qu'il pointerait dans une direction est en train de pointer totalement vers une autre.

La dernière fois qu'Elle avait détruit le monde, Dieu avait ensuite accroché un symbole dans le ciel. Elle avait léché Son pouce et tracé un arc en travers des Cieux, une traînée multicolore par laquelle Elle scellait Sa promesse de ne plus jamais déverser de déluge à la surface de la Terre.

Allie regarde cette cicatrice en forme d'arc, puis la suit délicatement du bout du doigt. Même si elle détourne les yeux, Roxy laisse son amie effleurer sa blessure. Un arc-en-ciel, en sens inverse.

«Tu étais la plus puissante que j'aie jamais connue, dit Allie, et même toi, ils t'ont rabaissée.

— Je voulais que tu saches la vérité.

— Tu as bien fait. Je sais ce que cela signifie.»

Plus jamais : la promesse écrite en travers des nuages. On ne peut tolérer que pareille chose se reproduise.

«Écoute, on devrait parler de ce qui se déroule dans le Nord, reprend Roxy. La guerre. Tu es une femme puissante. Tu as beaucoup été par monts et par vaux, mais il se passe des horreurs, là-haut. J'ai réfléchi. Peut-être que toi et moi, ensemble, on pourrait trouver une façon d'y mettre un terme.

— Il n'existe qu'une seule façon d'y mettre un terme, répond posément Mère Ève.

— Je me disais… qu'on pourrait trouver une solution. Je pourrais passer à la télé. Raconter ce que j'ai vu, ce qui m'est arrivé.

— Oui, c'est ça. Va leur montrer ta cicatrice, et leur raconter ce que ton frère t'a fait. Après ça, il n'y aura plus aucun moyen d'endiguer leur fureur. La guerre commencera enfin pour de bon.

— Non. Non, Ève, ce n'est pas ce que je veux dire. Tu ne comprends pas. Ça part complètement *en vrille*, là-haut. Il y a des tarées à qui la religion est montée à la tête et qui ont pété les plombs. Elles sont lâchées dans la nature et elles tuent des gosses.

468

— Il n'y a qu'une seule façon de mettre bon ordre à cette situation. La guerre doit commencer maintenant. La vraie. La guerre de tous contre tous. »

Gog et Magog, chuchote la voix. Tout à fait.

Roxy se redresse légèrement dans son fauteuil. Elle a rapporté toute l'histoire à Mère Ève, elle lui a raconté par le menu ce qu'elle a vu, ce qu'on a lui a fait et ce pour quoi elle était faite.

« Ève, nous devons *arrêter* la guerre. Je sais encore comment me faire obéir, crois-moi. J'ai réfléchi. Confie-moi le commandement de l'armée dans le Nord. Je veillerai au maintien de l'ordre, on patrouillera le long de la frontière – on établira de vraies frontières, comme dans un vrai pays – et on parlera avec tes amis d'Amérique. Ils ne tiennent pas à voir une Apocalypse éclater ici. Dieu sait de quelles armes dispose Awadi-Atif.

— Tu veux faire la paix, dit Mère Ève.

— Ouais.

— *Toi* ? Tu veux faire la paix ? Et prendre la tête de l'armée dans le Nord ? *Toi* ?

— Ben, ouais. »

La tête de Mère Ève se met à faire non, non, non frénétiquement, comme si une main la secouait.

Elle gesticule en direction de la cicatrice de Roxy.

« Qui te prendrait au sérieux, maintenant ? Et pourquoi ? »

Roxy se recule violemment contre son dossier et bat des paupières.

« Tu *veux* déclencher Armageddon.

— Il n'y a pas le choix. C'est la seule façon de gagner.

— Mais tu sais ce qui va se passer, objecte Roxy. On va les bombarder, ils nous bombarderont en retour, le conflit va s'étendre à d'autres pays, de plus en plus nombreux, et l'Amérique s'en mêlera, en même temps que la Russie, et le Moyen-Orient, et… les femmes souffriront autant que les hommes, Evie. Les femmes mourront autant que les hommes, si nos bombes nous ramènent à l'âge de la pierre.

— Eh bien, on se retrouvera à l'âge de la pierre.

— Ouais… Beurk.

— Et cela fait, il s'ensuivra cinq mille ans de reconstruction, cinq mille ans pendant lesquels on se demandera : peut-on faire encore plus de mal, peut-on causer encore plus de dégâts, peut-on instiller encore plus de crainte ?

— Et… ?

— Et là, les femmes gagneront. »

Un silence envahit la pièce, il s'insinue tel un poison glacé dans les os de Roxy, pénètre jusque dans la moelle.

« Bordel de merde, lâche-t-elle. Un nombre incalculable de gens m'ont dit que tu étais folle, tu sais, mais je n'ai jamais voulu les croire. »

Mère Ève la dévisage d'un air empreint d'une grande sérénité.

« Quand on me disait ça, poursuit-elle, je répondais toujours : Mais non, si vous la rencontriez, vous constateriez qu'elle est intelligente ; elle a traversé beaucoup d'épreuves mais elle n'est pas folle. »

Elle soupire et observe ses mains.

« Je me suis renseignée à ton sujet, il y a une éternité de ça. Il fallait que je sache, tu comprends. »

Mère Ève continue de l'observer, comme de très loin.

«Cela n'a pas été bien difficile de découvrir qui tu étais autrefois. On trouve plein de bribes d'informations, sur Internet. Alison Montgomery-Taylor…

— Je sais que c'est toi qui as tout fait disparaître. Et je t'en suis reconnaissante. Encore aujourd'hui, si c'est là ce que tu veux entendre.»

Mais en voyant Roxy froncer les sourcils, Allie comprend qu'elle a fait fausse route, qu'un défaut mineur d'alignement a été à l'origine d'un malentendu.

«Je comprends, d'accord? reprend Roxy. Si tu l'as tué, c'est probablement qu'il le méritait. Mais tu devrais aller voir ce que fait sa femme, maintenant. Elle s'appelle Williams, aujourd'hui. Elle est remariée à un certain Lyle Williams. Elle habite toujours à Jacksonville. Tu devrais aller voir par toi-même.»

Roxy se lève.

«Ne fais pas ça. S'il te plaît, ne le fais pas, ajoute-t-elle.

— Je t'aimerai toujours, répond Mère Ève.

— Ouais, je sais.

— Il n'existe pas d'autre issue. Si je ne le fais pas, eux le feront.

— Si tu veux vraiment que les femmes gagnent, va à Jacksonville et cherche Lyle Williams. Et sa femme.»

Allie allume une cigarette, dans le silence d'une salle aux murs de pierres d'un couvent qui domine le lac. Elle l'allume comme autrefois, en faisant jaillir une étincelle au bout de ses doigts. Le papier grésille, noircit et fait apparaître un tison incandescent. En aspirant la fumée jusqu'à l'orée de ses poumons, elle se remplit de son ancien moi. Elle n'a plus fumé depuis des années. La tête lui tourne.

Ce n'est pas difficile de retrouver la trace de Mrs. Montgomery-Taylor. Quelques mots dans la barre de recherche suffisent. Elle dirige un foyer pour enfants, désormais, sous les auspices et avec la bénédiction de la Nouvelle Église. Dont elle a été l'un des premiers membres, ici à Jacksonville. Sur une photo, sur le site Internet de leur foyer, on la voit avec son mari, qui se tient debout derrière elle. Il ressemble à s'y méprendre à Mr. Montgomery-Taylor. Un poil plus grand, peut-être. Une moustache un peu plus broussailleuse. Le teint, la bouche sont différents, mais c'est le même genre d'homme : un faible, un homme qui, avant tout ça, aurait obéi au doigt et à l'œil. Peut-être Allie projette-t-elle sur cet inconnu ses souvenirs de Mr. Montgomery-Taylor. La ressemblance est telle en tout cas qu'elle se surprend à frictionner sa mâchoire là où ce dernier l'avait frappée, comme s'il venait de lui assener le coup. Lyle Williams et son épouse, Ève Williams, pourvoient ensemble au bien-être des enfants. C'est l'Église d'Allie qui a rendu cela possible. Mrs. Montgomery-Taylor a toujours su comment tirer parti d'une situation. Sur le site Internet du foyer qu'elle dirige, il est question de l'« amour de la discipline » et de « la tendresse et le respect » qu'on y enseigne.

Elle aurait pu se renseigner avant. Elle ne comprend pas pourquoi elle n'a pas rallumé cette vieille lumière plus tôt.

La voix est en train de parler. Elle dit : Ne fais pas ça. Elle dit : Fais demi-tour. Elle dit : Écarte-toi de l'arbre, Ève, mains levées.

Allie ne l'écoute pas.

Elle décroche le téléphone et compose le numéro. Loin de la salle du couvent qui domine le lac, dans un couloir, sur une console recouverte d'un chemin de table au crochet, un autre téléphone sonne.

« Allô ? dit Mrs. Montgomery-Taylor.

— Bonjour.

— Oh, Alison. J'espérais que tu appellerais. »

Comme les premières gouttes de pluie. Comme la terre qui dit : Je suis prête et j'attends. Viens me chercher.

« Qu'avez-vous fait ?

— Rien d'autre que ce que l'Esprit m'a ordonné de faire », répond Mrs. Montgomery-Taylor.

Car elle sait ce qu'Allie veut dire. Quelque part au fond d'elle-même, en dépit des tours et des détours, elle sait. Elle a toujours su.

« Tout disparaîtra », lui avait-on promis, et Allie, elle le comprend maintenant, s'est bercée de ce rêve exquis. Jamais rien ne disparaîtra, ni le passé, ni les souffrances gravées dans le corps humain. Pendant qu'Allie construisait sa vie, Mrs. Montgomery-Taylor a poursuivi la sienne et, au fil du temps, est devenue un véritable monstre.

Mrs. Montgomery-Taylor bavarde d'un ton enjoué : c'est un immense honneur de recevoir un appel de Mère Ève, même si elle a toujours su qu'il viendrait un jour. Le sous-entendu du prénom qu'Allie a adopté ne lui a pas échappé, elle a compris qu'elle était la vraie mère d'Allie, sa mère *spirituelle* ; d'ailleurs Mère Ève n'a-t-elle pas toujours professé que la mère est plus grande que l'enfant ? Elle a également compris le message – la mère sait mieux que quiconque ce qui est bon. Elle est tellement heureuse, tellement *ravie* qu'Allie ait compris que tout ce qu'elle et Clyde avaient fait, ils l'avaient fait pour son propre bien. Allie est prise de nausée.

« Tu étais si jeune, et tellement déchaînée, dit Mrs. Montgomery-Taylor. Tu nous rendais fous. Je voyais qu'il y avait un démon en toi. »

Tout lui revient maintenant, tandis qu'elle exhume des souvenirs enfouis depuis tant d'années, les ramène à la lumière et souffle sur ce tas de vieilleries pour le dépoussiérer : à son arrivée chez les Montgomery-Taylor, elle était une enfant perpétuellement sur le qui-vive, sauvage, avec des petits yeux perçants, attentifs à tout. C'était Mrs. Montgomery-Taylor qui l'avait fait venir, qui la voulait, qui lui administrait une fessée lorsqu'elle la surprenait la main dans le bocal de raisins secs. Qui la forçait sans ménagement à s'agenouiller et lui ordonnait de prier pour implorer le pardon du Seigneur. À genoux, toujours et encore.

« Nous devions expulser ce démon en toi, tu le vois à présent, n'est-ce pas ? »

Et Allie le voit, en effet. Aussi clairement que si elle regardait la scène à travers les portes vitrées de leur salon. Mrs. Montgomery-Taylor avait tenté de chasser ce démon par les prières, puis par les coups et, pour finir, il lui était venu une autre idée.

« Tout ce que nous avons fait, poursuit-elle, nous l'avons fait par amour pour toi. Tu avais besoin qu'on t'inculque le sens de la discipline. »

Allie se souvient de ces soirs où Mrs. Montgomery-Taylor écoutait des polkas en augmentant le son de la radio, et où Mr. Montgomery-Taylor montait à l'étage pour lui dispenser ses enseignements. Elle se souvient, d'un coup et avec une grande clarté, de l'ordre dans lequel cela se passait. D'abord les airs de polka. Puis les pas dans l'escalier.

Sous chaque histoire se cache une autre histoire. Il y a une main à l'intérieur de la main, Allie ne l'a-t-elle pas appris à force ? Un coup en cache un autre.

Mrs. Montgomery-Taylor, la voix mielleuse, hypocrite, reprend sur le ton de la confidence :

« J'ai été le premier membre de ta nouvelle église à Jacksonville, Mère. Quand je t'ai vue à la télévision, j'ai su que tu étais un signe que Dieu m'avait envoyé. J'ai compris qu'Elle m'avait soufflé le désir de t'accueillir sous notre toit, et qu'Elle savait que tout ce que j'ai fait, je l'ai fait pour Sa gloire. C'est moi qui ai fait disparaître les documents dont disposait la police. Tout au long de ces années, j'ai veillé sur toi, ma chérie. »

Allie songe à toutes les exactions commises sous le toit des Montgomery-Taylor. Comme elle ne les a jamais examinés de façon distincte, ses souvenirs forment un écheveau dont elle ne parvient plus à séparer les fils. Les convoquer ainsi en bloc, c'est actionner un flash qui dévoile une scène de carnage. Des morceaux de corps, des pièces de machinerie, un chaos. C'est libérer un cri d'abord plaintif et fluet, qui gagne en puissance, se mue en hurlement, avant de redevenir soudain un fredonnement presque silencieux.

« Tu comprends que Dieu était à l'œuvre à travers nous, poursuit Mrs. Montgomery-Taylor. Tout ce que nous avons fait, Clyde et moi, n'avait d'autre but que de te permettre d'en arriver là. »

C'était son contact à elle qu'Allie sentait chaque fois que Mr. Montgomery-Taylor s'allongeait sur elle.

Elle prit l'éclair au creux de sa main. Elle lui com-
manda de frapper.

« Vous lui ordonniez de me faire mal.

— Nous ne savions plus quoi faire avec toi, mon ange, se défend-elle. Tu n'écoutais rien.

— Et vous continuez à faire la même chose avec d'autres enfants ? Ceux qui vous sont confiés ?

— Chaque enfant a un besoin d'amour différent, répond Mrs. Montgomery-Taylor, désormais Williams, qui n'a jamais perdu le nord, même dans sa folie. Nous faisons le nécessaire pour prendre soin de chacun d'entre eux. »

Qu'importe qu'ils soient garçons, ou filles. Quand ils viennent au monde, les enfants sont faibles, et impuissants.

Allie explose sans fracas. Toute la violence qu'il y a en elle, elle l'a déjà dépensée cent fois. Elle est calme, elle flotte au-dessus de la tempête et contemple la mer déchaînée en dessous.

Elle assemble les fragments, elle les trie, les classe. Par quoi faudrait-il en passer pour remédier à ça ? Des enquêtes, des conférences de presse, des aveux de négligence. S'il existe une Mrs. Montgomery-Taylor, alors il en existe d'autres. Plus qu'elle ne pourrait en compter, probablement. Et c'est sa propre réputation qui en souffrirait. Tout éclaterait au grand jour : son passé, son histoire, les mensonges et les demi-vérités. Elle pourrait faire muter Mrs. Montgomery-Taylor, discrètement, voire même trouver un moyen de la supprimer, mais la dénoncer reviendrait à tout dénoncer. Déterrer tout ça, c'est se déterrer elle-même. Et exposer ses racines déjà pourries.

Et c'est là qu'elle craque pour de bon. Son esprit se déconnecte, il ne veut plus rien savoir. Allie reste un petit moment aux abonnés absents. La voix essaie de lui parler mais le vent hurle trop fort dans son crâne, et les autres voix sont maintenant trop nombreuses. Dans ce crâne, c'est la guerre de tous contre tous.

Et ce n'est pas tenable.

Après un moment, Allie dit à la voix : C'est donc comme ça d'être toi ?

Et la voix répond : Va te faire voir. Je t'avais dit de ne pas le faire. Tu n'aurais jamais dû te lier d'amitié avec cette Monke, je t'avais prévenue et tu as refusé de m'écouter ; elle n'était qu'un soldat. Pourquoi avais-tu besoin d'une amie ? Tu m'avais moi ; j'ai toujours été là pour toi.

Je n'ai jamais rien eu, dit Allie.

Bon, d'accord, et maintenant ? Il se passe quoi maintenant, puisque tu es si intelligente ?

Il y a une question que j'ai toujours voulu te poser. Qui es-*tu* ? Ça me turlupine depuis un petit moment. Es-tu le serpent ?

Ah, ça, c'est la meilleure. Parce que je dis des gros mots et que je t'indique quoi faire, je suis forcément le diable ?

Ça m'a traversé l'esprit, admet Allie. En attendant : comment suis-je censée reconnaître le bon côté du mauvais ?

La voix prend une longue et profonde inspiration. Allie ne l'a jamais entendue faire cela auparavant.

Écoute, reprend-elle, nous traversons un moment délicat, ici, je te l'accorde. Il y a certaines choses que tu n'étais pas censée regarder, sauf que tu l'as fait. Ma raison d'être, vois-tu, c'était de te simplifier la vie. C'est ce que tu voulais. La simplicité procure un sentiment de sécurité. Tout comme les certitudes.

Je ne sais pas si tu t'en rends compte, poursuit la voix, mais en ce moment, tu es allongée par terre dans ton bureau, un combiné téléphonique coincé entre l'oreille et l'épaule droites, tu l'écoutes faire *bip-bip-bip* en tremblant de façon incontrôlable. Quelqu'un va finir par entrer et te trouver là, dans cet état. Tu es une femme puissante. Si tu ne te ressaisis pas, certaines choses vont partir en sucette.

Je te confie donc sans attendre l'antisèche. Peut-être la comprendras-tu, peut-être pas. L'erreur vient de ton questionnement : Qui est le serpent et qui est la Sainte Mère ? Qui est du côté du mal et qui est du côté du bien ? Qui a convaincu l'autre de croquer dans la pomme ? Qui a le pouvoir et qui n'en a aucun ? Aucune de ces questions n'est la bonne.

C'est bien plus compliqué que ça, mon poussin. Bien plus compliqué que tout ce que tu peux imaginer. En matière de compréhension et de connaissance, il n'existe pas de raccourcis. On ne peut mettre personne dans une case. Même les *pierres*, il n'y en a pas deux pareilles. Franchement, quel résultat escomptiez-vous, en étiquetant des *humains* avec des mots simples ? En pensant savoir tout ce que vous aviez besoin de savoir ? Personne ou presque ne peut vivre ainsi, même temporairement. On dit que seuls les êtres d'exception peuvent faire fi des frontières. La vérité, c'est que n'importe qui peut les franchir, chacun les a en lui. Mais seuls les êtres d'exception peuvent supporter de les regarder en face.

Écoute, je ne suis même pas réelle. En tout cas, pas dans le sens où tu l'entends. Mon rôle est de te dire ce que tu veux entendre. Mais laisse-moi aussi te dire ce que vous tous, autant que vous êtes sur Terre, voulez.

Il y a très longtemps de ça, poursuit la voix, un autre Prophète est venu me dire que quelques personnes pour lesquelles je m'étais prise d'affection voulaient un

Roi. Je les ai prévenues de ce qui leur pendait au nez : un Roi leur prendrait leurs fils pour en faire des soldats, et leurs filles pour en faire des cuisinières – et ce, dans le meilleur des cas, hein ? Il taxerait aussi leurs grains, leur vin et leurs vaches. Ces gens-là, comprends-moi bien, ils n'avaient pas d'iPads ; grain, vin et vaches étaient leurs seules richesses. Je leur ai dit : Écoutez, un Roi fera de vous des esclaves. C'est ce que font les Rois. Lorsque ça arrivera, ne venez pas pleurer.

Mais que veux-tu que je te dise ? Avec le genre humain, ce n'est jamais de la tarte. Vous aimez bien faire comme si tout était toujours simple, même à vos dépens. Bref, ils n'en démordaient pas, ils voulaient leur Roi.

Essaies-tu de me dire qu'il n'existe pas de bon choix, ici ? l'interrompt Allie.

Le bon choix, ça n'a jamais existé, ma cocotte. Tout le problème, c'est de croire qu'il existe un choix.

Mais alors que dois-je faire ? demande Allie.

Écoute, répond la voix, je vais être franche : mon optimisme à l'égard du genre humain n'est plus ce qu'il était. Je suis navrée que pour toi, ça ne puisse plus être simple désormais.

La nuit tombe, dit Allie.

La voix répond : Comme il fallait s'y attendre.

Mouais, je vois ce que tu veux dire. Ça a été sympa de travailler avec toi.

De même. Rendez-vous de l'autre côté.

Mère Ève ouvre les yeux. Les voix dans sa tête se sont tues. Elle sait quoi faire.

Le Fils en Agonie, une figure mineure du culte. Datant environ de la même époque que les représentations de la Sainte Mère p. 62.

Sur le bureau de l'assistante de Margot, un téléphone sonne.

L'assistante indique à son interlocuteur que la sénatrice Cleary est injoignable pour l'instant, et propose de prendre un message.

La sénatrice Cleary est en réunion avec NorthStar Industries et le département de la Défense. Tous veulent entendre son avis. La sénatrice est une personnalité importante, désormais. Elle a l'oreille du président. Elle ne peut être dérangée.

La voix, à l'autre bout du fil, ajoute quelques mots.

Avant toute chose, ils font asseoir Margot sur le canapé blanc cassé de son bureau.

«Sénatrice Cleary, nous avons une mauvaise nouvelle.

«C'est l'ONU qui nous a prévenus : on l'a retrouvée dans les bois. Vivante. Mais les blessures sont… nombreuses. Le pronostic vital est engagé.

«Nous pensons savoir ce qui s'est passé, l'homme est mort.

«Nous sommes affreusement désolés, sénatrice. Affreusement désolés.»

Margot est en chute libre.

Sa propre fille. Qui un jour a placé les doigts au centre de sa paume et lui a transmis l'éclair. Qui un jour a enroulé sa menotte autour de son pouce, et l'a serré si fort que Margot a compris qu'elle protégerait toujours ce petit bout de chou. Que c'était son boulot.

Une année – Jocelyn avait trois ans – Margot et elle exploraient ensemble la pommeraie, dans la ferme des parents de Margot, avec cette lenteur et cette intensité propres à un enfant de cet âge, qui scrute la moindre feuille, examine la moindre pierre, le moindre éclat de bois. L'automne touchait à sa fin, les fruits tombés commençaient à pourrir. Jos s'était penchée pour retourner un de ces fruits en train de brunir, et avait fait s'envoler un nuage de guêpes. Margot, que les guêpes terrorisaient depuis l'enfance, avait tiré Jos par le bras, elle l'avait enveloppée dans les siens et l'avait serrée contre elle, puis elles avaient couru vers la maison. Jos allait bien ; elle n'avait pas une seule piqûre. Quant à Margot, une fois toutes deux confortablement installées sur le canapé, elle avait découvert sept piqûres le long de son bras droit. Elle ne les avait même pas senties.

«Parce que c'était mon boulot.» Elle s'aperçoit qu'elle est en train de raconter l'histoire à voix haute. Elle bredouille, elle gémit, mais elle est incapable d'en interrompre le fil, comme si celui-ci pouvait la ramener quelques années en arrière sur le chemin de la vie, et lui permettre de s'interposer entre Jos et le danger.

«Comment pouvons-nous empêcher que cela se produise ?» demande Margot.

On répond à la sénatrice que cela s'est déjà produit.

«Non. Comment pouvons-nous empêcher que cela se reproduise.»

Il y a une voix dans la tête de Margot, une voix qui dit : Tu n'arriveras à rien à partir d'ici.

Et tout lui apparaît d'un coup : elle voit l'éclair, elle voit la forme de l'arbre, la forme du pouvoir, de la racine à la cime, la multiplication et la subdivision des branches. Bien sûr que le vieil arbre est toujours debout ! Il n'existe qu'une seule façon d'en venir à bout, c'est de le dynamiter, de le réduire en pièces.

Dans une zone rurale de l'Idaho, un colis reste trente-six heures dans une boîte postale sans que personne vienne le réclamer. Au vu de sa taille, l'enveloppe jaune matelassée pourrait renfermer trois livres de poche, mais quand on la secoue quelque chose s'entrechoque à l'intérieur. L'homme qu'on a envoyé récupérer ce pli le tâte avec suspicion. Il n'est pas contresigné : doublement suspect. Rien, dans son poids ni son volume, ne laisse présager qu'il contient une bombe artisanale, mais pour en avoir le cœur net, l'homme fend délicatement le côté de l'enveloppe avec un canif. Huit rouleaux de pellicule non développée dégringolent l'un après l'autre dans sa paume. Il jette un œil à l'intérieur de l'enveloppe. Et voit des carnets de notes, et des clés USB.

Il cligne des yeux. À défaut d'être intelligent, cet homme est malin. Et il hésite : ces documents pourraient, une fois de plus, émaner de ces zozos encore plus fous que révoltés. Le groupe a déjà perdu son temps à éplucher leurs élucubrations proclamant le Commencement de l'Ordre Nouveau. En outre, UrbanDox lui a déjà fait des remontrances pour avoir rapporté des colis de muffins maison qui auraient pu dissimuler des instruments de traçage, ou des cadeaux fantasques comme des caleçons ou du lubrifiant. Il extrait de l'enveloppe une pleine poignée de notes, au hasard, et lit :

« Aujourd'hui pour la première fois sur la route j'ai eu peur. »

Assis dans sa bétaillère, l'homme réfléchit encore. Il a jeté certains colis sans l'ombre d'une hésitation ; d'autres, il sait qu'il doit les rapporter.

Pour finir, une pensée lui traverse l'esprit : ces pellicules ou ces clés USB pourraient renfermer des photos de nus. Tant qu'à faire, autant y jeter un œil.

L'homme dans la bétaillère refait glisser les rouleaux de pellicule dans l'enveloppe, y replace la poignée de notes. Oui, tant qu'à faire…

Mère Ève dit : « Quand une multitude parle d'une seule voix, c'est là la force, et c'est là le pouvoir. »

Un grondement d'acquiescement monte de la foule.

« Nous parlons désormais d'une seule voix. Nous sommes un seul esprit. Et nous appelons l'Amérique à nous rejoindre dans la lutte contre le Nord ! »

Mère Ève lève les mains pour réclamer le silence et montre à tous les yeux au centre de ses paumes.

« La plus grande nation du monde, la terre qui m'a vue naître et m'a élevée, va-t-elle se contenter d'un rôle de spectatrice tandis qu'on massacre des innocentes et qu'on bafoue la liberté ? Ce pays nous regardera-t-il brûler sans rien dire ? S'il nous abandonne, alors qui n'abandonnera-t-il pas ? J'appelle les femmes, partout dans le monde, à témoigner de ce qui se passe ici. Témoignez, et regardez en face ce qui vous attend. S'il y a des femmes dans votre gouvernement, demandez-leur d'engager leur responsabilité, appelez-les à agir. »

Les murs des couvents sont épais, et les religieuses sont des femmes intelligentes. Quand Mère Ève les prévient que l'Apocalypse est à leur porte et que seuls les justes seront sauvés, elle peut lancer un appel à un nouvel ordre du monde.

La fin de toute chair approche, parce que la Terre est remplie de violence. Il faut donc construire une arche.

Ce sera simple. Et ça, c'est l'argument qui met tout le monde d'accord.

La vie se résume à une succession interminable de jours, tandis que Jocelyn se remet peu à peu, qu'il devient évident qu'elle ne guérira jamais totalement, et que quelque chose se durcit dans le cœur de Margot.

Elle apparaît à la télévision pour évoquer les blessures de sa fille. «Le terrorisme, déclare-t-elle, peut frapper n'importe où, dans notre pays comme à l'étranger. Le plus important c'est que nos ennemis, ici chez nous comme partout sur la planète, sachent que nous sommes forts et que nous riposterons.»

Elle fixe l'objectif de la caméra. «Qui que vous soyez, ajoute-t-elle, sachez que nous allons riposter.»

Elle ne peut pas se permettre de paraître faible, pas dans un moment comme celui-là.

Peu après ces déclarations, elle reçoit un coup de fil. Il y a, lui dit-on, une menace crédible qui émane d'un groupe extrémiste. Ces gens ont mis la main, on ne sait trop comment, sur des images prises à l'intérieur de la République des Femmes. Ils les ont largement diffusées sur Internet en disant qu'elles étaient l'œuvre d'un type dont on sait tous qu'il est mort depuis des semaines. Des photos tellement épouvantables qu'il ne peut s'agir que de montages. Ces extrémistes n'ont même pas de revendications, ils déversent juste un flot de rage et menacent de commettre des attentats, à moins que… que… Franchement, Margot, j'en sais rien – à moins qu'on n'agisse, j'imagine. Le Nord est déjà en train de menacer la Bessapara en dirigeant ses missiles vers elle.

«On devrait agir, dit Margot.

— Agir, oui, mais comment? répond le président. J'ai le sentiment que nous devrions tendre un rameau d'olivier.

— Croyez-moi, dans pareil moment, vous avez besoin d'apparaître plus ferme que jamais. De montrer le visage d'un dirigeant fort. Si cette nation aide et radicalise nos terroristes nationaux, nous devons leur envoyer un message. Le monde doit savoir que les États-Unis sont disposés à l'escalade. Que pour chaque coup reçu, on en rendra deux.

— Aucun mot ne peut exprimer le respect que j'ai pour vous, Margot, pour la constance de votre engagement, même après ce qui vous est arrivé.

— Mon pays passe avant tout. Nous avons besoin d'un commandement fort.»

Son contrat prévoit un bonus si les déploiements de troupes de NorthStar dans le monde dépassent les cinquante mille femmes cette année. Le bonus lui permettrait d'acheter une île privée.

«Vous êtes au courant des rumeurs selon lesquelles ils auraient mis la main sur des armes chimiques de l'ex-Union soviétique?» demande le président.

Et Margot songe dans son cœur: Réduisez-les tous en cendres.

Il y a à cette époque-là une pensée qui flotte dans l'air du temps : Cinq mille ans, ce n'est pas si long que ça. On a initié quelque chose, qu'il faut mener à sa conclusion. Celui qui s'est trompé de route ne doit-il pas revenir sur ses pas ? N'est-ce pas le plus sage ? Après tout, on l'a déjà fait. On peut donc le refaire. Différemment, cette fois ; et mieux. On va démanteler la vieille maison, et tout reconstruire, depuis les fondations.

Quand les historiens commentent ce moment, ils soulignent les « tensions » et l'« instabilité globale ». Ils avancent la « résurgence d'anciennes structures » et l'« inflexibilité des schémas de croyances existants ». Les voies du pouvoir sont impénétrables. Il agit sur les gens, et les gens agissent sur lui.

Quand le pouvoir existe-t-il ? Uniquement lorsqu'on en fait usage. Pour la femme avec un fuseau, tout ressemble à un combat.

UrbanDox dit : Banco.

Margot dit : Banco.

Awadi-Atif dit : Banco.

Mère Ève dit : Banco.

Et quand il est parti, peut-on rappeler l'éclair ? Retourne-t-il au creux de la main ?

Depuis le balcon, Roxy contemple l'océan avec son père. C'est sympa de penser que, quoi qu'il arrive, la mer sera toujours là.

«Bon, papa, tu as bien foiré ton coup cette fois, pas vrai?»

Bernie regarde ses mains. Roxy se souvient du temps où rien n'était plus terrifiant au monde que ces mains.

«Ouais, faut croire.

— Mais tu as retenu la leçon, n'est-ce pas? reprend Roxy avec un sourire dans la voix. Tu t'y prendras autrement, la prochaine fois?»

Ils éclatent de rire, et Bernie, tête renversée face au ciel, exhibe ses dents jaunies par la nicotine et ses plombages.

«Franchement, je devrais te tuer, observe Roxy.

— Ouais, franchement, tu devrais. Tu ne peux pas te permettre d'avoir le cœur tendre, petite.

— C'est ce qu'on n'arrête pas de me dire. Peut-être que moi aussi, j'ai retenu la leçon. Il m'en aura fallu, du temps.»

Un flash illumine le ciel au-dessus des toits de la ville. Rose et ocre, bien qu'il soit près de minuit.

«Sur le front des bonnes nouvelles, je crois que j'ai rencontré un type, reprend Roxy.

— Ah ouais?

— On n'en est qu'au début, et entre nous, c'est un peu compliqué. Mais ouais. Je l'aime bien. Il m'aime bien.» Elle lâche un rire rauque. «Tu m'étonnes, qu'il m'aime bien. Je l'ai extirpé d'un pays rempli de folles qui voulaient sa peau, et je suis propriétaire d'un bunker souterrain.

— Des petits-enfants?» demande Bernie d'un ton rempli d'espoir.

Darrell et Terry sont morts. Et il ne faut plus compter sur Ricky de ce côté-là.

Roxy hausse les épaules. «Pourquoi pas? Faudra bien qu'il y ait des survivants à tout ce bazar, non?»

Elle sourit. «Je parie que si j'avais une fille, elle serait sacrément forte.»

Ils prennent un dernier verre avant de descendre.

Texte apocryphe exclu du Livre d'Ève

Découvert dans une grotte de Cappadoce, et vieux d'environ mille cinq cents ans.

La forme du pouvoir est toujours la même : elle est infinie, complexe, elle se ramifie éternellement. Aussi longtemps qu'il est vivant, comme un arbre, il continue de croître ; aussi longtemps qu'il se contrôle, il est une multitude. Ses directions sont imprévisibles ; il obéit à ses propres lois. Personne ne peut observer le gland et extrapoler chaque nervure de chaque feuille de chêne en train de se former. Plus on le regarde de près, plus la variété se fait jour. Quel que soit le degré de complexité qu'on lui prête, il est plus complexe encore. Comme les rivières qui coulent vers l'océan, comme les éclairs qui zèbrent le ciel, il est obscène et incontrôlable.
L'être humain n'est pas le fait de notre volonté, il résulte du même processus biologique inconcevable, imprévisible, incontrôlable que celui qui, la saison venue, pousse les feuilles à se dérouler, les brindilles à bourgeonner et les racines à s'étaler dans des enchevêtrements compliqués.
Même une pierre n'est jamais semblable à une autre pierre.
Rien n'a véritablement de forme sinon celle qu'il a.
Chaque nom que nous nous donnons est faux.
Nos rêves sont plus vrais que notre éveil.

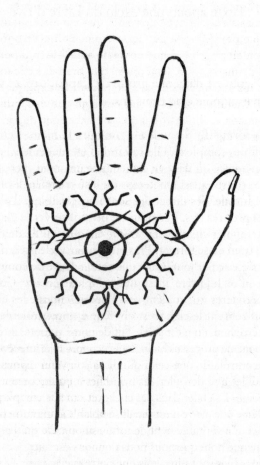

Cher Neil,

Eh bien! Je dois avant tout te dire que j'aime beaucoup ta Mère Ève – une sacrée contorsionniste! Cela m'a rappelé des tours de l'Underground Circus qui m'avaient beaucoup impressionnée – une de ces femmes s'était débrouillée pour que ma main salue chaque personne du public, et même Selim, en sortant, ne voulait pas croire que ce geste avait été indépendant de ma volonté. Je suppose que bien des choses, dans les anciens textes sacrés, peuvent s'expliquer ainsi. Quant à Tunde – je suis certaine que des milliers d'hommes, au fil des générations, ont connu des mésaventures similaires. Des attributions fallacieuses, des écrits anonymes abusivement attribués à des femmes, des hommes qui ont assisté leur épouse, leurs sœurs ou leur mère dans leurs travaux, sans jamais être crédités, mais aussi, il faut le reconnaître, des vols purs et simples.

J'ai quelques questions. Cela concerne les hommes soldats, au début du livre. Je sais, tu vas me dire que des excavations ont mis au jour des représentations de guerriers masculins. Mais – et je crois que c'est vraiment là le cœur du débat pour moi – sommes-nous certains que ces représentations n'étaient pas simplement le fait de civilisations *isolées*? Une ou deux parmi des millions? On nous a appris à l'école que les femmes obligeaient les hommes à se battre pour leur divertissement – je pense que de nombreux lecteurs auront encore cela à l'esprit en découvrant ces scènes avec des hommes soldats en Inde ou en Arabie. Ou encore celles où ces hommes pleins de fougue essaient de provoquer une guerre! Sans parler de ces gangs de trafiquants qui enferment des femmes pour en faire des esclaves sexuelles... certaines d'entre nous ont eu ce genre de fantasmes! (Puis-je – dois-je? – avouer que pendant que je réfléchissais à ça je... Non, non, c'est inavouable.) Cela étant dit, mon cher Neil, je ne suis pas la seule à avoir les idées mal placées! J'ai bien peur qu'un bataillon entier d'hommes en treillis ou en uniforme de police n'éveille chez la plupart des gens des idées fétichistes.

Je suis sûre que tu as appris la même chose que moi, à l'école. Le Cataclysme est survenu quand différentes factions de l'ancien monde ont échoué à atteindre un accord, et parce que leurs dirigeants pensaient bêtement, chacun dans son coin, pouvoir sortir vainqueurs d'un conflit planétaire. J'ai vu que tu l'abordes dans le livre. Et que tu mentionnes les armes nucléaires et chimiques, et, naturellement, l'effet des batailles électromagnétiques sur leurs outils de stockage de données est chose entendue.

Mais l'histoire étaye-t-elle vraiment l'hypothèse selon laquelle les femmes ne possédaient pas de fuseau encore peu de temps avant le Cataclysme? J'ai entendu parler de ces statues de femmes d'avant le Cataclysme, dépourvues de fuseau, qui ont été découvertes en divers endroits, mais ne pourrait-il pas s'agir d'une simple licence artistique? Cela me paraît plus logique que ce soient les femmes qui aient provoqué la guerre. Je sens instinctivement – et toi aussi, je l'espère – qu'un monde gouverné par les hommes serait plus agréable, plus doux, plus aimant et plus propice à l'épanouissement. As-tu réfléchi à la psychologie évolutionniste de cela? L'adaptation a fait des hommes des gardiens du foyer bosseurs pendant que les femmes – parce qu'elles ont des bébés à protéger – ont dû devenir agressives et violentes. Les rares sociétés partiellement patriarcales qui ont jamais existé se sont avérées très paisibles.

Tu vas me rétorquer, je sais, que les tissus mous ne se conservent pas bien, et qu'il est *impossible* de chercher des preuves de la présence des fuseaux dans des dépouilles vieilles de cinq mille ans. Mais est-ce que cela ne devrait pas aussi te faire réfléchir? Ton interprétation résout-elle la moindre question laissée en suspens par la grille de lecture classique de l'histoire du monde? C'est une idée brillante, je te l'accorde volontiers et cela seul justifie de la développer, ne serait-ce qu'à titre d'exercice amusant. Mais une assertion qui ne peut être ni étayée, ni prouvée fait-elle progresser ta cause? J'en doute. Tu pourrais me répondre que l'objet d'un ouvrage d'histoire ou de fiction n'est pas de faire progresser une cause. Bon, voilà que je débats avec moi-même. Je vais attendre ta réponse. Je veux juste questionner ta réflexion ici avant que les critiques ne le fassent.

Très affectueusement,

Naomi

Très chère Naomi,

Avant tout, merci d'avoir pris le temps et la peine de lire le manuscrit. Je redoutais qu'il soit quasi incohérent – j'ai bien peur d'avoir perdu tout recul le concernant.

Je dois dire que je… ne tiens pas en grande estime la psychologie évolutionniste, du moins lorsque appliquée au genre. Que les hommes soient naturellement plus pacifiques et plus protecteurs que les femmes… ce sera au lecteur d'en décider, je suppose. Mais réfléchis à ceci: les patriarcats sont-ils pacifiques parce que les hommes le sont par nature? Ou bien des sociétés plus pacifiques tendent-elles à permettre aux hommes de s'élever au sommet parce qu'elles valorisent moins la violence ? Je pose juste la question.

Voyons voir, que m'as-tu demandé d'autre ? Ah oui, les guerriers de sexe masculin. Je peux t'envoyer des illustrations de *centaines* de statues de soldats hommes, complètes ou pas, qui ont été exhumées un peu partout dans le monde. On sait, en outre, que de très nombreux mouvements se sont dévoués à effacer entièrement toute trace du temps d'avant – il suffit de regarder ceux dont nous avons entendu parler et qui se comptent déjà par milliers. On découvre quantité de statues et de bas-reliefs brisés, ou de bornes en pierre effacées. Si elles n'avaient pas été détruites, imagine combien de statues de soldats hommes nous trouverions. Nous pouvons les interpréter comme bon nous semble, en revanche une chose est sûre, il y a quelque cinq mille ans, les guerriers hommes étaient très clairement légion. Aujourd'hui, on refuse d'y croire parce que ça ne cadre pas avec une pensée établie. Mais libre à toi de ne pas trouver crédible que des hommes aient pu être soldats. Et je ne peux être tenu pour responsable des fantasmes sexuels que ferait naître l'évocation de batail-lons d'hommes en uniforme, Naomi ! Je vois cependant où tu veux en venir : certains lecteurs n'y verront que de la pornographie racoleuse. Quand tu écris une scène de viol, la part de sordide est inéluctable. Mais il y a de fortes chances pour que les gens sérieux voient au-delà.

Ah oui, et tu demandes : « L'histoire étaye-t-elle vrai-ment l'idée que les femmes ne possédaient pas de fuseau encore peu de temps avant le Cataclysme ? » La réponse est : oui. Ou, du moins, pour croire le contraire, il fau-drait ignorer une sacrée quantité de preuves archéolo-giques. C'est ce que j'ai essayé de transmettre dans mes précédents ouvrages historiques – avec le succès que tu connais! Je crois que personne ne voulait l'entendre.

Je sais que tu n'avais aucune intention de te montrer condescendante, mais pour moi il ne s'agit pas simplement d'une «idée amusante». Notre réflexion sur notre passé en dit long sur ce que nous pensons aujourd'hui possible. Si on s'obstine à rabâcher les mêmes thèses éculées quand il existe des *preuves évidentes* que toutes les civilisations n'ont pas eu les mêmes idées que nous… alors nous refusons toute possibilité de changement.

Oh, bon sang, je ne sais pas. Maintenant que j'ai écrit ça, je me sens encore moins sûr de moi. Aurais-tu lu ailleurs des informations précises qui te rendent dubitative à l'égard de ce que j'avance? Je pourrais peut-être trouver le moyen d'en faire état quelque part.

Merci encore du fond du cœur pour ta lecture.

J'apprécie vraiment. Lorsque le tien sera terminé – un autre chef-d'œuvre, je n'en doute pas! – je te dois une étude critique détaillée et exhaustive.

Très affectueusement,

Neil

Cher Neil,

Non, bien sûr que je n'entendais pas «amusant» dans le sens de «futile» ou d'«idiot». J'espère que tu sais que jamais je ne penserais ça de ton travail. J'ai, et j'ai toujours eu énormément de respect pour toi.

Mais bon, puisque tu me le demandes… ton livre soulève pour moi une question évidente, tant il contredit l'Histoire qu'on nous a enseignée enfants et qui est basée sur la tradition de récits remontant à des centaines, sinon des milliers d'années. Que s'est-il passé selon toi ? Suggères-tu vraiment que tout le monde a *menti* ? Ce serait énorme !

Affectueusement,

Naomi

Chère Naomi,

Merci de ton retour si rapide ! Pour répondre à ta question : je ne sais pas s'il m'appartient de suggérer que *tout le monde* a menti.

D'abord, évidemment, nous ne possédons pas de manuscrits originaux datant de plus de mille ans. Tous les livres d'avant le Cataclysme en notre possession ont été recopiés des centaines de fois. Les occasions d'introduire des erreurs n'ont donc pas manqué. Et pas seulement des erreurs.

Comment ne pas supposer que chaque copiste avait sa petite arrière-pensée ? Pendant plus de deux mille ans, ces copies étaient uniquement l'œuvre des nonnes. Je ne crois pas exagérer en supposant qu'elles choisissaient de copier des ouvrages en accord avec leur façon de penser, et qu'elles laissaient les autres moisir et se décomposer. Franchement, pourquoi auraient-elles sauvé des ouvrages affirmant que les hommes étaient autrefois les plus forts et qu'ils dominaient les femmes ? Cela aurait été une hérésie, et elles auraient été damnées.

C'est tout le problème, avec l'Histoire. On ne peut pas voir ce qui n'est pas là. On peut scruter un vide et constater qu'il manque quelque chose, mais quoi ? Il n'y a aucun moyen de le savoir. Moi, je ne fais que… dessiner dans les espaces vides. Ce n'est pas une attaque.

Affectueusement,

Neil

Très cher Neil,

De mon point de vue, ce n'était pas une attaque. C'est dur pour moi de voir quel portrait tu brosses des femmes, par moments. «Être une femme», nous en avons souvent discuté, est inextricablement lié à la force, l'insensibilité, la peur ou la douleur qu'on attend de nous. Je t'ai toujours su gré de la sincérité de nos conversations. Je sais que tu as parfois eu du mal à construire des relations avec des femmes ; et je comprends pourquoi. Je suis tellement heureuse que l'amitié ait survécu au lien qui était le nôtre. Ton écoute a été tellement importante pour moi quand je te confiais certaines choses que je n'aurais jamais pu dire à Selim ou aux enfants. La scène de l'ablation du fuseau a été très éprouvante à lire.

Affectueusement,

Naomi

Chère Naomi,

Merci pour tes mots. Je sais combien tu fais ton possible. Tu es quelqu'un de bien.

Je veux vraiment que ce livre nous fasse progresser, N. Je suis convaincu que nous pouvons, collectivement, améliorer qui nous sommes. Ce rapport dominant-dominé ne nous est pas venu «naturellement». Quelques-uns des pires excès commis à l'encontre des hommes ne furent jamais – du moins d'après moi – perpétrés à l'encontre des femmes avant le Cataclysme. Il y a trois ou quatre mille ans, on estimait normal de procéder, à la naissance, à l'extermination sélective de neuf garçons sur dix. Et aujourd'hui encore, en certains endroits du monde, on «bride» le pénis des bébés de sexe masculin – quand on les laisse naître ! Les filles n'ont pas pu connaître un tel traitement dans les époques qui ont précédé le Cataclysme. Nous évoquions précédemment la psychologie évolutionniste. En termes d'évolution, à quoi rimerait pour des civilisations de sacrifier des fœtus féminins à large échelle, ou de mutiler leurs organes reproducteurs ! Il n'y a donc rien de «naturel» pour nous à vivre ainsi. Nous pouvons choisir de faire autrement.

Le monde est tel qu'il est à cause de structures de pouvoir solidement ancrées depuis cinq mille ans, et issues d'une époque bien plus sombre, bien plus violente, où seule importait pour toi et tes semblables la puissance de votre décharge électrique. Mais plus rien ne nous oblige à nous comporter comme ça. Dès lors que nous avons compris ce qui fonde nos idées, ne pouvons-nous pas réfléchir et nous imaginer différemment ?

La notion de genre n'est qu'une escroquerie. Qu'est-ce qu'un homme ? Tout ce qu'une femme n'est pas. Qu'est-ce qu'une femme ? Tout ce qu'un homme n'est pas. Admets qu'on ne va pas aller loin avec ça.

Xx,

Neil

Très cher Neil,

J'ai passé le week-end à réfléchir à tout ça : il y a matière à réflexion et à discussion, et je crois préférable qu'on se voie pour en parler de vive voix. J'ai peur d'écrire quelque chose que tu pourrais mal interpréter, et je tiens à éviter tout malentendu. Je sais combien c'est un sujet sensible pour toi. Je demanderai à mon assistant de te proposer quelques dates pour un déjeuner.

Ce qui ne revient pas à dire que je ne soutiens pas ton livre. Je le soutiens – sincèrement. Je veux m'assurer qu'il touche un public le plus large possible.

J'ai une suggestion, cela dit. Tu m'as expliqué que tout ce que tu fais est encadré et limité par ton genre, et que ce genre est aussi inéluctable qu'absurde. Chaque livre que tu écris est jugé à l'aune de ce qui constitue la « littérature masculine ». Aussi, vois ma suggestion comme une réponse possible – car elle n'est rien d'autre, je te l'assure – qui t'inscrirait dans une longue tradition. Bien des hommes ont trouvé là une issue à cette épineuse situation. Tu serais en très bonne compagnie.

Neil, je sais que cette suggestion risque de te sembler de très mauvais goût, mais as-tu envisagé de publier ce livre sous un pseudonyme féminin ?

Très affectueusement,

Naomi

REMERCIEMENTS

Je ne pourrais jamais assez remercier Margaret Atwood, qui a cru en ce livre quand il n'était encore qu'une petite lueur dans mon esprit, et m'a assurée, quand je chancelais, qu'il était bien vivant, pas mort. Merci pour nos conversations éclairantes à Karen Joy Fowler et Ursula Le Guin; merci à Jill Morrison de Rolex et Allegra McIlroy de la BBC qui les ont rendues possibles.

Je remercie Arts Council England, Rolex Mentor et Protégé Arts Initiative, dont le soutien financier m'a permis de rédiger ce livre. Merci à mon éditrice chez Penguin, Mary Mount, et à mon agent Veronique Baxter. Merci à mon éditrice chez Little, Brown aux États-Unis, Asya Muchnick.

Merci à un sabbat bienveillant qui a sauvé ce livre au cœur de l'hiver: Samantha Ellis, Francesca Segal et Mathilda Gregory. Et merci à Rebecca Levene, qui sait faire avancer les choses dans une histoire, et en a fait la démonstration ici. Merci à Claire Berliner et Oliver Meek qui m'ont aidée à le faire redémarrer. Merci aux lecteurs et aux commentateurs qui m'ont donné courage et confiance en moi, et tout particulièrement à Gillian Stern, Bim Adewunmi, Andrea Philips et Sarah Perry.

Merci à Bill Thompson, Ekow Eshun, Mark Brown, le Dr Benjamin Ellis, Alex Macmillan, Marsh Davies pour nos conversations sur la masculinité. Merci pour nos discussions liminaires à Seb Emina et Adrian Hon, qui connaît l'avenir comme je connaissais autrefois Dieu : immanent et brillant.

Merci à Peter Watts pour m'avoir guidée dans le domaine de la biologie marine et aidée à déterminer où placer des électroplaques dans le corps humain. Et merci à la BBC Science Unit, et particulièrement à Deborah Cohen, Al Mansfield et Anna Buckley, pour m'avoir permis d'assouvir ma curiosité à propos des anguilles électriques bien au-delà de ce que j'aurais pu espérer.

Merci à mes parents, ainsi qu'à Esther et Russell Donoff, Daniella, Benjy et Zara.

Les illustrations sont signées Marsh Davies. Deux d'entre elles – le «Jeune Serviteur» et la «Reine Prêtresse» – s'inspirent de véritables pièces archéologiques découvertes dans la cité antique de Mohenjo-Daro dans la vallée de l'Indus (sans, naturellement, les fragments d'iPad). Nous ne savons pas grand-chose de la culture de Mohenjo-Daro – certaines découvertes suggèrent qu'elle ait pu être assez égalitariste. Mais en dépit du manque de contexte, les archéologues qui les ont exhumées ont baptisé la tête en stéatite dont l'illustration figure page 330 «Prêtre Roi», alors qu'ils ont baptisé la figurine féminine en bronze page 329 «Jeune danseuse». C'est encore par ces dénominations qu'elles sont connues aujourd'hui. Parfois je me dis que ce jeu de planches illustrées suffirait à communiquer l'essentiel de ce livre.

Du même auteur :

La Désobéissance, Éditions de l'Olivier, 2008.
Mauvais genre, Éditions de l'Olivier, 2011 ; Points, 2012.
Doctor Who. Temps d'emprunt, Bragelonne, 2012.